ROCK

PHILIPPE MANŒUVRE

ROCK

(Roman autobiographique)

Harper
Collins

HARPERCOLLINS FRANCE
83-85, boulevard Vincent-Auriol, 75646 PARIS CEDEX 13
Tél. : 01 42 16 63 63

www.harpercollins.fr

ISBN 979-1-0339-0248-5

« *Pour vivre hors la loi,*
Il faut être honnête. »

BOB DYLAN

DANS LE BUS DES STOOGES

« Cause I'm loose. »
Iggy Pop

Juillet 2007 : je suis assis dans le bus des Stooges, juste derrière le chauffeur, avec ma fille Manon, dix-neuf ans, et le reste du groupe.

Manon distribue des sandwichs, des Coca et des bières. Le batteur Scott Asheton et son frère, le guitariste Ron, sont là avec le bassiste Mike Watt, le saxo Steve Mackay et un ingénieur du son. Iggy Pop nous rejoindra plus tard, le groupe voyage séparément, souvent.

Soleil couchant, le bus glisse à travers la campagne française. Mais qu'est-ce qu'on fait tous là, sur l'A10, entre Orléans et Beaugency ?

En cet été 2007, je suis le directeur artistique du Festival de Blois. Le maire, Nicolas Perruchot, voulait rajeunir le festival de sa ville et lui donner une portée internationale. Il m'a appelé, j'ai accepté le challenge et j'ai programmé sept soirées, dont une avec les Stooges, dans la cour du château de Blois.

Quand je suis arrivé là-bas, la veille du concert, le tourneur m'a expliqué que ce serait bien d'envoyer un bus à Roissy pour aller accueillir les rockers de Detroit avec quelqu'un parlant anglais.

Moi. J'ai donc embarqué dans un bus Pullman vide, direction l'aéroport de Roissy-en-France.

Arrivant tout droit du Danemark où ils venaient de se produire dans un festival metal, les Stooges étaient fatigués. Ils sont sortis de l'aéroport en râlant. Accompagnés de trois roadies, ils ont grimpé un à un dans le bus et au moment de monter, voilà que Scott Asheton, le batteur, m'a subitement empoigné l'épaule pour me la broyer.

« J'ai oublié ma valise dans laquelle il y a mes papiers et tout le reste. J'ai dû la laisser aux bagages, faut absolument qu'on retourne la chercher... »

Aïe... Qu'est-ce qu'on allait bien pouvoir faire... ?

Depuis le 11-Septembre 2001, il est devenu tellement difficile d'entrer dans un aéroport que je me suis dit que notre seule chance était, peut-être, de passer par la sortie.

Avec Scott, j'ai donc remonté hardiment le flot des voyageurs sous le regard ahuri des douaniers.

« Voilà, je suis avec le batteur d'Iggy Pop, il a oublié sa valise...

— Mais vous êtes Philippe Manœuvre des Enfants du Rock... *? ?*

— On peut passer ? ? ? »

Scott n'a toujours pas desserré les mâchoires, mais je sens sa main relâcher un peu la pression.

Nous avons retrouvé le tourniquet à bagages, où nous attendait une valise à roulettes bien fatiguée. Là-dedans, Scott trimballe toute sa vie. Baguettes de batterie, lunettes miroir, téléphone, photos de sa compagne et de sa fille.

Ressortant de l'aéroport, nous sommes montés dans le bus, direction Blois, où assis sur mon siège de velours incarnat, je me laisse à présent aller à une onde de satisfaction adolescente.

Être dans le bus d'un groupe, c'est en quelque sorte la plus haute marque de béatitude, dans ce métier.

Au cours de ma carrière, j'en ai vu, de ces convois rock. J'ai roulé avec Mötley Crüe, Scorpions, Van Halen, Kid Creole, AC/DC. Les Rolling Stones n'ont pas de bus. Eux se déplacent en véhicules blindés, fourgons de la Brinks et SUV. Et ils mettent un Stone par véhicule entre l'hôtel et la salle, les assurances préfèrent.

À regarder les Stooges dans mon bus, rêveur, je repense surtout à mes soirées d'adolescent, du côté de Châlons-sur-Marne, en 1971. Déjà, à l'époque, beaucoup considéraient *FunHouse* des Stooges comme le meilleur disque de tous les temps.

Pour moi, ça reste vrai.

Ces types ont fait avancer le rock à pas de géant.

Lors de mon voyage initial aux USA en 1971, j'avais décou-vert leur premier album dans un bac à soldes, coin coupé, vendu 99 cents.

À l'écoute de ce chef-d'œuvre initial, tout était subitement devenu très clair. Les Stooges s'imposaient en « petits frères des Stones ». Iggy imitait Jagger à la perfection (« No Fun ») — le groupe nous a d'ailleurs offert un titre indestructible, son « Satisfaction » à lui, « I Wanna Be Your Dog ».

FunHouse racontait une nuit de virée dans Detroit avec une bande de voyous speed. *Raw Power*, paru en 1973, l'album « retour du Vietnam » prédestinait le mouvement punk à lui tout seul.

Iggy and The Stooges avaient donc enregistré très tôt leur grande trilogie, trois albums parfaits, sur lesquels il n'y avait pas un morceau à renier, trois albums qui magnifiaient les styles garage, hard-rock psychédélique, punk et proto metal.

Par la suite, des dizaines de groupes s'inspireront de ces disques pour créer leur rock de Detroit. Et le mouvement stoogien touchera toute la planète jusqu'au Japon.

Si on jette un œil sur la pochette intérieure de *FunHouse*, on ajoutera que les Stooges avaient aussi imaginé la mode des cinquante années à venir : chemise noire ou T-shirt, boots Beatles et jeans troués au genou. Quant à l'un des frères Asheton, le guitariste, il a toujours arboré une croix de fer. Les Stooges auraient-ils aussi inventé le nazi chic ? Non, Ron disait : *« Mon père est mort à la guerre. Si quelqu'un a le droit de porter une putain de swastika dans Detroit, c'est bien moi ! »*

Et là, donc, moi, Philman, fan absolu des Stooges, j'emmène le groupe à Blois pour donner un concert dans la cour du château des rois de France.

Pardonnez-moi de trouver l'instant particulièrement exaltant.

Les Stooges ont fini de manger leurs sandwichs. Je les regarde contempler en silence le paysage verdoyant de la Touraine. Ces gars du Michigan sont des guerriers de la route. Des survivants. Plus que tous les autres rockers, ils ont accumulé les conneries et risqué leur vie.

Satané destin ! Séparés depuis 1974, ils ont disparu du paysage pendant trente-trois ans et ils sont là, de retour, reformés depuis 2003, tournant sans trêve ni relâche autour de la planète. Hier, le Danemark, aujourd'hui, la France, demain, le cercle polaire. Le monde du rock redécouvre le groupe ultime, le seul, selon les critiques de *Creem*, le magazine rock de Detroit, à pouvoir rivaliser en folie sonique avec Led Zeppelin.

Élevée par sa mère aux États-Unis jusqu'en 2003, Manon est incroyablement heureuse de parler à des « compatriotes » de Detroit. La conversation roule à présent sur le cinéma. Pendant que Mike Watt, le bassiste, écoute dans son casque un vieil album de Blue Öyster Cult, Manon demande à Scott Asheton s'il a vu *Training Day*.

« Je t'arrête tout de suite. Ton film, là, il est en noir et blanc ou en

12

couleur ? Moi, je ne regarde que des films en noir et blanc. La couleur, j'y viendrai, mais pas tout de suite. »

Manon repart vers le fond du bus chercher des bières, Scott se tourne vers moi : « *Ta fille… J'ai la même à la maison. »*

Mike Watt enlève son casque pour se joindre à la conversation, qui revient à la musique. Manon confesse une admiration sans bornes et sans limites pour Eminem. Immédiatement, Ron et Scott, en grande forme, nous déclament l'un de leurs raps favoris : le texte complet d'une chanson de Frank Sinatra, « One for My Baby (and One More for the Road) ». Sinatra… Old blue Eyes… Le gangsta originel.

Tout en m'allumant un pétard à l'arrière avec les roadies, je me dis, tout d'un coup, que la vie est un chouette plat de cerises.

Cette virée dans le bus des Stooges est l'un des temps forts de toute mon existence.

L'un des moments où j'ai été le plus heureux.

Soudain, je suis bien dans mon personnage.

Voilà, c'est moi, Philman, je vais de ville en ville avec mes rockers de Detroit. Demain soir, ils vont jouer et nous retourner la tête et, des années durant, ma fille me demandera : « *Papa, est-ce qu'on ne pourrait pas retourner dans le bus des Stooges ? »*

Parfois, tes enfants te posent aussi une autre question : « *C'est quoi le rock'n'roll ? »* La réponse est là. C'est ça. Aller de ville en ville pour rejouer des chansons magiques de notre adolescence.

Blois. Le concert est désormais tout proche. Dans la cour d'honneur, tout le monde s'active. Les Stooges arrivent au château vers 17 heures. Ils effectuent un rapide sound check. Mais on attend encore Iggy Pop.

Une heure plus tard, le phénomène se matérialise.

Une puissante Mercedes se gare dans la cour. Torse nu sous une veste sombre, le chanteur élastique en descend. Il est accompagné du tourneur du groupe, Alain Lahana.

Iggy est là !

Pendant ce temps, le reste du groupe visite le château de Blois avec Manon et un guide. À un moment, ils arrivent devant un immense portrait d'Henri III chaussé de poulaines, ces mules Renaissance à l'aspect incroyablement allongé.

Interloqué, le guitariste s'arrête : « *Was he gay ?* »

Tous les fous furieux de la région, venus de soixante kilomètres à la ronde, se sont déjà rassemblés au pied de la scène. Les Stooges reformés vont jouer ! La septième merveille du rock !

Le concert est orgasmique. Évidemment.

Ma première rencontre avec Iggy ?

C'était au mitan des années 70, un soir d'été, chez Marc Zermati. Éternel aventurier du rock, Marc avait ouvert une boutique branchée au 58, rue des Lombards, l'un des premiers concept store du monde puisque dès 1970, on y trouvait des disques importés des USA mais aussi des comics venus de Hollande, des pirates, des recueils de textes, des magazines américains comme *Creem* ou *Crawdaddy*, et des posters. Marc habitait le loft au-dessus du magasin. On écoutait des disques toute la nuit, on fumait, on buvait des bières. C'est chez Marc que j'ai rencontré Nick Kent, le grand critique anglais du *New Musical Express*.

C'est chez Marc également qu'on croisait Nico, présence féminine silencieuse, toujours au fond du loft. La chanteuse du Velvet Underground était déjà un mythe vivant. Elle ne vivait clairement pas dans le même continuum spatio-temporel que nous autres, les humains. Ombre à la beauté étrange, Nico était totalement unique. Parfois, avec son accent allemand à couper au couteau, elle daignait pourtant ouvrir la bouche pour demander à Marc de lui allumer une cigarette.

Un soir, nous étions en cercle autour de la platine et de l'ampli, quand soudain... Iggy Pop a surgi comme un léopard par la fenêtre ouverte, pour atterrir au beau milieu de la pièce. L'immeuble étant en ravalement, Iggy était monté par l'échafaudage plutôt que d'utiliser l'escalier et de sonner à la putain de porte. Iggy *fucking* Pop !

Le chanteur des Stooges n'est pas très grand (il en fera une chanson « Five Foot One »), mais ce lutin dégageait une énergie de centrale nucléaire.

Je l'écoutais religieusement donner la raison de sa visite impromptue : Marc venait de sortir un album en public des Stooges, *Metallic KO*. Iggy appréciait ce disque, mais, surtout, il voulait savoir si les ventes avaient été bonnes et s'il n'y avait pas un peu d'argent à récupérer éventuellement, là, maintenant. Mille boules auraient bien fait l'affaire. Explications de Marc : « *C'est James Williamson* (le guitariste) *qui a récupéré tout l'argent généré par le projet.* » Iggy a éclaté de rire, sacré James, puis il a salué la compagnie et il a disparu dans la nuit d'où il était venu, redescendant par l'échafaudage.

À l'époque, Iggy Pop était considéré comme un chanteur fini. Son groupe n'était plus.

Mais, lentement, brique par brique, Iggy s'est reconstruit.

Enfin, Iggy revient en France pour annoncer son premier concert parisien, qui aura lieu en mai 1977.

Deux mois avant, il passe donc deux jours à Paris pour donner des interviews à quelques journalistes triés sur le volet, tous fans de la première heure. En tout et pour tout : Brenda Jackson de

Best, Alain Pacadis de *Libération* et moi, de *Rock&Folk*. Beaucoup assurent que l'Iguane profitera de l'entrevue pour donner beaucoup plus qu'une interview à la journaliste de *Best*.

Légende urbaine ?

À mon tour. Une première interview avec Iggy Pop est un moment intense. Iggy s'exprime d'une voix posée, mesurée, très grave. Il est calme, plein d'humour et en même temps très étrange.

J'ai pris avec moi quelques photos des Stooges que le photographe Philippe Mogane m'a confiées, il les avait récemment retrouvées. Imaginant que ça lui fera plaisir, je les sors d'une enveloppe pour les montrer à Iggy. Il s'énerve et détourne violemment le regard : *« Enlève-moi ça, c'est trop dur, je ne peux simplement pas regarder. »*

Deux mois plus tard, donc, le voilà sur la scène de l'Hippodrome, à Pantin, en solo, torse nu. Dans un jeu de scène suicidaire, il escalade la tour de sono, provoque l'enfer et soumet six mille furieux en quinze titres chauffés à blanc.

OK, il n'est plus accompagné par les Stooges.

Mais il est vivant et il chante.

Il essaye désormais de prouver qu'on peut vivre le rock le plus sauvage sans foncer droit dans le ravin. Sublime destin.

Les Stooges s'étaient séparés en 1974 dans un crash terrible. Leur bassiste avait tristement rejoint le club des 27, victime du train de vie Stoogien, sexe, drogue, etc.

De nos jours, comme dit Iggy, *« on trouve de la drogue partout, n'importe où »*. Mais au début des années 70, ce n'était pas le cas. Un groupe partant sur les routes devait prévoir un approvisionnement suffisant pour tout le personnel de la tournée (musiciens et roadies), ainsi que des points de remplissage du réservoir à dope.

À cet égard, l'ultime tournée américaine des Stooges en 1974 semblait conçue par un savant fou. Elle consistait à rejoindre tous les dealers connus du groupe à travers l'Amérique. La tournée se terminait à Detroit, dans un club, au Michigan Palace, où un gang de bikers du coin, les Scorpions, avait imaginé une épreuve initiatique pour un jeune prospect : essayer d'arrêter Iggy Pop en concert. La confrontation fut houleuse, la bagarre : générale, et les Stooges jetèrent le gant, ce soir-là. Metallic KO, vraiment.

On imagine la suite : acrimonie généralisée, déchéance, cris, pleurs, morts, coups bas. Une reformation semblait impossible. Désormais décidé à mener sa carrière en solo et à ne plus répondre des conneries des autres, Iggy semblait avoir tiré un trait final sur son vieux collectif et ses folies destroy.

De 1977 à 1987, j'allais donc le rencontrer régulièrement pour *Rock&Folk*, Antenne 2, Canal Jimmy, Canal+, *Libération*. Et, à force, nous sommes devenus des comparses, un couple interviewer/interviewé se comprenant à merveille.

Iggy me donnera des interviews dans les endroits les plus surprenants. Il me dira des trucs étonnants comme : « *Un groupe, c'est vraiment juste un chanteur et un guitariste. Je suis le mac, le guitariste est ma pute.* »

Un jour de 1986 que je dois le rencontrer à Londres pour la promo de son nouvel album *Blah Blah Blah*, Iggy me donne rendez-vous dans un McDo.

« *Tu connais le McDo de Kensington High Street ? J'y serai vers 15 heures…* »

Il arrive avec cinq minutes de retard, prend un café, s'assoit et expédie la promo.

« *Personne ne se doute de rien, tu as vu comme on nous fout la paix ?* »

La conversation finie, il s'évanouit dans Londres, sans passer par l'un de ces cinq étoiles où vivent désormais les stars du rock.

J'irai ensuite l'interviewer à New York, dans le Village, en 1995. Iggy va mieux, alors. Son copain Bowie a repris la chanson « China Girl » sur son album *Let's Dance*. Publié en single, le titre est un succès mondial.

Avec les droits d'auteur, Iggy peut s'offrir son premier appartement en bas de Manhattan. Nous faisons les photos devant un bar d'Alphabet City. Le barman passe « Search and Destroy ». Iggy bombe le torse : *« Hey, c'est moi qui ai fait ça ! »* Soudain, il ne refuse plus de parler des Stooges.

Les vieux complices d'Iggy sont toujours vivants du côté de Detroit, quasiment inactifs. Scott Asheton tourne parfois en France avec de vieux gladiateurs garage. Ron Asheton vit chez lui, dans sa maisonnette de Detroit où l'un de mes journalistes le retrouve un beau jour.

« J'écoute mes disques de Pharoah Sanders », confie le guitariste vétéran à Vincent Hanon.

Plus tard, Iggy s'installe à Miami dans une petite maison basse où s'empilent une collection de toiles haïtiennes naïves, ses disques d'or et ses trophées *Kerrang, Mojo, NME*. Dans sa chambre à coucher, qu'il me fait visiter, un écran télé géant couvre le mur en face du lit au-dessus duquel a été cloué le poster du film *Baise-moi*.

Il nous donnera souvent rendez-vous dans sa maisonnette pour des entretiens fascinants.

Si je mentionne son nouvel habitat, c'est parce qu'il est situé dans un quartier périphérique de Miami, passablement glauque, pas loin d'une communauté rasta.

Un soir, comme ça, en repartant de chez M. Pop, alors que le photographe Fabrice Demessence conduit, une voiture nous dépasse à toute berzingue, deux coups de feu claquent, la voiture folle qui nous talonne fait une embardée, escalade un fossé, arrache un grillage et disparaît dans un nuage de poussière.

Nous continuons à rouler, éberlués.

Iggy, lui, s'en fout. Il peut. Ses voisins les plus proches sont un gang de bikers dont le chef a fait savoir que, si quelqu'un ose toucher à la maison d'Iggy Pop, il retrouvera ses tripes étalées en accordéon sur plusieurs kilomètres.

En 2003, enfin, Iggy décide que l'heure est venue de reformer les Stooges, à Coachella.

Où vouliez-vous que je sois, ce soir-là ?

Est-ce que le pape est catholique ?

Plaine d'Indio, dans le désert de Californie du Sud. Une punkette de seize ans boit sa bière, jette sa clope et hurle à la cantonade : « *Hey les gens, vous vous rendez compte ? On va voir les putains de Stooges !!! »*

Les White Stripes terminent leur concert vers 22 h 30. Soixante mille personnes exultent et titubent de joie lorsque Iggy et les Stooges prennent enfin la scène.

Je joue des coudes pour tenter de me rapprocher. Strictement impossible. Jouant leurs deux premiers albums en mode « assaut frontal », les Stooges laissent le public de Coachella en transe.

En coulisses, je tombe sur Art Collins, le manager d'Iggy. *« Art, c'était génial ! Il faut remettre ça ! Je peux vous proposer de jouer au Bol d'Or ! »*

Le Bol d'Or ! Dans la plaine de Magny-Cours, c'est le grand rassemblement des motards français et, chaque année, l'organisation Larivière fait venir un groupe pour le grand concert du samedi soir. Louis Bertignac et ses Visiteurs, Noir Désir, Bashung, Iron Maiden, Motörhead, Scorpions, Blue Öyster Cult, The Hellacopters ont répondu présent et y ont donné des concerts d'anthologie.

Problème : depuis la cuisante expérience *Metallic KO*, Iggy a toujours refusé de rejouer dans quelque rassemblement motard que ce soit. Il faudra à Alain Lahana des trésors de diplomatie et un très très long travail de persuasion.

Cinq mois plus tard, circuit de Magny-Cours.

Les Stooges ont accepté ce concert qui sera leur tout premier en France et sortira en disque pirate sous le titre *Stukas over Disneyland*.

Je suis dans la nuit noire avec Iggy, Ron et Scott Asheton, Mike Watt et Steve Mackay. Nous montons sur un plateau d'acier qu'une grue élève lentement vers la scène, haute de sept mètres. Les cinq Stooges me regardent fixement, en silence. Iggy me désigne la masse noire de la foule. J'empoigne le micro *: « Salut à tous ! Je serai bref car certains d'entre vous attendent ce concert depuis trente ans... »*

Les Stooges envoient un riff phénoménal et j'ai l'impression que King Kong vient d'abattre l'Empire State Building dans mon dos : *« ... Ladies and gentlemen, Iggy and The Fucking Stooges ! ! »*

Daniel Darc est au premier rang. Appuyé sur un vieux biker au cuir couvert de patchs, il pleure. Profitant de mon statut de présentateur, planqué derrière un ampli Marshall, je reste sur scène pour ne pas perdre une miette du show stoogien.

À un moment, il me semble bien que Scotty Asheton ralentit imperceptiblement le tempo de « Down on the Street ». Ron, le guitariste, a perçu ce glissement. Il se retourne et regarde son frère droit dans les yeux, esquissant une grimace de connivence. Scott se reprend, remet le train sur les rails et les Stooges laminent un public déchaîné.

En sortant de scène, ce soir-là, Ron Asheton, dans sa veste camouflage, me fait son fameux salut militaire : « Mission accomplie, objectif pulvérisé. »

Dialogue dans la loge :

Iggy : *Alain, combien de temps on a joué ?*

Alain Lahana : *Une heure et sept minutes.*

Iggy : *Ouh la, faudrait pas que ça devienne le Grateful Dead.*

Rire général.

Dans la nuit, les bikers, fous de joie, ont transformé le camp en zone libre. Bière, scotch à flots, motos hurlantes, concours de T-shirts mouillés, alors que la course se poursuit sur le circuit avec les bolides miaulant dans le noir à deux cent trente kilomètres/heure...

Iggy est positivement ravi.

« *Weird weird place !* » approuve-t-il.

Par la suite, les Stooges donneront plus de soixante-dix concerts en France, dans les stades, des clubs, au Palais des Sports, à l'Olympia, au Casino de Paris, dans plein de festivals, à la fête de l'Humanité. Ils feront tout.

Iggy est un type formidable.

Un soir de 2004, au Gibus, Nikki, des Brats, me demande une faveur. Il s'étonne qu'un concert des Stooges soit annoncé au Zénith de Paris sans aucun soutien, aucune première partie. Je fais aussitôt passer le message à Iggy Pop : un groupe de teenagers nommé les Brats réclame l'honneur d'assurer la première partie des Stooges. En retour, Iggy me pose deux questions : « *Est-ce que tu manages ce groupe et ont-ils déjà une maison de disques ?* » Je réponds non deux fois.

La réponse d'Iggy Pop arrive dans les vingt-quatre heures : « *OK, ils le font !* »

Ce n'est pas tout. Il y a le live. Il faut savoir que quand Iggy Pop est en scène, quelque chose de l'ordre du sacré se produit.

En concert, il est littéralement possédé.

Iggy cesse de manger vingt-quatre heures avant un show. Dès son arrivée en scène, de l'adrénaline pure coule dans ses veines. Et il établit d'emblée une communication avec son public de fous furieux.

Régulièrement, Iggy plonge dans la foule qui, les grands soirs, le soulève et le porte en triomphe, à bout de bras. Si un photographe ose ne serait-ce que pointer son objectif pendant qu'Iggy mime un acte sexuel avec l'ampli du bassiste, il peut se faire piétiner. Si quelqu'un émet des doutes sur sa virilité, Iggy se fout à poil et donne son concert nu de la tête aux boots (c'est arrivé une fois, à l'Olympia).

Autre chose encore. Chaque concert des Stooges reformés devient vite l'occasion d'abattre le fameux troisième mur et de faire monter les fans sur scène, en plein concert.

Au Festival de Primavera en Espagne, Iggy a fait monter plus de huit cents fans jusqu'à ce que le plateau menace de s'écrouler. Moments de dinguerie où l'on voit véritablement l'extase stoogienne (*O mind* en langage stoogien) descendre sur la foule. Dans ces instants uniques, Iggy semble dire : « *Je vous prête les Stooges, amusez-vous !* »

Bien sûr, roadies et musiciens n'apprécient pas beaucoup ces invasions récurrentes de fans en chaleur. C'est même le calvaire du guitariste.

Qu'importe. Iggy est le chanteur de rock ultime.

Le petit frère de Jim Morrison.

J'appartiens, justement, à cette génération qui a rêvé de Jim Morrison. Rêvé de le voir en concert, avec ses cuirs noirs, ses chemises immaculées et sa ceinture d'argent, rêvé de décoller et de partir ailleurs sur le vaisseau de cristal avec le Roi Lézard.

Nous n'avons jamais vu Jim Morrison, mais Iggy, lui, était là.

Sept mois après le Bol d'Or, les Stooges débarquent au Japon. Ils doivent jouer dans un stade, le Makuhari Messe International Hall, et dans un club. Iggy fait savoir à Marc Zermati qu'il aimerait bien que nous soyons là pour assister à l'événement.

Le 20 mars 2004, les Stooges prennent le stade de Tokyo, dans un grand festival punk, entre les Distillers et juste avant Primal Scream, qui clôture la soirée.

Les Japonais sont en transe. Comme l'herbe est rare au pays du Soleil-Levant, tout le monde a gobé des champignons psychédéliques. Encore aujourd'hui, je garde cette vision de gamines hallucinées, accrochées aux barrières, les yeux blancs, révulsés, miaulant de plaisir lubrique.

Pour l'occasion, Iggy Pop étrenne une barbe de huit jours. Les Stooges, qui tournent depuis un an, sont au faîte de leur puissance retrouvée et lorsque Ron Asheton joue le solo de « Dirt », un immense dragon semble claquer ses ailes de cuir au-dessus du stade.

Après le concert, généralement, Iggy se retire en solitaire dans sa loge, dévore un foie gras, descend quelques verres de bordeaux. Un moment intime, privé, auquel personne n'assiste jamais.

Mais cette fois, à ma grande surprise, alors que je suis en train de glandouiller avec Marc dans les backstages, Henry, le fidèle tour manager, vient nous chercher : Iggy nous attend d'urgence.

Nous pénétrons dans une pièce gigantesque où Iggy est assis, torse nu et pantalon de cuir, au milieu de ses Stooges.

« Mes amis, voici Marc et Philippe. Je voulais vous présenter ces deux Français parce que ces deux-là, depuis trente ans, me demandent de reformer les Stooges. J'ai cédé. Et grâce à eux... Eh bien, nous sommes tous millionnaires ! »

Henry sort d'un seau à glace une bouteille de champagne Cristal Roederer et les Stooges trinquent avec nous, avant de repartir dans les Corvette que Masa, l'organisateur, leur a louées pour rentrer dans Tokyo pied au plancher, sur les quatorze kilomètres du pont de la baie de Yokohama.

Les histoires d'amour finissent mal en général, et j'allais découvrir que les Stooges n'étaient pas immortels. Après cinq années de tournée autour de la planète, après un ultime concert en Slovénie, Ron Asheton, le guitariste à la croix de fer, s'est éteint le 31 décembre 2008, à l'âge de soixante ans. Son corps sera découvert six jours plus tard. Un lecteur de *Rock&Folk* écrira au courrier des lecteurs : « *Adieu vieux nazi, on t'aimait bien* », épitaphe qui résume assez bien le sentiment général.

En juin 2009, le guitariste James Williamson, qui déjà avait remplacé Ron Asheton à l'époque de l'album *Raw Power*, revient dans le groupe. Ses cheveux ont blanchi, mais son jeu de guitare reste toujours aussi volcanique. Avec lui, les Stooges tourneront quelques années de plus.

Un soir, après un concert à l'Olympia, cérémonie intime dans les coulisses du vénérable théâtre. Tout Sony Music est là pour remettre un disque d'or aux Stooges puisque l'album *Raw Power*, sorti en 1973, vient de dépasser les cent mille ventes.

Christophe Servel, de chez Sony, commence son speech par l'inévitable « *Certains disques mettent un peu plus de temps que d'autres à trouver leur public...* » et tout le monde explose de rire. Il aura juste fallu trente-sept années aux Stooges pour prouver leur immense valeur. Ensuite, Iggy me remet ma médaille de Chevalier des Arts et des Lettres.

L'histoire ne manque pas de réverbérer dans ma tête : ma première trace écrite de tous les temps était une lettre au courrier des lecteurs de *Rock&Folk*, numéro 79, août 1973, entièrement consacrée à Iggy and The Stooges et leur album *Raw Power*, trop peu défendu par le journal, selon moi.

« *Tu verras*, me dit ensuite l'Iguane en aparté, *des fois, le dimanche matin, dans ton lit, tu y penses. Tu te dis, putain, je suis Chevalier, c'est un bon sentiment…* »

Par la force des choses, je vais ensuite assister à l'ultime concert des Stooges avec Scott Asheton.

Inconsolable depuis la disparition de son frère, Scotty s'est remis à boire. Je le vois une dernière fois en action à la Hellfest 2011, dans la plaine de Clisson, non loin de Nantes.

Ils sont là, les Stooges, Iggy, James. La foule est colossale, attentive, mais je sens bien que quelque chose ne va pas. Scott perd le tempo. Il s'arrête longuement entre chaque titre, reprend son souffle, demande de l'eau. Iggy trépigne. C'est la Hellfest et il veut donner son meilleur, mais comment faire avec ce moteur cassé ? La seule chance des Stooges pour triompher dans ce festival total metal, c'est de jouer le bulldozer, de laminer la foule en mode rouleau compresseur et de quitter la scène sous les vivats.

Je vais les voir en coulisses. Iggy est en furie. Il hurle. Demande à ses troupes comment ils ont pu lui faire ça, le laisser comme ça, à poil au milieu du champ ?

Je n'ose même pas entrer dans la loge.

Dans le ferry qui ramènera ensuite le groupe en Grande-Bretagne, Scott Asheton commencera à vomir du sang. Hospitalisé durant trois semaines, il rentrera mourir d'une crise cardiaque à Detroit, sans jamais reprendre son tabouret de batteur.

Aujourd'hui, les Stooges sont plus ou moins tous partis. Dave Alexander, Ron Asheton, puis Scott et Steve Mackay.

Mais Iggy est toujours là. Et il tourne toujours.

Un jour, un présentateur TV m'a demandé ce que je trouvais d'admirable dans ce chanteur.

Indestructible et souverain, il a appris sur le tas, comme nous tous.

Il a réussi à vivre sa vie sur le fil du rasoir.

Il n'a tué personne.

Lui qui avait porté le rock à son niveau d'incandescence absolu nous a montré qu'on pouvait faire tout ça sans tomber dans le fait divers, la prison ou l'hôpital psychiatrique. Et qu'on pouvait aller au bout tout en gardant une certaine classe.

Aujourd'hui, Iggy ne se fait aucune illusion. « *L'autre soir, j'ai sorti tous mes albums et je les ai posés par terre. Il y en a beaucoup. Je ne suis pas sûr que le monde ait besoin d'un autre album d'Iggy Pop.* »

Mais, envers et contre tout, dans notre époque incroyablement matérialiste et policée, Iggy et les Stooges sont restés un majeur dressé au-dessus d'un poing serré.

Notre droit de continuer à dire *fuck*.

LA FAMILLE (ROCK)

« We are family... »
SISTER SLEDGE

Il faut que je vous fasse un aveu : les premiers chapitres des biographies des autres, ces chapitres consacrés à la famille, l'enfance, les parents, tout ça, moi je ne les lis jamais.

Je passe à la suite.

Ça m'intéresse peu de savoir que la grand-mère de Mick Jagger buvait du thé Earl Grey ou que l'arrière-grand-père de Brian Jones collectionnait les porcelaines.

Alors si vous préférez sauter ce chapitre, sachez que c'est votre droit le plus strict.

Pourtant, là, aujourd'hui, au moment de rédiger ces prolégomènes à ma biographie, j'ai comme une envie. De vous parler de mes grands-pères.

Des types rugueux, des bonhommes comme on n'en fabrique plus de nos jours. Le moule est cassé ou bien la société est passée à autre chose, on épiloguera plus tard.

Lors des grandes discussions familiales autour de Françoise Hardy et de Johnny Hallyday, du général de Gaulle ou de tout autre sujet d'actualité, il fallait admettre que nos grands-pères, toujours, quoi qu'ils disent, avaient raison.

Nos grands-pères avaient fait la guerre !
Plein de guerres même.
Et ils avaient survécu, dans des conditions terribles.
Ils méritaient tout notre respect.
Un peu d'histoire.

Mon grand-père maternel s'appelait Paul Godurowski. Il a
vu le jour en 1893 dans la petite ville de Thann, en Alsace. Ses
parents venaient de Pologne. Quand l'Allemagne a récupéré
l'Alsace-Lorraine qui avait été cédée par la France après la défaite
de 1871, mon grand-père s'est retrouvé enrôlé de force dans
l'armée allemande. Il a rejoint le bataillon de ce qu'on a ensuite
appelé les Malgré-Nous.

Paul avait un frère dessinateur à Paris, rue de Buci, qui s'appelait Thadée et qui s'est retrouvé conscrit, lui aussi, mais dans les
forces françaises. Quand la Première Guerre mondiale éclate,
les deux frères se retrouvent donc chacun de part et d'autre de
la ligne de front…

Je me souviendrai toujours de mon grand-père Paul, assis
dans la cuisine, me racontant sa guerre à lui : « *Je n'ai jamais pu
tirer ailleurs qu'en l'air. Comment aurais-je pu viser et tirer sur les
bonhommes en face, sachant que mon frère était parmi eux ?* »

J'avais six ans, j'étais l'aîné, j'étais sûrement en âge de comprendre
cette histoire, qui s'est poursuivie sur le front russe. Déplorant le
manque d'entrain des Malgré-Nous, l'état-major allemand envoya
ces combattants sur le front Est, et mon grand-père avec eux.

Paul a été capturé par les Russes. Et il est resté prisonnier en
Sibérie jusqu'en 1921, date à laquelle il a réussi à rentrer, à pied,
dans sa petite ville de Thann, en Alsace, au terme d'un infini périple
passant par Arkhangelsk, la capitale russe des constructions navales.

Quand il est revenu parmi les siens, Paul n'avait plus donné
signe de vie depuis 1916… Tout le monde le croyait mort. Sa

mère avait donné ou revendu toutes ses affaires. Il était devenu un fantôme sur terre.

Pour lui, la guerre de 14 avait duré sept ans.

Il avait eu le temps d'apprendre à parler le russe. Il a appris à dire au gamin que j'étais « *Fous le camp d'ici, salaud d'Allemand.* » Je m'en souviens encore. *Souda pacho pschakreff germansky.*

Son histoire, c'est du Hugo Pratt.

Une fois remis, Paul est ensuite parti travailler à Paris, chez le fleuriste Baumann, considéré à l'époque comme un avant-gardiste car il osait mettre des chrysanthèmes dans les bouquets.

Toussaint 1930.

À l'époque, pour la fête des morts, les gens riches font livrer les fleurs le matin sur la tombe et ils vont se recueillir vers midi sur du marbre bien fleuri.

Le 31 octobre est le grand jour des fleuristes.

Donc Paul est en pleine livraison florale au Père-Lachaise quand il rencontre Odette Gerbault, fille venue d'un village du Berry proche de Châteauroux aider une copine fleuriste. Coup de foudre au Père-Lachaise. Oui, ça se passe bien le jour des morts. Paul et Odette se marient, et ma mère, Paule, va naître un an plus tard à Vanves et grandir à Nogent-sur-Seine, où Paul et Odette installent leur boutique de fleuriste.

Mon nom de Manœuvre, je le dois à mon grand-père André. André Manœuvre.

Lui vit en Champagne, du côté de Fère-Champenoise, une minuscule bourgade de la Marne, non loin de Troyes.

Né en 1900, mon grand-père est gendarme. C'est l'un des tout premiers motards. Il est mobilisé une première fois en 1938, après les accords de Munich. Démobilisé, il veut croire à la paix, mais non, on le remobilise en 1939. Mon grand-père est un bon motard, alors il est utilisé comme estafette. Il faut l'imaginer fonçant sur les petites routes des Ardennes, portant des messages urgents du commandement au front...

Pour protéger les siens, sa femme, Jeanne, sa fille, Jeanine, quatorze ans, et mon père, Jean, onze ans, André expédie toute sa petite famille dans le village familial ancestral, Vaujurennes, au cœur de la forêt d'Othe. Il espère qu'ils y resteront cachés, bien à l'abri.

En 1940, après avoir annexé la Pologne, la Hollande et la Belgique, les troupes nazies déferlent sur la France. C'est la débâcle. La ligne Maginot a été percée ! Les troupes françaises prennent la fuite. Tenaillé par la peur, André fonce alors vers Vaujurennes.

Mais arrivé au village, le 14 juin 1940, il ne trouve personne !

Dans ce village où tous les hommes valides étaient partis à la guerre, il ne restait plus que les vieillards, les femmes et les petits. Soudain, des colonnes de réfugiés belges avaient commencé à traverser le village, racontant de terribles histoires sur les nazis : *« Ils arrivent avec leurs divisions blindées... ils violent les femmes, tuent les enfants. »* Ces bruits avaient semé la panique.

Jeanne, Jeanine et Jean avaient pris la fuite avec deux valises, sur une carriole traînée par des chevaux.

À soixante-dix-huit ans, la grand-mère Thalie était du voyage. Quand les stukas allemands ont mitraillé la colonne, alors que tout le monde plongeait dans les fossés, c'est elle, héroïque, qui tenait les chevaux qui se cabraient, effrayés par les explosions.

Seul à Vaujurennes, André entre dans une colère homérique. Il hurle. Il tonne. Rassemblant ses hommes, gendarmes et soldats qui veulent en découdre, André les galvanise et monte une embuscade dans un coin perdu de la forêt d'Othe qu'il connaît comme sa poche.

Il est bien décidé à tuer du nazi.

Quand la colonne allemande arrive au hameau des Quincarlets, elle est accueillie par un déluge de fer et de feu.

André est transpercé d'une balle dans le bras, une femme agonise à ses côtés. Les Allemands affichent de lourdes pertes. Traité en prisonnier de guerre, André est rapatrié à Nogent-sur-Seine où il sera soigné et gardé par des gendarmes français, en vertu des conventions de Genève.

Mon grand-père André sera décoré de la croix de guerre, ruban vert et noir, avec étoile de bronze. Il est cité à l'ordre de sa brigade : « *Rassemblant des soldats isolés, il a organisé la résistance, retardant ainsi l'avance ennemie.* »

Mon grand-père André n'a jamais prétendu être un héros.

Et mes deux grands-pères étaient formels sur un truc : ces guerres, il fallait absolument les arrêter.

André les énumérait : guerre de 70, guerre de 14, guerre de 40, Vietnam, guerre d'Algérie… Toujours, la guerre réapparaissait avec sa cohorte de malheurs.

Mes grands-pères ne voulaient plus de guerres, ce qui ne les empêchait pas de cacher dans les granges de leurs fermes assez d'armes pour équiper tout un régiment, « *au cas où les doryphores reviendraient* ».

L'après-guerre avait été lugubre.

La doxa gaullienne, c'est que tout le monde en France avait résisté. Quarante millions de résistants. Mes grands-pères n'étaient pas d'accord.

On savait bien que tout cela n'avait pas été brillant.

Au lycée de Châlons, j'étais très copain avec des garçons dont les parents avaient été déportés *sur dénonciation des voisins*. Revenus des camps, ils avaient repris leur vie, avec les mêmes voisins.

Les mêmes exactement.

Pour nous, les enfants du baby-boom, toutes ces histoires d'occupation et de résistance semblaient vraiment nauséabondes. Notre génération allait trouver des exutoires dans le western et le rock.

Des territoires vierges, clairs, azuréens.

Le premier film que j'ai vu, c'est *Le Pont de la rivière Kwaï*. Mon grand-père Paul m'avait emmené voir ce film à Nogent. J'étais très jeune, parfois, il me voilait les yeux pour que je ne voie pas certaines scènes. J'ai en fait eu surtout peur de l'ambiance dans la salle. Elle était remplie d'anciens combattants.

J'ai revécu ça en 1979.

J'étais à Los Angeles, cet été-là, pour faire des interviews de Blondie, quand Coppola a organisé l'une des premières projections publiques d'*Apocalypse Now*. J'ai vu le chef-d'œuvre dans une salle remplie de vétérans. Au début du film, un surfeur américain fait chavirer une barquette remplie de Vietnamiens. Un type a hurlé « *Yeah, kill the gooks, baby !* » Toute la salle a applaudi.

C'est dans ces cas-là que tu vois exactement ce que la guerre fait aux bonshommes. Des machines tueuses.

Moi j'ai toujours préféré les machines sexe ou les machines rock.

Sinon, Paul et André m'ont appris un dernier truc : la lecture. Nous, les Manœuvre, nous avons cette faculté de partir très loin dès que nous ouvrons un bouquin.

Quand il a pris sa retraite, André est devenu secrétaire de mairie. Il gérait aussi la bibliothèque du village. Je le revois dans sa cuisine, lisant et relisant Zola, ses grosses mains calleuses tournant lentement les pages des Rougon-Macquart, sous son front plissé et ses grosses lunettes.

Paul aussi lisait. Lui adorait Victor Hugo.

À Paris, lors de ses années chez Baumann, il avait acheté à un bouquiniste des quais trois volumes 1879 de Hugo, *Notre-Dame de Paris* était dedans. Il me les a légués. Je les ai toujours chez moi. Hugo nous apprend l'ampleur de la langue.

« Et ces deux âmes, sœurs tragiques, s'envolèrent ensemble, l'ombre de l'une mêlée à la lumière de l'autre. » Ça putain de sonne, non ?

Ensuite ? Vous en voulez plus ? Comment mes parents se sont-ils rencontrés ?

Mon grand-père Paul est fleuriste à Nogent. Son jardin touche celui de la gendarmerie. À votre avis, qui va se rencontrer à la lisière des deux jardins ? Mon père Jean et ma mère Paule.

Coup de foudre classique, tel que décrit dans les livres.

Quatre jours plus tard, mon père demande par courrier à ma mère de l'épouser.

Chose faite, mes parents s'installent en 1952 à la Chapelle-Felcourt, village marnais de cent trente-six habitants. Le moulin de Valmy est distant de sept kilomètres.

Je vois le jour deux ans plus tard, le 19 juin 1954, à Sainte-Menehould. Mon frère Laurent arrive, lui, en 1956. Instituteur, secrétaire de mairie, mon papa fait un boulot formidable. Il apprend à lire, à écrire et à compter aux enfants du village. Il a une classe unique d'une trentaine d'élèves, il fait cours à tout le monde en même temps. Et ça marche. À sept ans, tout le monde sait lire, écrire et compter. Je l'admire profondément. Il a la vocation.

Mais moi aussi, je veux apprendre à lire et à écrire ! Je n'ai que quatre ans et, chaque matin, je me cache au milieu des trente-deux élèves pendant l'appel, et puis j'essaye de me faufiler en classe, le plus discrètement possible. Évidemment, je n'y parviens jamais.

Le samedi après-midi, il organise des balades dans la forêt toute proche. Il nous apprend à retrouver le nord grâce aux mousses sur les troncs d'arbre. Il nous dit les noms des plantes. Les grands amènent des albums de Tintin qu'on bouquine assis contre un arbre. Un coucou chante, on boit de la limonade.

Je vous raconte ça, car, quelque part, ce sont les meilleurs souvenirs de toute ma vie.

Nous resterons dans ce petit village jusqu'en 1962.

Quand je repense à la France de l'époque, de 1954 à 1962, je repense à l'inaltérable silence qui régnait sur le pays. L'événement, à la Chapelle, c'était le passage de l'autocar. On l'entendait arriver de loin. Il s'arrêtait. Une dame et deux gosses descendaient, valise en main. Un bonhomme montait. L'autocar redémarrait, repartait en ronronnant vers le village suivant.

Et le silence retombait.

Je me souviens d'un ultime truc : dans tout La Chapelle- Felcourt, il y avait une seule et unique télévision. Chez M. Chassepierre, le régisseur. C'était un modèle énorme, préhistorique, noir et blanc. L'écran nous semblait gigantesque. Chaque jeudi, tous les gamins du village se retrouvaient dans le salon, assis en rang d'oignons devant cette nouvelle drogue, la télévision. Nous regardions notre premier feuilleton de tous les temps : *La Flèche brisée*, western à épisodes de vingt-six minutes dans lequel on trouve un fascinant Cochise (Michael Ansara).

Thierry La Fronde arrivera en 1963, mais nous ne serons déjà plus à la Chapelle-Felcourt.

Car dès la rentrée des classes de 1962, nous déménageons pour aller vivre à Châlons-sur-Marne, devenu, depuis, Châlons-en-Champagne.

Nous habitons un nouveau quartier, rue d'Alsace. Nous sommes logés dans un immeuble d'enseignants. Profs, psychologues scolaires, instituteurs, conseillers pédagogiques, il y en a à tous les étages. Ce modeste HLM de l'Éducation nationale nous semble d'une modernité insolente. Eau chaude courante. Chauffage au fioul. Salle de bains avec baignoire. Les transistors japonais déferlent sur le pays du baby-boom.

En 1962, pour être honnête, on entend surtout Sheila et Claude François. Ah, si la petite fille de Français moyen avait un marteau... À l'horizon du quartier du Verbeau, où nous vivons, des barres d'immeubles surgissent du sol. La pop de l'époque reflète l'état du pays, elle est optimiste, ultra-positive.

Vue de ma province, l'avancée des yéyés est triomphale, portée par de petits 45 tours magiques. Ah, « Tous les garçons et les filles » ! Merci Françoise, encore ! La pop est irrépressible.

C'est LE sujet de conversation entre jeunes.

S'ils aiment, on vend aux gens le kit complet : le disque, l'idole, le journal (*SLC* ou *MAT*) et le look qui va avec ! À cause de Sheila, toutes les filles de France vont porter un kilt. Combien ont-ils vendu de kilts écossais en 1964, ces rusés entrepreneurs ?

Il y a quelques années, en travaillant sur l'émission *Babylone Yé-Yé*, j'ai découvert les chiffres du raz-de-marée yéyé. Ils sont d'une évidence incroyable. Avant les yéyés, les rois de la pop français s'appelaient Yves Montand, Charles Trenet et Tino Rossi. Ils vendaient cinquante mille disques à chaque publication.

Johnny Hallyday et les copains vont pulvériser tout ça et vendre des rondelles plastique par millions. C'est un tsunami.

C'est le début des Trente Glorieuses. Il y a zéro chômage, pas de sida. Pour 5 francs, tu peux acheter le dernier 45 tours de qui tu veux. Pour 12 francs, tu as un transistor japonais pour écouter *Salut les copains* avec une oreillette. Plein d'autres trucs épatants surgissent : la télé secam. Le chewing-gum Hollywood. Le formica. Les DS Citroën. James Bond. Les Beatles. Le Coca-Cola.

1963 : debout dans la cuisine du 7, rue d'Alsace, j'entends pour la première fois Johnny Hallyday dans le transistor familial. Johnny chante « Les guitares jouent » avec une joie de vivre communicative. Il est accompagné par le guitariste américain Joey Greco. De fait, c'est un 45 tours de style surf, et le son des guitares me transperce le cortex. J'adore.

Ça nous change de l'accordéon.

À l'époque, la France appartient aux rois du piano à bretelles. Bals populaires, émissions radio, télé, concerts, tout tourne autour de l'accordéon. Les rois du genre s'appellent Aimable, André Verchuren, sans oublier Yvette Horner, la passionaria du Tour de France. L'accordéon règne suprême sur le pays. Tous les dimanches matin, à 7 h 30 tapantes, un maraîcher voisin de notre immeuble commence à écouter de l'accordéon à une puissance folle. Tout le quartier est secoué. Dans mon petit lit, réveillé en sursaut, je rêve d'une autre musique. De guitare électrique.

Mort de Kennedy pendant un dîner familial.

Puis, en 1966, un autre grave événement.

Un soir, mon père rentre du travail, effaré. Il s'entretient à voix basse avec ma mère, elle aussi perplexe, voire inquiète. Je vais comprendre en écoutant à travers la porte : John Lennon vient de décréter les Beatles *« plus populaires que Jésus ».*

Mes parents n'ont pas été aussi choqués depuis l'assassinat du président Kennedy.

Le scandale est énorme.

Mon petit frère Laurent est formel : *« Non mais c'est vrai en plus, il a raison, Lennon ! »*

Au cœur de ces extraordinaires années 60, je ne rêve que de musique, mais chez les Manœuvre, le hobby, c'est la visite des cathédrales et des églises romanes. Combien de fois nous arrêterons-nous sur la route des vacances pour visiter Chartres, Clairvaux, Amiens... Combien de kilomètres parcourus pour que mon père nous décrypte une abbatiale.

Mon frère Laurent y a puisé sa propre veine artistique. Diplômé de l'école du Louvre, il travaille aujourd'hui au Louvre. Il a écrit autant de livres que moi, mais pas sur le même sujet. Laurent Manœuvre écrit sur les grands peintres et, en spécialiste de Boudin, il supervise les expositions sur le précurseur de l'Impressionnisme.

1967 : tournant majeur, je découvre l'existence des Rolling Stones. Une pochette de « Satisfaction » ou un numéro de *Salut les copains* suffisent à me faire décoller en orbite. J'ai treize ans, je découvre cette sensationnelle innovation : Brian Jones porte un col roulé *sous* sa chemise. Le lendemain, je débarque au lycée habillé, tel Brian Jones, avec mon col roulé sous ma chemise. Le surveillant général me fait sortir du rang et me demande de rentrer chez moi remettre ma chemise sous mon pull.

À cause des Stones, tout le monde me regarde. Ma vie commence.

1968 : j'ai quatorze ans quand j'achète mon premier 45 tours (« Baby Come Back » des Equals) vite suivi de « Jenny Jenny » par Jerry Lee Lewis puis du 45 tours en public des Rolling Stones. Suivent un Doors, un Kinks, un Who. Tout sonne, tout est en marche vers quelque chose. C'est notre génération qui prend forme, modelée par les disques rock. Et quand je n'écoute pas les Mamas et les Papas, je vais au cinéma.

Châlons est une ville où champignonnent les ciné-clubs. Du coup, on va presque tous les deux soirs au cinéma. Mon copain Marc me prévient : « *Ce soir, ciné-club des Arts et Métiers. Ils passent un western.* » On y fonce d'un coup de vélo. On paye 2 francs, on voit le film. Ensuite, on va boire un café. On joue au flipper, on met du rock sur le juke-box. On discute du film. On parle du nouveau Deep Purple : ils ont mis la wah-wah ! Et on rentre dormir.

Arrivé au grand lycée, Marc prend des responsabilités au ciné-club de l'établissement. Très vite, munis d'un catalogue UFOLEIS, nous choisissons nous-mêmes les films du ciné-club !

Je flashe sur la nouvelle vague. *Cléo de 5 à 7* d'Agnès Varda est un choc total, pareil pour Godard dont le *À bout de souffle* nous estomaque. Ensuite l'UFOLEIS (association de tous les ciné-clubs de France) nous organise des stages de cinéma. Un professeur nous aide à décrypter *Scarface* de Howard Hawks. Dans ce film, pour desserrer l'étreinte de la censure, Hawks a fait en sorte qu'à chaque meurtre perpétré par le gangster, quelque part à l'image, on voie une croix subliminale ; nous apprenons également à décrypter les mouvements de caméra, travelling, etc. Clou du stage : on nous projette *Alexandre Nevski* en russe non sous-titré.

Un jeudi, ma mère me laisse aller tout seul au cinéma Vox, le grand cinéma de la ville de Châlons. Elle me donne 5 francs et me laisse choisir un film. Bien sûr, le soir même, elle me demande ce que je suis allé voir avec Marc…

« *Baisers volés.* »

Je me prends une gifle.

Je revendique une enfance heureuse.

Mes parents ne nous frappent pas, jamais, mais là, c'en était trop, c'est parti tout seul. *Baisers quoi ? ? ?* Hilare, j'explique à mes parents que *Baisers volés*, en dépit de son titre, n'est pas un film érotique danois mais bel et bien le nouveau François Truffaut. La suite des aventures d'Antoine Doinel !

Nous sommes en 1968, j'ai quatorze ans.

*
* *

Mai 68 débarque. Mon lycée est fermé, occupé par des terminales en grève. Secrétaire médicale, ma mère est formelle : « *Si on laisse Philippe y aller, il va nous casser des vitrines.* »

Je vais donc passer les quinze jours des événements de mai enfermé à clé dans l'appartement familial, à potasser toute la bibliothèque de mes parents au milieu de laquelle se trouve un seul et unique livre érotique, *Les Aventures du Roi Pausole* de Pierre Louÿs.

Comme dit si bien Houellebecq : « *Pour moi, il ne s'est rien passé en mai 1968.* »

Juillet 1968, à la table d'un déjeuner dominical.

Tout le monde est là, les parents, les grands-parents. Ils parlent de choses et d'autres et comme d'habitude nous les écoutons en silence. Et puis soudain, ma mère se tourne vers le bout de la table où sont regroupés tous les jeunes : « *Et vous les enfants, vous en pensez quoi ?* »

On est éberlués.

On nous demande notre avis et c'est bien la première fois en quatorze ans.

Dès 1969, nous entrons dans un monde nouveau.

Désormais les profs se bagarrent pour nous cultiver. L'exceptionnel et zélé M. Buy, professeur de français, nous emmène régulièrement en train à Paris.

Je découvre la tour Eiffel, *La Cantatrice chauve*, la Fnac Wagram et Radio Pygmalion.

Le soir, tout le monde se retrouve, c'est théâtre.

Nous vivons des heures formidables.

Je découvre *Hair* au Théâtre de la Porte Saint-Martin avec

39

Julien Clerc qui chante « Manchester England » nu sur scène, sa virilité cachée par un petit drapeau Union Jack !

Je vois le spectacle *Rabelais* de Jean-Louis Barrault à l'Élysée-Montmartre. Les acteurs jouent sur une scène centrale. La musique est de Michel Polnareff. Grande première : Barrault use de stroboscopes pendant les séquences de danse. Je suis ébloui.

Comme tout le monde sait que je traîne dans les Fnac à chaque voyage à Paris, je pars avec des commandes de toute la classe, des rouleaux de billets plein les poches.

« Vous avez le Jeff Beck Truth *? Ah bon. Et le premier Velvet ? »*

Je rentre à Châlons avec d'énormes sacs de disques par le dernier train. Un soir, une bande de loubards nous attend devant la gare.

« Paraît que vous avez des disques ? »

Je pars en courant comme un boulet de canon.

De tous les groupes de l'époque, il y en a un qu'on cherche tous et que personne n'a écouté. Jamais. C'est le Velvet Underground. Bien sûr, il y a eu des articles dans *Rock&Folk*. Paul Alessandrini nous a d'ailleurs raconté monts et merveilles sur le groupe de Lou Reed, poète malsain, urbain, dont la musique est l'alpha et l'oméga de tout ce que le rock peut offrir de mieux.

Paru aux États-Unis en 1967, le premier Velvet est introuvable. En plus c'est produit par Andy Warhol ! Dans toute la France, des gamins comme moi le cherchent. Des années plus tard, Philippe Katerine me racontera cette anecdote : comme il avait lu dans *Rock&Folk* les titres des chansons, il les avait imaginées et enregistrées. Puis il avait collé une photo de la pochette sur sa cassette et il se baladait en disant à tout le monde qu'il avait le premier Velvet !

En 1970, un mec dans une maison de disques aura enfin l'idée de proposer une compilation des trois albums du Velvet et de la vendre sous une (fausse) pochette de Warhol. Ce double album deviendra instantanément un best-seller en France.

La musique du Velvet Underground arrivait de New York. Elle ne correspondait à rien de connu, mais dès la première écoute, nous avons su que c'était ça. Le disque était encore meilleur que tout ce que nous avions pu imaginer pendant trois ans.

En attendant, au lycée, j'ai une copine qui s'appelle Adeline Masson. Tout le monde fait des vannes sur « *le Manœuvre et la Masson* ». Un samedi, Adeline m'emmène à une fête chez le professeur de gymnastique, à Saint-Memmie. Plein de copains du lycée sont là. Tout le monde danse, joue dans le jardin. Deux profs sont écroulés à côté d'un petit Teppaz. Ils mangent des fraises en écoutant Cream. Un soleil serein baigne ce souvenir. C'est une fête pleine de rires, de musique pop et d'espoir. Avec le recul, je suis sûr que certains des participants à cette fête avaient fumé, voire pris de l'acide. Elle est gravée dans ma mémoire.

Très vite, à force de lire des articles dans *Actuel* ou des livres sur le Swinging London (*Les Mauvais Lieux de Londres* de Jean-Louis Brau), mes copains et moi, nous sommes pris d'une envie de fumer un joint.

Pardon, c'est humain !

Tout le monde ne parle que de ça, au cinéma *(Woodstock, Alice's Restaurant, Taking Off)*, en littérature, dans la pop music... Tout tourne autour de l'herbe. Au fin fond de la province française, on a l'impression de vivre sur une banlieue de la planète, dans une ville où rien ne va jamais se passer, à part le concert annuel de Johnny Hallyday.

On se sent oubliés de tout et de tous.

Et puis alors pardon, mais pour trouver du haschich à Châlons-sur-Marne en 1970, fallait se lever matin.

Donc, à force de gonfler tout le monde avec ça, ce qui devait arriver arrive : un grand de terminale nous revend du thym. Nous essayons de planer en le fumant, mais rien ne se passe. Tant pis. J'aurais dû en vouloir à ce grand, mais je ne peux pas. C'est lui qui, un jour, m'a demandé si je connaissais Jimi Hendrix. Je ne connaissais pas. Donc ce type m'a prêté *Electric Ladyland*. J'ai écouté ce disque sans l'aide d'aucune drogue (et pour cause !) et je n'ai plus jamais été le même. Au fur et à mesure de l'avancée des morceaux, j'avais l'impression qu'on abattait des cloisons dans mon cerveau.

Nous sommes une petite bande de potes. On va tous au lycée, on donnerait notre vie pour le rock. On recommence nos expériences avec des graines de volubilis passées au moulin à café, c'est très mauvais mais c'est une défonce bio, puis, très vite, le LSD arrive. Comment ? Par qui ? Impossible de me souvenir. Enfin bref, nous voilà en plein trip acide. Je prends ça avec ma bande de potes, les frères Ledref, Eric, Marc et Jocelyne. Au milieu de la nuit, j'ai une vision. Je prends la parole. Je dis à tout le monde que je vois la suite pour nous. Je vais devenir critique rock, j'aurai tous les disques gratuitement, on pourra tout écouter. Bruno a envie de journalisme aussi. OK avec moi (il deviendra rédacteur en chef de France 2 !), Olivier, lui, sera médecin, il aura accès à toutes les drogues (et Olivier, aujourd'hui, est effectivement thérapeute). Eric fera de la radio (il est devenu patron d'une énorme radio rock en Italie). Bref, mission accomplie.

1971 : j'ai mon bac français. Pour mon anniversaire, je veux aller au festival rock d'Auvers-sur-Oise. J'ai tout prévu : on va rallier Paris en stop avec ma copine du lycée, Jocelyne. Ensuite, on fonce à Auvers-sur-Oise en train et là, maman, papa, il y aura le Grateful Dead !

Mes parents refusent mais ce festival a lieu les 18 et 19 juin, le jour de mon anniversaire. L'une de mes grands-mères, Jeanne, s'en mêle. Elle approuve ce voyage et me donne 50 francs.

Au final, on part, avec l'approbation familiale.

Nous arrivons sur le site du festival vers 15 heures.

Un groupe de hard-rock joue en power trio. Jocelyne et moi, on est éberlués : on est déjà vingt mille dans le champ ! Une révélation quasi mystique. Nous étions six dans ma chambre, nous voilà une armée ! Vers 18 heures, la pluie commence à tomber dru.

Jerry Garcia monte sur scène.

Il est débonnaire le Captain Trips, il est là, venu de San Francisco avec le Grateful Dead ! Il nous dit qu'ils vont jouer, nous emmener très loin… Mais la pluie redouble, noie la scène, et très vite l'organisation jette l'éponge. Nous errons dans la pluie, la boue et finissons par dormir à l'abri dans l'école maternelle d'Auvers qui nous ouvre ses portes. Je me réveille à l'aube, couché sur le sol, un petit tabouret au-dessus de ma tête. Il fait soleil, mais le festival est annulé. Nous rentrons à Paris.

Et le billet de 50 francs ?

Alors que nous errons boulevard Saint-Germain, au numéro 201, nous tombons en arrêt devant l'importateur de disques Givaudan. Dans sa vitrine, *LA Woman* des Doors, qui vient de sortir aux USA. J'entre en demander le prix. Le vendeur me regarde de haut. Je suis couvert de boue séchée, hirsute, je suis un peu hagard, sans doute aussi.

« Ce disque-là, c'est un import US, c'est 44 francs. »

Ça tombe bien, j'ai 50 francs en poche.

Grand-mère Manœuvre sait faire un bon rocker.

Elle rivalise d'ailleurs pour ça avec mon autre grand-mère, Odette, qui fut ma première groupie. Un jour j'ai débarqué dans son jardin avec un ampli Marshall et une guitare électrique et j'ai joué un solo ininterrompu pendant trente-six heures. Odette est morte en tombant dans un escalier et ce fut le jour de la fin de mon enfance.

Durant toute mon adolescence, mes parents ont eu la bonne attitude. Ouverte et compréhensive.

Voyant leur fils partir tête la première à la rencontre du rock'n'roll (autant dire de l'inconnu le plus total), ils ont eu l'intelligence de ne rien m'interdire. J'ai vu *Easy Rider* et *More* avec mon père, dans un cinéma parisien, juste avant un départ en colonie de vacances. Quand je suis revenu, mon père avait acheté la BO de *More* et il écoutait Pink Floyd sur son bel électrophone stéréo.

Ça nous changeait de Jean-Sébastien Bach, le mathématicien du clavecin.

Mes parents ont été nickel, classe.

Quand j'ai eu mon bac, je leur ai dit que je voulais partir à Paris pour travailler dans un journal rock. Ils m'ont laissé faire. Ils n'avaient aucun contact de qui que ce soit dans la capitale. Ils ont fait confiance à leur fils. Ils ont toujours été là et ils le sont encore.

Merci mes parents.

Aussitôt mon bac en poche, j'ai pris la direction de Paris. Et mon père a murmuré à ma mère : « *Il est parti vite. On ne l'aura pas connu longtemps, cet enfant-là.* »

AVEC LES ROLLING STONES

*« Je les adore autant que je les hais
et je les hais autant que je les adore. »*
JULIAN COPE

Aujourd'hui, c'est dimanche. Comme souvent, la famille Manœuvre, forte de ses quatre unités (maman, papa, petit frère et moi), remonte la rue de la Marne, l'artère principale de Châlons-sur-Marne. Nous sommes en 1967. Nous venons de déménager et comme nous arrivons d'un village de cent-trente-sept habitants, ces vitrines nous impressionnent.

À cette époque, les magasins de disques sont plutôt rares, regroupés à Paris. Ici, dans la Champagne pouilleuse, les disques sont uniquement disponibles chez Prisunic ou dans les magasins d'électroménager. Et justement, ce jour-là, dans une vitrine, entre un frigidaire et une machine à laver, non loin des cocottes Seb, quelques nouveaux disques ont été déposés.

Il y a là *Sergeant Pepper*, grand ouvert sur le portrait intérieur des quatre gars de Liverpool. Mon père s'étonne : « *Regardez ! Les Beatles se sont laissé pousser des moustaches !* » Ma mère opine : « *Ils sont beaucoup mieux !* » Tandis que mes parents poursuivent leur chemin, je reste collé à la vitre. J'ai aperçu un autre album. Un disque 33 tours à la pochette bleue, œuvre du photographe Gered Mankowitz, où figurent d'intrigants jeunes gens.

À la différence des Beatles, déguisés en grands mamamouchis pop, ceux-là sont en vêtements ordinaires, caban, blousons. Ils sont un groupe, donc une entité, une bande, un gang. Aucun doute là-dessus.

L'un d'eux, Brian Jones, a l'air perdu dans un rêve intérieur, fragile dans son manteau de mouton. Autour de lui, les autres font bloc. À gauche, Keith Richards, menaçant derrière ses lunettes miroir. À côté, Mick Jagger et son air bravache. Au premier plan, un type normal, rassurant, Charlie Watts. Et derrière lui, Bill Wyman, émacié, le fantôme. *Le nom du groupe n'est même pas marqué sur la pochette.* Du haut de mes treize ans, je me perds en conjectures.

Qui sont ces rockers ? À quoi peut bien ressembler leur musique ? Sans le savoir, je viens d'être aspiré par un mythe naissant. Et déjà, une envie folle me taraude : comment rencontrer ces pittoresques jeunes gens ?

Cinq minutes plus tard, mes parents reviennent me chercher. Je suis toujours scotché devant la pochette de l'album *Between the Buttons* des Rolling Stones.

C'est sur ce flash que tout a commencé. Aujourd'hui, je peux tout vous raconter de cette photo, prise à l'aube, en sortant des studios Olympic. Gered avait emmené les Stones dans le parc de Primrose Hill. Il suivait le groupe depuis deux ans. Pour faire psychédélique, le jeune photographe avait enduit son objectif *fish-eye* de vaseline. Les Stones étaient crevés, mais « *à la différence de nombre de groupes de l'époque, genre Kinks ou Pretty Things, les Stones adoraient se faire prendre en photo* », me racontera Gered.

L'image est loin d'être innocente. Alors que les Beatles tentent de jeter un pont entre leur jeune public et ses grands-parents, les Stones larguent les amarres. Leur pochette me murmure des choses à l'oreille : « *Rejoins-nous, bonhomme, nous sommes un groupe qui monte.* »

Nous sommes à la fondation de la lignée des bad boys of rock, celle qui passera par le Velvet Underground (1967), les Stooges (1969), les New York Dolls (1973), Doctor Feelgood (1975), les Ramones/Sex Pistols (1977), Mötley Crüe (1984) ou encore les Guns N' Roses (1987). En pleine vague psychédélique peace and love, les Rolling Stones nous envoient des bulletins du front. Ils sont en guerre contre le vieux monde. Ces jeunes blancs anglais se rêvent en bluesmen black américains électrifiés. C'est leur utopie dans la décennie de toutes les utopies. Et c'est un groupe, un vrai. Ce n'est pas Mick Jagger et ses troupes, ce sont les Rolling Stones. Charlie est important. Bill est important. Keith fait un boulot pas croyable. Sur un rhythm and blues bien cru, ils nous racontent le Swinging London comme personne. Les Stones sont méchants, teigneux. Et puis, ils ont l'arme secrète. Le riff pédale-fuzz qui tue. Les Stones ont sorti « Satisfaction », morceau qui traversera la décennie avec trois notes, comme un appel aux armes vers des érections renouvelées.

Très vite, donc, je vais collectionner leurs 45 tours.

Le EP en public cinq titres, *Got Live if You Want It*, devient mon préféré. On y entend les Stones en concert, avec des centaines de filles éperdues hurlant comme des louves. Sur la face B, deux rocks violents enchaînés, une bacchanale qui nous parle de sexe, alors qu'on ne savait même pas que ça existait. Avec le recul et un gros pétard, difficile de ne pas entendre dans ce chug-a-lug le bruit de deux bas-ventres en train de le faire. Voilà donc pourquoi les croulants détestaient tant notre musique...

Avec mes premiers copains Marc, Olivier, Patrick, Bruno, Nœuil et Jocelyne, nous passons des heures à analyser tout ça, ces pochettes, ces chansons, ces photos, et surtout à essayer de comprendre le mode de vie stonien, tel que décrit en musique binaire.

Leur rapport aux femmes ne laisse pas de m'intriguer. Dans le monde des Stones, il y a beaucoup de filles. Des filles dociles (« Under My Thumb »), des filles idiotes (« Stupid Girl »), des filles à problèmes (« *Elle va nous refaire sa dix-neuvième crise de nerfs* ») ce qui n'empêche pas les Stones de repeindre l'appartement tout en noir (« Paint It Black ») et de faire plein de folies comme de boire « *le thé à 3 heures* » (« Live with Me »). Mais ce n'est pas tout ! Parfois, les Stones rencontrent une déesse, ou une princesse moyenâgeuse, leurs disques se font alors plus tendres. C'est « Lady Jane » avec le fameux clavecin gothique, « Ruby Tuesday », « Dandelion » ou le touchant « Factory Girl ».

Leur monde n'est pas non plus noir et blanc. Les Stones sont informés, réalistes, d'une cruauté voulue par l'époque. Ils rendent coup sur coup aux adultes, et ça nous plaît bien.

Août 1968. Vacances studieuses en Allemagne. Mon correspondant, Jochen, joue de sa Telecaster par-dessus les disques de Cream. *Clapton is God* sur tous les murs de Londres, ici aussi, à Cologne, Eric est un dieu, j'ai quatorze ans, et nous allons souvent retrouver les autres petits Français dans des boums. C'est l'été de « Jumpin' Jack Flash » et ma génération bombe le torse.

Après quelques cafouillages psyché, les Rolling Stones sont de retour en mode rock'n'roll à fond et c'est bon d'avoir quatorze ans. Dans *Salut les copains*, je pile sur un reportage sur les Stones. Brian Jones a des jeans rouges. Where the fuck les a-t-il trouvés ?

Un an plus tard, Brian Jones meurt. Nous sommes en vacances à la Baule. J'ai une copine bretonne qui s'appelle Myriam. Le 5 juillet, impossible de la rejoindre à la plage. Je reste cloîtré dans ma chambre, l'oreille collée au transistor. Tout seul sur mon petit lit, j'ai le cœur en larmes. Brian, putain, Brian, le lutin du groupe, casque d'or…

Le club des 27 vient d'ouvrir ses portes froides.

Quelques semaines plus tard, j'achète mon premier *Rock&Folk*, avec le fameux titre : « *Mick Jagger : Adieu Brian* ».

Les Stones ont un son extravagant, de l'or liquide semble dégouliner de leurs amplis et, bientôt, tous les groupes de la planète essayeront de leur ressembler. Mais la mort de Brian introduit une nouvelle notion : il y a un prix à payer.

Qu'ont fait les Stones ? Ils ont mélangé des cultures. Collé le chugga/chugga du rock sous des blues venus du delta. Mélangé arpèges blues et plans country. Enregistré des transes berbères et plaqué des clavecins élisabéthains là-dessus. Après le rhythm and blues des débuts, le funk leur semblera une évidence vers 1976. Les Stones sont de grands alchimistes mais aussi, inévitablement, des apprentis sorciers.

Hiver 1968 : réunissant 18 francs Pompidou, pas une mince affaire à l'époque, j'envisage d'acheter *Beggars Banquet*, le nouvel album des Stones. Je médite là-dessus deux semaines, puis je me lance. C'est une grande première. J'ai enfin chez moi un album des Rolling Stones ! De partout, on vient admirer la merveille, palper la pochette, tâter le vinyle, étudier le message.

À l'écoute, c'est plus dur. J'arrive de la pop, je possède une vingtaine de 45 tours mais là, c'est un album de blues rock, il faut s'accrocher. Muni d'un minuscule dictionnaire anglo-français, j'essaye alors de traduire les textes. « Sympathy for the Devil », que j'écoute au casque, me fascine. La diction de Mick est impeccable, je comprends ses mots « *les Kennedy, c'est vous et moi qui les avons assassinés* ». Waow. Mais qu'est-ce qu'il peut bien vouloir dire par là ? Et puis, il y a le solo de guitare foudroyant. Qui a posé ce putain de solo ?

Un dimanche d'hiver, alors que je suis avec une copine de lycée dans ma chambre, en fin d'après-midi, nous écoutons « Stray Cat Blues » quand, soudain, la fille m'embrasse. Et me laisse lui toucher les seins dans la foulée.

Merci les Stones, vous m'avez définitivement ouvert les portes du paradis.

Octobre 1973 : les Rolling Stones quittent la France où ils sont restés quelques mois, en exil fiscal. Six mois ! C'est tout ce qu'il aura fallu à Keith Richards pour se rendre indésirable en France. Le rocker a mis Marseille sens dessus dessous. Grosse bouillabaise, vol des guitares sacrées par des dealers mécontents, arrivée de la maréchaussée et évasion vers l'Italie.

Stagiaire chez RTL, j'assiste alors à un sacré truc : la préparation de l'opération « Train des Stones », qui va emmener cinq mille pèlerins du rock assister à un concert bruxellois du groupe interdit.

La grande Maryse Chanteloup, l'attachée de presse de RTL, me demande de faire les enveloppes des invités. C'est l'événement ! Toute la presse se bouscule ! L'équipe de *Rock&Folk* sera du voyage, mais il y aura aussi *Best*, *Extra*, *Pop Music*. Sans oublier *France-Soir*, qui va détacher l'immense Lucien Bodard en personne.

À la fin, les listes établies et les enveloppes d'invitation dûment remplies, je m'aperçois qu'il reste un ticket pour le fameux concert... Je préviens la patronne du service de presse, qui m'explose de rire à la figure : *« Je suppose que ça vous dirait de venir, mon petit Manœuvre ? »*

Damned ! Moi, le fan des Stones depuis six ans, je vais enfin pouvoir les voir en concert !

On part de la gare du Nord et, comme beaucoup, j'hallucine. Avec mes copains du lycée, on écoutait les Stones à trois dans notre chambrette et voilà qu'on se retrouve à cinq mille, gare du Nord ?

Bien assis dans mon compartiment, je tombe sur un groupe de gamins un peu plus jeunes que moi : les futurs Dogs, de Rouen ! La vérité historique me force à dire que, dans le train, le grand sujet de conversation sera *Raw Power* des Stooges, qui vient de paraître et ne laisse personne indifférent. Fin de la parenthèse.

Le concert de Bruxelles est proprement époustouflant. À vrai dire, seul Lucien Bodard n'aime pas. Pas grave, M. le consul s'en ira écluser force bières locales au bar. Au premier rang, je suis fracassé par l'ampleur du groupe, par sa violence non feinte, par les bonds de kangourou de Mick, la chaudière du groupe restant Keith Richards, tout de noir vêtu, décavé, un œillet rouge à la boutonnière.

Note perso sur la Bruxelles Affair : c'est ma biographie ou pas ? Sur une photo de la foule à Bruxelles, je suis à deux mètres d'Arnaud de la Richardière, mon futur beau-père. Ma première rencontre avec ma future femme Candice, sa fille, se fera lors d'une dédicace d'un livre sur les Rolling Stones.

La rencontre avec les Rolling Stones était, on s'en doute, inévitable. Mais dans un premier temps, je vais lier connaissance avec les deux satellites du mythe : Andrew Loog Oldham, le premier manager des Stones et l'inventeur du slogan *« Laisseriez-vous votre fille sortir avec un Stone ? »*, puis Marianne Faithfull, la légendaire ex-petite amie de Mick Jagger.

Je rencontre Andrew Oldham en 1975. De fait, j'ai chroniqué dans *Rock&Folk* (où je suis désormais pigiste) un album de Humble Pie produit par Oldham, *Street Rats*. De passage à Paris, Andrew lit ma chronique et appelle le journal. Je le prends au téléphone.

« Philippe Manœuvre ? Merci pour la chronique de Street Rats. *J'aime bien ce que tu écris. Passe donc au George V, vers 20 heures, je t'invite à dîner. »*

Cette soirée restera gravée dans ma mémoire comme un délire stonien total.

Andrew me fait monter dans sa chambre, où se trouve son amie colombienne, une beauté brune et fatale. Tout de suite, illumination, Andrew constate que j'ai le même prénom que Phil Spector. Empoignant le téléphone, il appelle Los Angeles, me passe Phil Spector, que je salue bien bas. On raccroche. Puis Andrew me demande ce que j'ai comme disques des Stones chez moi. Nous voilà partis pour la Bastille, où je vis dans une chambre de bonne. Six étages plus tard, Andrew fouille dans mes pirates avant de conclure : « *Ouais, c'est pas mal.* » On écoute deux morceaux, puis on repart, direction l'avenue George-V, où Andrew veut rentrer au Crazy Horse. Andrew est ivre, sa copine effarée, et le préposé à la porte refuse de nous laisser entrer. Courte bagarre, à l'issue de laquelle nous décidons de nous revoir le lendemain.

Le lendemain, donc, j'arrive et Andrew constate que j'ai dix minutes de retard.

« *T'es venu comment ?*

— *En métro, bien sûr !*

— *C'est de la connerie. À l'avenir, prends des taxis. Putain, mec, tu es dans le rock, prends des taxis.*

— *C'est un petit peu coûteux…*

— *T'inquiète. Prends toujours des taxis, le fric suivra.* »

Cocaïné à mort, Andrew a des théories totalement brillantes sur tout.

Nous passons des moments merveilleux à discuter des Stones, du fameux concert de Berlin où Jagger avait fait le pas de l'oie sur le break de « Satisfaction », des émeutes en Pologne quand les Stones avaient joué derrière le rideau de fer. « *En fait, me dit Andrew, mon coup de génie, ce fut de les décréter 'rivaux des Beatles'. Très vite, les journalistes ont mordu à l'hameçon et repris le truc.*

Mais enfin, rivaux, fallait le dire vite. Les Beatles vendaient cent fois plus que nous ! »

Cette rencontre excite encore plus mon inextinguible curiosité stonienne. Et voilà qu'un an plus tard, elle rebondit quand Marianne Faithfull sort *Faithless*, un album vaguement country. Édition française chez Arabella, promotion. Rendez-vous est pris au Théâtre de l'Empire. Lady Marianne va faire un playback chez Jacques Martin. Je dois la rencontrer dans sa loge, assister à l'enregistrement et dîner ensuite avec l'artiste.

Dès la loge, Marianne sort de son sac un petit paquet de poudre blanche et me demande si j'en veux.

« *C'est de la cocaïne ? Chouette...*

— *Oui, mais attention, très forte.* »

Je me fais une ligne. Un rail de coke avec Mme Jagger ! Grande première.

Je repose la paille et je sens tout de suite que quelque chose ne va pas. J'ai très chaud, très froid. Très envie de vomir, aussi. Je m'isole aux toilettes, gerbe tout mon soûl et tombe dans une espèce de coma. Cette coke très très forte n'en était pas. Me voici défoncé à l'héroïne, comme Uma Thurman dans *Pulp Fiction* ! La suite est cauchemardesque. Marianne descendue faire sa télé, je reste seul dans sa loge, fiévreux et à demi-conscient. Une seule idée me maintient en vie, une espèce de sursaut d'orgueil : « *On va pas me retrouver mort d'overdose dans les chiottes de l'Empire de Jacques Martin, putain, non, quoi !* »

Avec peine, je me lève pour marcher au ralenti dans la loge, en attendant le retour de Marianne qui revient toute pimpante : « *Allons dîner !* »

Manque de bol, le dîner a lieu au château d'Hérouville, à cent bornes de Paris. On passe à table dans la cuisine du château. J'avale trois bouchées de poulet et je vomis à nouveau. Marianne hoche la tête avec sympathie. Le personnel nettoie en plaisantant. Tout le monde semble trouver mon état hyper normal. Enfin, on nous ramène à Paris et je perds connaissance dans la voiture.

Je me réveille vers les 5 heures du matin, tout habillé sur le lit de Marianne Faithfull, qui me tient la main, endormie dans un fauteuil à côté. Nous sommes porte Maillot, dans une chambre du Concorde Lafayette. Je fais rapidement mes adieux à Marianne, je lui assure que tout va très bien, que j'ai de quoi faire un super papier et je rentre chez moi, en taxi.

1976 sera l'année du retour en force des Rolling Stones, qui sortent un nouvel album et tournent en Europe. Comme toute la presse rock de l'époque, je me retrouve alors envoyé spécial à Francfort. C'est une occasion unique de les rencontrer ! Les rock critics sont logés dans le même hôtel que les Stones, un cinq étoiles. Un étage a été réservé pour les Stones et leur entourage, un autre pour les maisons de disques et les rock critics.

Mais ce n'est pas le grand come-back imaginé.

Le premier soir est catastrophique. Les Stones sont à côté de la plaque. Ils brinquebalent, hésitent, semblent eux-mêmes rouillés, écartelés entre leur nouveau style funk et le bon vieux rock'n'roll d'antan. Est-ce le début de la tournée ou la fin des répétitions ? Vivement demain !

Le deuxième jour, dans l'attente fébrile de l'autre concert, tous les rock critics se retrouvent dans un grand salon privé de l'hôtel. Sous les lambris sculptés, ça picole sec, bloody mary, bière, tout y passe, tout le monde est là à se raconter des histoires dans une joyeuse frénésie quand, soudain, la porte du grand salon claque et Mick Jagger fait sa grande entrée. En grande forme, lui aussi.

« Il est là, le connard du NME ? ? »

Tout le monde fixe désespérément le tapis ou la pointe de ses boots. On entend un gloussement inarticulé.

« Il est là, le con qui n'a pas aimé notre nouvel album ? Parce que s'il est là, j'aimerais lui dire que j'ai trouvé sa critique bloody ridiculous ! » Et Mick Jagger s'en va comme il était venu. Extrêmement chiffon.

Le deuxième concert est pire que le premier. Keith glisse et se casse la figure sur scène. Les photographes mitraillent. Je tiens mon papier.

Les Stones arrivent ensuite à Paris pour jouer quatre soirs de suite aux Abattoirs et à l'évidence, quelqu'un leur a traduit mon article sur les shows de Francfort. Juste après un concert aux Abattoirs, j'arrive chez moi quand mon téléphone sonne. Il est 1 heure du matin. Je décroche. Au bout du fil, Marlon Richards, le fils de Keith, qui m'insulte pendant une bonne heure. Apparemment, j'ai commis un crime de lèse-majesté satanique en rapportant que Keith Richards était tombé sur scène. *« C'est dégueulasse de raconter ça,* hurle le petit Marlon, sept ans. *Mon papa a glissé sur un hamburger ! »*

Février 1979. Le hamburger est bien oublié quand, un soir, je reçois une mystérieuse convocation, rédigée en des termes énigmatiques, qui me mande au Ritz.

À l'époque, entre potes, on ne parle plus beaucoup des Stones. Les concerts toxiques de 1976 ont pavé une voie royale au punk et depuis, les Stones sont absents. Le punk et le post-punk, la new wave, le ska, le reggae, tout ça est arrivé sans eux.

Plus grave : arrêté à Toronto en février 1977 pour possession d'héroïne, Keith Richards risque sept ans de prison. Entre deux apparitions au tribunal, il a quand même trouvé le temps d'enregistrer un 45 tours de Noël (une reprise du « Run Rudolph Run » de Chuck Berry). Keith étant Keith, il va publier son disque de Noël en février et profiter de l'occasion pour faire un peu de presse.

« Keith vous verra vers 22 heures, non, 23… »

Je m'enfonce un peu plus dans mon fauteuil crapaud. Assis dans un couloir du Ritz avec le photographe Claude Gassian, nous attendons des nouvelles du guitariste en papotant, histoire de cacher notre insondable trac.

Douze ans que j'attends ça. Je vais enfin voir un Stone.

En vrai.

Jane Rose, l'assistante de Keith, vient finalement nous chercher peu après minuit et nous emmène à la suite occupée par le brigand bien-aimé.

La poignée de main est molle, typiquement british. Chaussé de baskets Adidas, Keith porte sa chemise grande ouverte. Derrière lui, les cheminées de la suite sont rutilantes de poudre blanche et de billets de cent dollars roulés.

L'entretien est long, très long. Il va remplir une cassette de quatre-vingt-dix minutes.

À la fin de l'interview, Keith, très en forme, félicite Claude Gassian pour ses photos de Bruxelles (l'une va devenir la pochette de son 45 tours solo). Keith n'a pas l'air d'avoir envie qu'on parte. On s'entend tellement bien ! Le guitariste veut nous faire écouter des inédits de Chuck Berry, son idole. Fouillant dans un gros sac de voyage bourré de cassettes, à quatre pattes sur un tapis d'Orient, le voilà qui cherche des versions inédites des grands classiques de Chuck. Évidemment, il a le plus grand mal à mettre de l'ordre dans ses bandes. Il écoute quelques secondes, soupire que ce n'est pas ça, en sort une autre, la rembobine, Keith City, etc.

On resterait bien là toute la nuit si une matrone n'émergeait soudain dans l'embrasure de la porte. J'ai bien du mal à reconnaître Anita Pallenberg, la mythique fiancée de Brian Jones :

« Ils sauraient pas où trouver de l'herbe, tes nouveaux copains ?

— Vous ne préférez pas de la coke ? On en trouve de la bonne, ces jours-ci... »

Anita et Keith sont formels :

« *Non, non. En coke, merci, on a tout ce qu'il faut. On cherche de l'herbe, pas du haschich, non plus. De l'herbe.* »

Quelque chose comme l'honneur de la rock critic française me semble en jeu. Au garde à vous, je promets que je vais revenir dès le lendemain soir avec de l'herbe.

« *Ça serait bien !* » rigolent Anita et Keith.

Après de longues recherches, grâce à un type qui connaît un type, j'atterris chez une revendeuse brésilienne, qui vit dans un genre de duplex des Halles, avec plein de gens affalés dans tous les coins.

J'arrive avec l'attachée de presse de la maison de disques, qui a le cash. La Brésilienne nous regarde et décrète instantanément :

« *Vous, vous êtes tout sauf des fumeurs d'herbe. Vous achetez ça pour qui ?*

— *Keith Richards, des Stones.*

— *Vous vous foutez de ma gueule ? Keith Richards c'est la coke, ou l'héro, pas de l'herbe...* »

On fonce au Ritz avec un sac plastique bourré de weed de haute qualité. Nouveau grand moment. Keith nous repasse des titres de Chuck Berry pendant qu'Anita, invisible et rogue, fume dans la chambre voisine. S'ensuit une longue discussion sur les Meters et leur monstrueux batteur, Zigaboo Modeliste.

Je suis au septième ciel.

J'ai continué à voir et interviewer les Rolling Stones pendant des années. Tous. Même Charlie et Bill. Et Ronnie Wood aussi. Sans oublier les patrons, Mick et Keith. Généralement, les journalistes ou photographes qui ont accès aux Rolling Stones sont les bienvenus durant de courtes périodes, le temps d'une tournée, d'un bouquin, d'une journée promo. Puis on les remercie et le Stones Circus repart, sans eux. Moi, je vais rencontrer les Stones trente années durant, de 1979 à 2010, une sorte de record en soi.

1986, grosse affaire : les Rolling Stones reçoivent un Grammy d'honneur, le Lifetime Achievement Award. C'est Eric Clapton qui leur remet dans un club de Londres. Il est 3 heures du matin pour concorder avec le direct de Los Angeles.

Après le direct, miraculeusement court, je retrouve Keith, assis au bar avec son air farouche. Nous nous prenons assez méthodiquement une caisse au Jack Daniels. Keith allume des cigarettes à la chaîne. Le guitariste a cette faculté de toujours te faire sentir bien quand tu es assis à ses côtés. Il devient ton pote Keith le Riff, philosophe, bon vivant, raconteur. Ce n'est pas l'insaisissable Mick Jagger, ni John Wayne, c'est ton nouveau modèle masculin occidental.

Ce soir-là encore, c'est Mick qui a parlé, remerciant brillamment les fans et l'industrie. De tout ça, de l'enthousiasme de son chanteur, Keith n'a pas grand-chose à foutre. Il préférerait repartir en tournée mais Mick ne veut plus donner de concerts avec les Stones, à l'époque. Dans la salle : le tranquille Charlie Watts discute avec Lemmy de Motörhead et Jeff Beck ! Pete Townshend est là, lui aussi, ainsi que Roger Daltrey, Eric Burdon, Steve Winwood et plein d'autres. Tous sont venus célébrer la famille royale des bad boys du rock.

Au sommet de l'Olympe, je plane.

Ces deux-là, Mick et Keith, ne se parlent que très rarement, de toute façon. Depuis des années, ils se balancent leurs quatre vérités par voie de presse et de livres, réglant des comptes très anciens et lavant leur linge sale en public. Pourquoi pas ? Pourquoi faire semblant ?

Un jour, j'ai demandé à Mick Jagger si toutes ces insultes balancées par son vieux complice ne le gênaient pas.

« On va pas chouiner », m'a-t-il dit en me décrochant sa grimace

la plus singulière, bouche énorme tordue en un rictus qui dévoile une dent où brille un diamant.

Je ne me souviens pas de ma première rencontre avec Mick. Ça va me revenir en même temps que le prénom d'Alzheimer.

Depuis les années 80, je me souviens en revanche de l'avoir toujours vu pimpant, toujours pro, son éternelle silhouette juvénile de voyou, sa crinière, son agilité caoutchouteuse de chanteur danseur rocker. Mick Jagger, quoi. Le chef du rock.

De Londres à LA, de Toronto à Paris, du George V au Crillon, il m'a toujours reçu à l'heure, à la fois aimable et distant, gracieux. Il n'a jamais demandé à voir mes questions avant, plus préoccupé parfois de savoir si tel disque ou telle tournée allait marcher. Car ce que Mick aime avant tout, c'est *battre des records*. Sa recette marketing ? Il me l'a révélée un jour : « *Si tu sors un disque, il faut une histoire à raconter, sinon, c'est même pas la peine...* »

Brillant, astucieux Mick, lui qui a toujours le mot clin d'œil, qui a bien étudié le truc, pour inscrire son putain de nom dans l'histoire, avec sa bande de rockers : « *Au début, ils te foutent en prison, si tu tiens trente ans, ils te donnent une médaille.* »

Mick est un grand frontman.

Il a porté le drapeau et comme tous les rock critics, j'espère un jour l'aider à écrire ses mémoires.

Les Stones ont toujours eu besoin de nous, les rock critics, ils ont toujours parlé à la presse rock.

Parfois, pour se marrer.

Extrait d'un entretien, en 1999, avec Keith Richards :

« *Keith, ils ont récemment refait le Festival de Woodstock pour fêter les trente ans de l'événement. Pourriez-vous refaire Altamont ?*

— *Oui, bien sûr, si on trouve un connard pour se faire poignarder devant la scène. Toi, peut-être ?* »

Pourtant, depuis la fin des années 1980, d'affreux soupçons pèsent sur le groupe. Certains le disent : « *Le problème des Stones, c'est qu'ils gagnent trop d'argent, c'est obscène. Ce n'est pas rock'n'roll.* »

Le chanteur Julian Cope, devenu un rock critic, lui aussi, a magnifiquement résumé la situation par cette phrase : « *Je les adore autant que je les hais et je les hais autant que je les adore.* »

Ça résume tout.

J'ai soixante-quatre ans. Depuis l'âge de treize ans, je vis dans le monde des Rolling Stones. Les Stones sont là. Les Stones tournent toujours. Devenus millionnaires après bien des déconvenues, des banqueroutes et des mésaventures, les Rolling Stones ont triomphé de tout, ils n'ont plus rien à prouver à personne. Ils tournent depuis cinquante-six ans et à ce jour, ils appartiennent *de facto* à l'Histoire.

Qu'est-ce qui les fait encore courir ? La gloire, l'adrénaline, les dollars, ou tout ça à la fois ?

Devenus riches, ils connaissent en retour un inévitable dessèchement créatif. Comme le fait remarquer un ami à eux : « *Mick Jagger n'a pas poussé un bouton d'ascenseur depuis vingt ans. Ses gardes du corps s'en chargent pour lui.* »

Du coup, l'existence des Stones devient raréfiée, limitée qu'elle est à ces palaces cinq étoiles où ils passent leur vie avant de rallier un stade, puis un avion privé qui les emmène à un autre palace. Eux qui furent les ultimes branchés du Swinging London semblent désormais ne plus rien vivre de racontable et d'ébouriffant comme à l'époque de « Live with Me », « Rip This Joint » et autre « Casino Boogie ».

L'écoute attentive de leur dernier album studio (*A Bigger Bang*, 2005) nous révélait une unique information : Mick avait fait l'amour sous la pluie. Et donc ?

Reste la musique.
Reste le Stones Circus.

À ce sujet, l'un de mes plus beaux souvenirs des Rolling Stones remonte à un concert à Toronto, en avril 1998. Le jeudi, j'interviewe les quatre Stones, un par un, dans leur palace Four Seasons. Un grand moment, on ne va pas se la jouer blasé, quand tu es dans le couloir qui mène à la suite de Mick...

Petite douche glacée : Tony King, le manager de l'époque, me fait signer un contrat m'interdisant de reproduire les entretiens avec les quatre Stones dans un futur bouquin. *Oh well, never mind.* Je signe. Et bien sûr, les entretiens seront toniques, ironiques, philosophiques. Tant pis.

Le lendemain, j'attends le concert dans ma chambre. Je ne sais pas pourquoi, l'idée d'aller me balader au soleil de Toronto ne me vient pas. Alors, je reste là, planté comme un blaireau entre la télévision et le minibar, quand le téléphone de ma chambre grelotte. Qui peut bien m'appeler ? Je décroche. C'est Tony King.

« Philippe, ça te dirait de venir à la répète ?

— Putain, Tony, est-ce que le pape est catholique ? »

Dix minutes plus tard, je monte dans un SUV. Tony King est à bord, nous fonçons vers le Toronto Sky Dome, quatre-vingt-cinq mille places et son toit ouvrant.

Les répétitions des Rolling Stones sont un moment sacré, et qui va le rester, car interdit à tout le monde. Même le personnel du stade doit quitter la salle quand les Stones se branchent pour jouer trois titres rituels et régler la sono. Les Stones répètent seuls, toujours.

Je n'en crois pas mes yeux et mes oreilles. Ils sont là, juste pour moi ! Keith a un blouson d'aviateur en cuir, Mick, une grosse casquette de base-ball verte. Ronnie blague et fume dans son teddy, une Strato en bandoulière. Charlie est concentré derrière ses fûts. Ils attaquent le blues « Little Red Rooster ». *Ô mes frères stoniens, je pense à vous !*

Nous sommes trois en bas de la scène, Tony King, un énorme garde du corps et moi. Nous sommes trois face au grand orchestre du ciel, à écouter trois pépites rien que pour nous, dont « When the Whip Comes Down », que le groupe joue complètement différemment de tous les concerts que j'ai pu voir. Ni contorsions ni grimaces. Décontractés, les Stones jouent comme des jazzmen, très cool, sans aucune pression. Ils sont les Rolling Stones, ils ont fait de nous ce que nous sommes, ils ont fait de moi ce que je suis. Je lévite puis je rejoins le groupe en coulisses.

Si j'ai très vite compris qu'aucun être humain normal ne pouvait espérer être pote avec les Rolling Stones, j'ai pourtant, par deux fois, appelé le groupe à mon secours, osant dévier la trajectoire des planètes Mick et Keith pour mon usage personnel.

La première fois, c'était pour le documentaire sur le blues que je préparais pour Canal. Avec le photographe Claude Gassian, nous avions voulu consacrer un film aux derniers bluesmen et nous y avions réussi : Albert Collins, Buddy Guy, John Lee Hooker, BB King, Dr John... On les avait tous dans la boîte, quand la chaîne s'est mise à reconsidérer le truc et à nous dire : « *Votre émission manque d'une locomotive. Et si on demandait à Keith Richards ?* »

Ce que nous avons fait. Au culot, en dehors de toute promo. On a bien dû passer six mois sur les traces du Keith, entre le concert Expensive Winos à Washington, puis à Paris, un studio à New York, puis le festival Guitar Legends à Séville. Et au final, il a surgi face caméra dans son fief de New York, armé de sa Gibson Robert Johnson Sunburst Electro.

Il a répondu à quelques questions puis d'un coup, a empoigné sa guitare. Là, au lieu d'un long discours, il a préféré nous jouer le blues. Voilà son cadeau. Un moment sublime, absolument pas répété, et Keith qui ricane au bout de six mesures : « *You got the blues, baby !* »

De tout ce que j'ai filmé, la leçon de blues de Keith Richards est mon moment préféré. À classer juste devant l'interview destroy de Motörhead, qui avait réduit en allumettes une chambre d'hôtel pour nous décrire la violence sur la route.

La deuxième fois où j'ai osé en appeler aux Stones, c'était en 1996. Cette année-là, on fête les trente ans de *Rock&Folk*.

Le critique anglais Nick Kent réalise pour Canal+ un rockumentaire sur l'histoire de notre journal. Lui qui a toujours de bonnes idées nous suggère de faire des interviews de Jagger et de Bowie. Après tout, ce sont les recordmen des couvertures du magazine, depuis toutes ces années !

À la surprise générale, Bowie répond très vite. Il donne une superbe interview à Éric Dahan, jonglant avec les concepts et remerciant les journalistes français de leur sagacité à son égard.

J'envoie donc une demande à Mick Jagger, qui la reçoit et refuse de participer, par retour de fax : « *Désolé encore, cordialement, Mick Jagger.* » Au téléphone, Tony King, le manager, me confirme : « *Quand Mick dit non, c'est non.* »

En raccrochant, je m'empare de mon ordinateur et je déverse sur le clavier une lettre outragée à M. Jagger. Carrément.

« *Mick, nous vous avons mis vingt-six fois en couverture en trente ans. Clairement, nous avons eu tort...* »

J'envoie mon mail et je range toute cette histoire au rayon des affaires classées. Cinq jours plus tard, je suis en train de tourner un *Top Bab* à Marseille, quand Éric Dahan m'appelle.

« *T'es où ? Tony King vient de téléphoner. Mick Jagger t'attend au Beverly Hills Hotel dans deux jours. Ramène-toi !* »

Je fais une cabriole jusqu'au plafond et fonce à LA par le premier avion. Là-bas, le directeur de l'hôtel essaye de nous taxer pour avoir le droit de filmer Jagger dans l'une de ses suites. C'est non, je ne payerai rien du tout ! « *C'est Mick Jagger, il vous fait un très grand honneur !* » On obtient l'accord in extremis.

Mick arrive dans la suite. Un cobra royal qui entre sur la piste. Maquillé, vêtu en businessman chevelu, il nous donne une interview hautement sarcastique en me disant, face caméra, qu'entre les articles et les photos parus dans *Rock&Folk*, lui préférait certainement les photos.

Mieux : il fait mine de ne pas me connaître !

C'est à n'y rien comprendre.

Après son départ, la maquilleuse me confirmera, interloquée, que Mick lui avait demandé par trois fois si c'était bien Philippe Manœuvre qui ferait l'interview !

Voilà. C'est Mick l'insaisissable et c'est pour ça que je l'aime. En bon chef du rock, il me surprend à chaque fois. Quand on lui parle, on se sent plus grand, plus riche, plus splendide.

Le charme opère, le charme n'est pas rompu.

Lui qui a arrêté toutes les substances nocives en 1982 touche aujourd'hui le bénéfice de cette ascèse au pays des déjantés. Mick gambade, Mick caracole sur des pistes de soixante mètres de long. Plus les années passent, plus le monde change, plus je trouve les Stones admirables et plus je les remercie d'être encore là, avec nous. Pour le gamin de Châlons, les Stones ouvraient la porte sur un monde imaginaire, merveilleux. Grâce à eux, j'ai pu vivre dedans, pendant plus de cinquante années.

Depuis leurs débuts, les Rolling Stones ont donné plus de deux mille concerts. À Marseille, en juin 2018, ils ont retrouvé un stade rempli d'un public extatique. Mick et Keith, après des années de brouilles, nous sortaient soudain l'ultime corde à leur arc : une amitié retrouvée. Croyez-le ou non, après toutes ces histoires, ces engueulades, ces crises de nerfs, Mick et Keith semblent bel et bien redevenus copains, entre bourrades d'affection et sympathie pour le démon. Ces marques d'amitié sont les premières depuis des décennies.

Les Stones en nonagénaires satisfaits, pourquoi pas ?

Moi, il me reste une question : vous préféreriez vieillir comme Mick Jagger ou comme Bob Dylan ? Réfléchissez bien, vous n'êtes pas obligé de répondre tout de suite.

LE PUNK

« *Démerdez-vous avec ça.* »
Johnny Rotten

Le punk ?

On l'a vu arriver dès 1973, quand les New York Dolls sont venus jouer trois soirs d'hiver à Paris. Avec eux, émerge une nouvelle génération de fans des Rolling Stones qui veulent aller plus loin. Plus loin dans l'outrage, plus fort dans le délire.

Les Dolls ont de solides arguments. Certains s'attifent en fille de joie, d'autres affichent leur toxicomanie comme une décoration honorifique. Les Dolls ne sont pas les seigneurs stoniens, juste une bande de gamins des rues qui se font la malle en faisant un doigt à la pop music.

Ce sont là les prémices du punk.

Le grand public n'apprécie pas. Après un concert à RTL et un autre à l'Olympia, le passage des Dolls au Bataclan est chaotique. Un spectateur mécontent crache sur le guitariste Johnny Thunders, qui lui écrase en retour sa Gibson sur le crâne. Toute la presse rock est là pour embellir ce qui va devenir la légende punk parisienne.

Un an plus tard, on est en 1974, je commence à m'occuper des Dogs (eh oui, je manage un groupe pour mes vingt ans !), que j'ai rencontrés dans le train spécial des Stones pour Bruxelles.

Avec deux membres à Rouen (Dominique et Mimi au chant et à la batterie) et deux autres à Paris (Paul et Zox à la guitare et à la basse), les Dogs ne sont pas exactement un groupe facile à gérer. Pourtant, je me démène comme un diable, j'inonde le courrier des lecteurs de *Best* et de *Rock&Folk* de (fausses) lettres de fans, je leur trouve des salles de répétition pour occuper les vacances. Les Dogs sont jeunes, ils vont encore au lycée. Ils ont en fait deux ans de moins que moi, mais leur gang est suivi par une petite horde de fiancées en folie, de photographes et de fans de la première heure. Les Chiens sont une tribu qui se déplace en meute. Un gang qui monte.

Leur passage au Golf Drouot, où je les ai inscrits au traditionnel Tremplin du vendredi soir, déclenche un beau scandale. Les Dogs sont venus avec une bouteille de champagne planquée dans la valise du batteur. Après un passage explosif, ils ont ouvert la bouteille et l'ont vidée en pleine salle, ce qui leur a valu la colère du taulier. M. Leproux a décidé l'expulsion immédiate du groupe.

Non contents de rater leur Tremplin, les Dogs ont aussi détruit la loge. Les filles qui accompagnaient le groupe ont dessiné le logo Dogs avec leur vernis à ongles sur les murs du vieux temple yéyé. Le scandale est terminal.

Fin 1974, le réveillon du nouvel an, pour moi, se déroule au Marquee Club, à Londres. Je découvre, ce soir-là, Doctor Feelgood en surchauffe. Cette bande de quatre rockers de Canvey Island est une autre étape sur la route du punk. Eux se distinguent par leurs reprises rhythm and blues assenées à coups de poing. Et puis, il y a leur jeu de scène, unique. Le guitariste Wilko Johnson joue de sa Telecaster comme d'une mitraillette. Il sarcle ses riffs à la serpe, et le chanteur, Lee Brilleaux, dans son costume de lin blanc, n'a rien à voir avec les rockers qui l'ont précédé. Cheveux courts, grand fumeur et videur de bières, Lee Brilleaux est un garçon d'une gentillesse qui contraste avec son jeu de scène jusqu'au-boutiste. En fin de concert, dans son costume maculé de bière et souvent arraché aux genoux, Brilleaux balance son micro et fait mine de forniquer avec la grosse caisse. Je n'ai jamais vu un truc pareil. Plus un poil sec dans la baraque.

Nous sommes en 1975.

Le rock a vingt et un ans.

Mais cette belle énergie du pub rock ne cache pas un certain ennui général.

Le cas des Dogs est assez exemplaire. Une fois le Golf Drouot digéré, je ne leur trouve aucun débouché, aucun concert, aucune maison de disques n'a même accepté d'écouter les bandes d'une répétition. En dehors du Gibus, les clubs rock n'existent pas vraiment en France. Les premières parties des tournées anglo-saxonnes sont inaccessibles.

Or tous ces gamins ont envie d'en découdre, de jouer, de donner des concerts. Restent quelques groupes locaux comme les Frenchies, une bande de bikers dont le chanteur Martin Dune est, en fait, le futur réalisateur Jean-Marie Poiré. À part ça, plus de rock nulle part.

1975 est une année mortelle.

Seuls deux disques, parus cette année-là, retiennent mon attention : le fameux *Born to Run* de Bruce Springsteen, hommage nostalgique aux années Kerouac, et le premier album de Patti Smith, *Horses*.

Ce disque fondamental va signer l'arrivée des filles dans le rock. Sur la pochette chic, noir et blanc, une chanteuse habillée en mec qui ressemble à une petite sœur des Stones. Poétesse rock, Patti veut mélanger Rimbaud et les Stones. Dans ses premières notes de pochette pour un album d'Edgar Winter, un sympathique clavier rhythm and blues, elle cite François Villon ! Pardon ?

Oui, Patti veut mélanger James Brown et Baudelaire. Ramener le mysticisme dans le rock.

Dès 1972, elle a fait son voyage initiatique sur la tombe de Rimbaud, à Charleville-Mézières. Tout découle de là. En plus, elle écrit comme personne. Parlant des Stones dans *Creem*, elle raconte avoir eu un orgasme « *à s'en mouiller les jeans* » la première fois où elle a vu Brian Jones à la télévision. En 1972, personne n'écrit des trucs pareils nulle part !

Sur la route du punk, il y a donc Patti Smith.

Après Joan Baez (la maman) et Janis Joplin (la putain), on attendait désespérément la prise de parole des filles. Le disque de Patti Smith fracasse la porte et deux ans plus tard, en 1977, les filles punk sont légion. Citons les Lou's, les Slits, X-Ray Spex, Gaye Advert, Siouxsie Sioux, Debbie Harry, Chrissie Hynde, Lydia Lunch, Nina Hagen, Lene Lovich, Wendy O. Williams, Exene Cervenka, Alice Bag, plein d'autres excellents éléments.

De toutes, c'est sans doute Nina Hagen qui m'a le plus fasciné. Un jour de 1979, elle m'a reçu dans sa chambre d'hôtel, couchée dans son lit, vêtue d'un simple soutien-gorge noir. N'étant pas Harvey Weinstein, j'ai mené à bien l'entretien, faisant comme si cette tenue était la plus naturelle du monde. Je suis reparti comme j'étais venu, mais avec le souvenir d'une poitrine splendide.

Et puis, les 3 et 5 septembre 1976, mon copain Pierre Benain organise deux concerts des Sex Pistols au Chalet du Lac. Ce club situé dans le bois de Vincennes, va rouvrir après une longue fermeture. Les patrons veulent créer un événement et Benain réussit merveilleusement son coup en faisant venir les Sex Pistols à Paris. Des Pistols débutants (sans Sid Vicious), mais accompagnés d'une petite clique de joyeux drilles qui gravitent autour d'eux. Billy Idol, Adam Ant, Siouxsie Sioux font partie de l'entourage du groupe et sont, eux aussi, du voyage, dans un bus venu de Londres par le ferry.

De tout ce contingent, Siouxsie est sans doute la plus impressionnante avec ses corsets, ses bustiers et ses talons aiguilles. Un personnage. Elle a un T-shirt troué au niveau de la poitrine. Des seins pointus sous un imperméable de plastique transparent. Seul problème : elle arbore aussi souvent un brassard à croix gammée. Boulevard Voltaire, un vieux furibard qui la voit passer traverse la rue et lui crache dessus : « *Mademoiselle, j'étais à Mauthausen… Vous savez ce que je pense de votre brassard ? »*

Il faut dire qu'avec les Sex Pistols, on a aussi vu arriver le bondage et le SM. Les filles, surtout, sont curieuses. Souvent, elles demandent qu'on les ligote, qu'on leur cravache gentiment les fesses. À Londres, sur King's Road, Malcolm McLaren, le manager des Pistols, et sa compagne Vivienne Westwood ont ouvert une boutique où ils proposent tenues rock et sadomaso.

Chez nous, mon copain Jean-Pierre Dionnet est un pionnier du genre. Dans le magazine de BD *Métal Hurlant*, dès 1976, il a commencé à rééditer de vieilles bandes dessinées bondage américaines. Puis, il a sorti le livre *Sweet Gwendoline*, les albums *La Baronne Steel*, *Madame La Bondage*. J'en traduis certains. Siouxsie est très intéressée par ces albums. Elle me dit : « *C'est toi qui sort ces BD ? Moi, je m'habille comme ça ! »*

Bref, comme on pourra bientôt le lire dans *Le Nouvel Observateur* : « *Le punk est un mouvement qui ne laisse personne indifférent… »*

Les Pistols n'ont pas encore fait leur grand scandale à la télévision anglaise (il aura lieu deux mois plus tard), quand, ce soir de septembre 1976, donc, le Chalet du Lac se remplit d'une foule d'abord curieuse puis très vite conquise. Bien sûr, les cheveux longs et les Perfecto sont légion, ce soir-là.

Pas de chance : la rénovation du club n'est pas terminée.

La dernière couche de peinture a été passée l'après-midi même du concert. Beaucoup reviendront du Chalet maculés de noir pour s'être simplement appuyés contre un mur ou assis sur une chaise.

Les Pistols ont installé leur matériel sur la piste de danse. Le groupe londonien nous massacre hardiment tout ce qui va constituer son premier album, attaquant d'emblée par « Anarchy in the UK ». Une reprise des Who et une autre des Monkees complètent le dispositif. En finale, les Pistols jouent « No Fun » des Stooges, jusqu'à l'explosion des amplis.

J'ai vingt-deux ans et je sors de ce concert effaré et convaincu. OK, ce groupe ne joue pas comme les autres. OK, ce n'est pas du rock carré, professionnel, tiré au cordeau. Non, c'est tout autre chose. Une prise de pouvoir par des gens qui ne sont ni virtuoses ni pros, mais qui ont la bonne énergie et veulent refaire du rock une musique surexcitante.

Tout le monde n'apprécie pas. La reprise des Monkees en surprend beaucoup.

Un collègue me demande comment je vais bien pouvoir chroniquer ce concert :

« *Qu'est-ce que tu vas faire ?*

— *Je vais aller me faire couper les cheveux.* »

Loin de chez mes parents, j'ai enfin pu laisser pousser ma chevelure qui atteint une longueur jaggerienne. Mais le punk va nous forcer à ratiboiser nos crinières.

J'adopte définitivement un look Ramones.

Cheveux mi-longs, T-shirt, Perfecto, jeans, boots.

Peu après, Marc Zermati organise un festival punk au Palais des Glaces, non loin de République. Il fait venir Police et The Jam, The Damned et surtout The Clash.

Zermati a joué un énorme rôle dans le mouvement punk. Marc a connu les derniers surréalistes comme les premiers situationnistes. Préoccupé par les mouvements de jeunesse, il a l'âge de Malcolm McLaren. Alors, comme un grand frère bienveillant, il aide inlassablement le mouvement qui s'installe peu à peu dans le désert créatif qu'est devenu le rock. Avec Pierre Thiollet, il organise dès 1976 le Festival de Mont-de-Marsan, premier festival punk européen...

Car, dans un premier temps, beaucoup n'en veulent toujours pas, du punk, même si quelques Français sautent le pas. Mon copain de *Best*, Patrick Eudeline, pose son stylo et empoigne un micro. Il fonde son groupe Asphalt Jungle dont il est aujourd'hui le seul survivant. Jacno surgit au sein des Stinky Toys où chante sa muse Elli Medeiros. Et c'est à peu près tout.

Après le concert des Clash, Marc Zermati m'invite à dîner avec le groupe à la Coupole. Dès mon arrivée, le guitariste Mick Jones se lève et me dit bonjour à sa façon :

« Salut, t'es venu pour te battre ou pour te bourrer la caisse ? »

Il va me frapper ou quoi ? Zermati intervient : *« Mick, du calme, Philippe a les cheveux un peu longs, mais il a adoré votre premier album et il l'a écrit partout ! »*

Pas faux. Grâce au journaliste François Rivière, collègue de *Métal Hurlant*, j'ai eu l'honneur de publier quelques piges aux *Nouvelles Littéraires*. Un journal respectable, fondé en 1922 par Maurice Martin du Gard... J'en suis très fier, d'autant qu'à l'occasion de ce premier concert parisien des Clash, j'ai réussi à convaincre le rédacteur en chef adjoint, Maurice Achard, un fan de Johnny Hallyday, de mettre le paquet. Achard a osé : il a mis The Clash à la une des *Nouvelles Littéraires* !

Le jour de la parution, Philippe Tesson, le directeur, a fait irruption dans le bureau d'Achard, l'écume aux commissures. Fou de rage, ses yeux bleus lançant de petits éclairs derrière ses lorgnons, il a brandi la une du journal : *« Monsieur Achard, s'il vous plaît, assez de voyous à la une de notre journal ! »*

Et il a claqué la porte pour s'en retourner dans son bureau directorial.

Je suis resté aux *Nouvelles Littéraires* jusqu'à sa reprise (sous un autre titre) par Jean-François Kahn. Il voulait que je poursuive ma rubrique, gratuitement. Je suis parti en vrai punk, sans me retourner.

Leur agonie fut effroyable.

Le lendemain du concert des Clash, j'accompagne deux membres du groupe à leur maison de disques, Columbia. Dès le hall d'entrée, ça ne se passe pas terrible. Le réceptionniste refuse de laisser entrer des gens « *habillés comme ça* », le président de Columbia va sortir d'une minute à l'autre pour son déjeuner, les Clash ne peuvent pas rester dans le hall. Un assistant déboule au bord de la pâmoison : « *M. Souplet descend, viiiite…* »

Solution Marivaux : je cache aussi sec les Clash dans un placard à balais, le temps que le président traverse le hall.

Par la suite, Mick Jones et moi deviendrons copains. Nous nous reverrons à maintes occasions, tournée London Calling, semaine de concert à Mogador, studio, tournage télé avec son nouveau groupe, Big Audio Dynamite. Toute sa vie, Mick a continué à œuvrer dans la même direction punk. Il a d'ailleurs produit les deux premiers albums des Libertines !

Quelque temps plus tard, un autre concert fait accourir les foules : une double affiche Mink DeVille et Blondie à la Taverne de l'Olympia.

La salle est bourrée. Il y a là plein de curieux, des rockers en masse et, surtout, un couple punk totalement destroy qui danse au milieu d'un petit cercle admiratif. Le garçon a une crête (c'est la toute première que nous voyons à Paris) et un Perfecto constellé de clous et de badges. Sa compagne aux cheveux décolorés porte dans ses bras un bébé d'à peine quelques mois. Le couple punk sniffe de la colle. Ils se passent et se repassent un sac en plastique, reniflent dedans, chavirent. Gênée par son bébé, la punkette va le poser directement dans les baffles de la sono. Une sono énorme qui crache du reggae dans l'attente de l'arrivée de Blondie ! Tout le monde recule.

Même les plus burinés des hard-rockers n'avaient jamais vu ça, mais personne n'ose réagir, c'est le punk, prudence !

Soudain, un homme se dresse. Cet homme, c'est Jean-Pierre Dionnet, de *Métal Hurlant*. Dionnet n'est pas déguisé en punk. Il a son costume cravate traditionnel, ses petites lunettes d'intellectuel. Et, s'approchant du couple destroy, il prie la dame de retirer son bébé de la sono. Tout le monde s'approche. Le couple punk glapit des insultes à la ronde, la fille va enfin retirer son nourrisson des énormes baffles sous un tonnerre d'applaudissements. Énervé, le punk à crête nous fait un doigt avant de s'écrouler contre un mur. Sur ces entrefaites, Blondie arrive pour son concert.

J'ai souvent repensé à ce bébé lors de nuits d'insomnie. Il doit avoir la quarantaine, aujourd'hui. Comment a-t-il grandi ? Aime-t-il le reggae ? Est-il sourd ? Va-t-il voir un psy ?

Un autre soir, je vais au Gibus voir Johnny Thunders, qui a quitté les New York Dolls et revient en solo avec son nouveau groupe, The Heartbreakers. Dans la salle obscure, je me retrouve entouré de trois types menaçants en Perfecto. L'un d'eux prend la parole :

« Alors, c'est toi Philippe Manœuvre ? Nous on est les Metal Urbain et on n'aime pas tes articles.

— Ah zut, moi j'aime beaucoup ce que vous faites… »

Éclats de rire. Je fais la connaissance d'Éric Débris, d'Hermann Schwartz et de Pat Lüger. Nous buvons des bières. Plus tard, Éric Débris deviendra un ami, il écrira même dans *Rock&Folk* et il suivra avec moi les deux concerts texans de Johnny Hallyday en 2016.

Le 19 juin 1977, je fête mon anniversaire dans un appartement du boulevard Raspail où vit l'une de mes copines. Nous passons l'après-midi à monter des seaux de glaçons de l'hôtel Lutetia, tout proche. La baignoire remplie de glace, nous y installons des dizaines de bouteilles de bière. Par un étrange bouche-à-oreille, plus de soixante personnes se retrouvent là, pour ce qu'on qualifiera pudiquement de nuit d'émeute punk. Critiques, rockers, dessinateurs de *Métal Hurlant* ou du groupe Bazooka, Elli et Jacno, tout le monde est venu, tout le monde est là, et ça picole et ça rigole. Wire sur la sono.

Les punks parisiens ne sont pas difficiles. Ils ont une boisson de choix, la Valstar. Cette bière bon marché est disponible sous deux étiquettes, la rouge ou la verte. Quelle que soit la couleur, la Valstar est idéale pour faire glisser les pilules de Captagon, ce speed légal qu'on trouve encore dans toutes les bonnes pharmacies. Le Captagon a son héros prosélyte, Captain Capta, toujours prêt à vous dépanner d'une petite pilule. Seul problème : au bout de deux Captagon, plus possible de trouver le sommeil. Certains restent soixante-douze heures sans dormir. Je connais bien cette drogue speed : à RTL, on nous en donnait pour que personne ne s'endorme la nuit, aux dépêches.

Pas grave. La fête s'achèvera vers les 11 heures du matin, le lendemain.

Renseignements pris, l'appartement appartenait au réalisateur Claude Zidi. Coup de chance, impressionnés par le décor, les punks n'avaient pas fait le moindre dégât.

Nous sommes en juin 1977.

J'ai vingt-trois ans.

Seul Joe Strummer, le chanteur des Clash, est plus vieux que moi dans le punk. Tous les autres, les gamins qui constituent le fer de lance du mouvement, ont dix-sept ou dix-huit ans.

Dans un premier temps, les punks sont hyper créatifs, ils ont envie d'essayer des choses, d'imaginer une autre vie. C'est Siouxsie Sioux et son fameux look. C'est Johnny Rotten et sa liberté d'esprit. Rotten aime un chanteur : Captain Beefheart. Il n'en a rien à foutre que ce chanteur soit démodé. Il le dit à tout le monde : *« Ouais, j'adore Captain Beefheart et le groupe allemand Can, démerdez-vous avec ça. »*

Le punk avait été un mouvement secret, limite clandestin. Résultat, plein de gens, partout, posaient la question : *« Mais enfin, ce punk, c'est quoi ? »* Beaucoup se sont perdus en conjectures.

Alors le punk ? Politique, sexuel, philosophique ?

Puis, à force de textes fondateurs publiés dans des fanzines, le punk deviendra ultra-réglementé ; il y aura même une *éthique punk*.

Premier commandement : se débrouiller avec les moyens du bord. Les Sex Pistols ont volé leurs instruments aux grands groupes, le micro de Rotten aurait appartenu à David Bowie.

Mais l'ennui avec l'éthique, c'est que ça devient vite chiant. Chaque jour apporte son lot d'informations contradictoires, difficilement vérifiables. Joe Strummer serait un fils de diplomate. Qu'est-ce que ça change à sa musique ?

Au final, l'éthique psychorigide créée au fur et à mesure va cimenter la tombe du punk et enterrer le mouvement.

À la demande de *Rock&Folk* où j'ai commencé à écrire dès 1974, j'établis un dictionnaire des premiers groupes punk. Malheureusement, je glisse dedans le groupe Motörhead, que Lemmy vient de fonder à Londres. Ce Lemmy me semblait un gars sérieux dès le départ et le premier 45 tours de Motörhead, publié par Zermati et intitulé « White Line Fever », me paraissait bien dans l'air de l'époque.

Que n'avais-je pas fait ! Dans *Libération*, Alain Pacadis me conspue : « Rock&Folk *essaye de se donner des airs punk, Manœuvre a osé faire figurer ces vieux hippies chevelus de Motörhead dans un dictionnaire soi-disant punk.* »

Je suis effaré. Le punk en France est alors défendu par quatre journaux : *Libération, Métal Hurlant, Best* et *Rock&Folk.*

Est-il bien utile de se massacrer entre nous alors que, dehors, on nous attaque de partout ?

Début juin 1977, les Ramones jouent à la Roundhouse, à Londres. Je suis bien sûr partant pour ce voyage de presse même si, à la différence de nombre de mes confrères, je n'avais pas aimé leur premier album. Ma chronique, amplement rééditée sur Internet comme preuve manifeste que « *Manœuvre n'y connaît rien depuis longtemps* » n'a pas empêché le groupe de New York de tracer sa route et j'ai d'ailleurs totalement changé d'avis sur eux après les avoir vus en concert au Bataclan. Mais à l'hôtel, après le concert des Ramones à la Roundhouse, je reçois un coup de téléphone de Philippe Paringaux, mon rédacteur en chef, quelque peu excité. Les Sex Pistols, interdits de concert dans toute l'Angleterre depuis leur scandale télévisuel, ont décidé de faire la fête sur un Bateau-Mouche pour la sortie de leur nouveau 45 tours « God Save the Queen ».

Paringaux me demande de rester à Londres pour couvrir l'événement et donc de rallier un appartement où vivent divers fans des Sex Pistols. Là, d'autres instructions arriveront.

J'obtempère et je pose mon sac chez le Bromley Contingent, le cercle des premiers fans du groupe.

Peu après, on me convoque au bureau des Sex Pistols. J'y suis reçu par Malcolm McLaren en personne qui me donne une invitation photocopiée à la diable. Rendez-vous le lendemain, 7 juin 1977, sur la jetée de Charing Cross, à 17 heures.

Nous sommes environ quatre-vingts invités, journalistes

européens, copains du groupe, membres de la bande Pistols. Je me souviens de Jordan, égérie du gang, vendeuse à la boutique Sex, fille digne des pin-up de Russ Meyer, avec un maquillage de Cléopâtre speedée et une choucroute blonde platine dressée sur la tête...

Nous sympathisons autour de quelques verres. Comme tous les punks présents ce jour-là, Jordan a deux verres en main, un pour tout de suite, un pour plus tard. Photographe du groupe, Dennis Morris m'immortalise au bar, assis à côté d'elle.

Soudain, les Sex Pistols montent à bord du bateau. Speedés, hargneux, un peu inquiets. Ils arrivent avec leur nouveau bassiste, un certain Sid Vicious, qui nous apparaît sanglé dans son réglementaire Perfecto. Rotten est tout en blanc. Les deux Pistols ne disent bonjour à personne, ils ont les mâchoires bloquées par le speed. Interdits de concert, ils vont jouer leur sulfureux « God Save the Queen » sur la Tamise, juste sous les fenêtres de Buckingham Palace.

Le Bateau-Mouche quitte lentement le quai.

C'est la deuxième fois que je vois le groupe. Les roadies ont posé les amplis et la batterie sur le pont. Les Pistols jouent dans un déluge de larsens et de feed-back. La petite foule s'excite.

Il faut dire que tout ce petit monde punk a picolé et sniffé au-delà du raisonnable. Un type à côté de moi écrase sa cigarette sur la nuque de son voisin. Comme ça, pour voir. Bagarre. Bourre-pif. Torgnoles. Jah Wobble, un copain de Rotten, repère un photographe de Paris Match qui détonne au milieu de la petite foule punk. Le type est attaqué, tabassé, il voit son sac d'équipement photo partir dans la Tamise avec un grand plouf. Notre groupe oscille entre l'hystérie, la joie et la folie pure. Moi, je suis planté devant Sid Vicious qui joue, ce soir-là, comme si notre vie à tous dépendait de sa Fender bass. Je fais des bonds de kangourou. Je nage dans le bonheur. Mais pendant « Pretty

Vacant », la brigade fluviale encercle notre Bateau-Mouche et nous intime au porte-voix l'ordre de rentrer au port.

Ce qui sera fait pendant que le groupe explose un ultime morceau, le « No Fun » des Stooges.

La police attend le débarquement des invités pour procéder à quelques arrestations. Surexcités, les punks s'éparpillent dans la nuit et sprintent vers le métro. Malcolm part directement au poste, avec Richard Branson.

Ils seront vite relâchés.

Le rock, c'est chacun pour soi. C'est ça la grande morale du truc : il n'y en a pas.

Dès le lendemain, la presse anglaise en rajoute et se déchaîne à nouveau : « *Ils ont recommencé ! Les Sex Pistols saccagent le Jubilé ! Horreur et outrage sur la Tamise.* »

Aujourd'hui encore, je reste admiratif du talent avec lequel Malcolm McLaren a orchestré le chaos.

Le rock, c'est fait pour obtenir une réaction.

Pour résonner dans les têtes longtemps après que les amplis sont rangés dans le camion.

Et sans les Sex Pistols, on serait morts d'ennui. Comme des rats.

Durant une année, je multiplierai les allers-retours à Londres. Chaque semaine ou presque, un nouveau groupe surgit. Je vais rencontrer Buzzcocks, The Jam, The Saints, Richard Hell, Generation X, Wire, Willy DeVille, Blondie, et tant d'autres. Avec une mention particulière pour les Stranglers.

Eux enregistrent à Paris, au studio Pathé. Lorsque nous arrivons avec Claude Gassian, ils nous disent vouloir absolument faire une photo de groupe au premier étage de la tour Eiffel. Enthousiasmés par cette idée prometteuse, nous montons tous. Une fois là-haut, le bassiste Jean-Jacques Burnel sort deux gros rouleaux de scotch. Et je me retrouve subitement ficelé à un poteau de la tour Eiffel.

Les Stranglers m'ont abandonné au premier étage, non sans nous avoir immortalisés, moi, ligoté au centre.

La photo fera le tour des rédactions.

8 décembre 1977 : les Heartbreakers de Johnny Thunders jouent au Bataclan. Je les interviewe à leur hôtel, place de la République. Nous fumons un très bon haschich. L'heure du concert approche. Nous partons pour la salle avec les guitares dans les étuis. Aucun des taxis présents à la station de la place de la République n'accepte de nous emmener. C'est trop près, avec leurs looks, les musiciens font peur, dégagez bande de punks… La routine.

On remonte le boulevard Voltaire à pied. Claude Gassian nous mitraille. Devant le Bataclan, la foule punk des grands jours. L'arrivée des Heartbreakers ne passe pas inaperçue. « *Salauds ! Junkies ! Toxicos ! Encore en retard !* » Les Heartbreakers fendent la foule, montent sur scène et donnent un concert d'anthologie, un show absolument fabuleux. Tout le monde tourbillonne dans la salle, la foule jamais repue s'extasie des riffs tronçonnés par Thunders et son alter ego Walter Lure. Quelle claque.

Été 1977. Je suis à New York grâce à *Rock&Folk*.

Cet été-là, la ville est terrorisée par un serial killer nommé Son of Sam qui rôde la nuit dans Manhattan et abat froidement des couples qui s'embrassent dans des voitures. La police est impuissante. On racontera même que la mafia s'en est mêlée et que c'est sur information du fameux parrain Carmine Galante que Son of Sam sera enfin arrêté, le 10 août 1977.

Loin de batifoler sur des banquettes arrière, je passe quasiment tout mon séjour au CBGB, le club punk de la ville. Je loge à l'hôtel Chelsea, non loin du Max's Kansas City. Certes, Ramones, Blondie et Talking Heads, les groupes de l'explosion punk, sont presque tous en tournée autour du monde mais, sur place, la relève est assurée par les Dead Boys, Mumps, Tuff Darts et plein d'autres.

Un soir, dans un club, je revois les Heartbreakers de Johnny Thunders. À sa table, un client, hilare, les apostrophe en descendant des bières. Je m'approche de l'individu et là, tombe sur mon idole, Lester Bangs, le premier rock critic américain, qui s'est exilé de Detroit à New York pour écrire dans le *Village Voice*. Nous allons passer la nuit et une demi-journée ensemble, car Lester me ramènera chez lui pour descendre des bières fraîches, m'accorder une interview et surtout, écouter des disques.

Il me passera toute sa collection en revue : plein de 45 tours débiles comme « La Ballade des Bérets verts », un disque d'extrême droite pro guerre du Vietnam (!), ou encore des groupes punk inconnus, comme les Sick Fucks.

Après la mort de Lester, qu'on retrouvera tombé raide sur sa machine à écrire, un triste jour de 1982, son œuvre sera redécouverte et rééditée, et de grands journalistes écriront que *« l'un des meilleurs écrivains américains de tous les temps n'a publié que des chroniques de disques »*.

C'est que Lester n'aimait pas trop ça, écrire.

Galérien du papier, forçat de la pige, enchaîné à sa machine, esclave de l'industrie du disque, Lester Bangs se rêvait tout simplement... chanteur. *« Philippe, si j'arrivais à perdre dix kilos, je pourrais monter sur scène et leur montrer, à tous ! »*

Voilà pourquoi Lester n'a jamais écrit plus d'un chapitre de son roman *Tous mes amis sont des ermites*.

Lester était un grand déçu du rock.

Ce même après-midi du 16 août 1977, je rentre à l'hôtel Chelsea lorsqu'un camion s'arrête dans un grand coup de frein devant le kiosque de la 23ᵉ Rue. Des piles de journaux ficelés à la hâte tombent du camion. Le kiosquier coupe la cordelette au couteau

et le *New York Post* apparaît avec sa une improbable : *Elvis is dead !*
Le King avait quarante-deux ans. J'appelle aussitôt mon nouveau
pote Lester dans son minuscule studio. Il n'a pas le temps de me
parler. Il est en train d'écrire son fameux papier : *« Où étiez-vous
quand Elvis est mort ? »* Je ne le reverrai pas vivant.

Bien sûr, les Sex Pistols ne s'éternisent pas.

Alors que notre génération bombait le torse et se disait que ce
groupe serait nos Rolling Stones des années 80, les Sex Pistols
explosent, donnent un ultime concert à San Francisco en janvier
1978 et se séparent.

Mais le mouvement continue, désormais instoppable !

Juillet 1978 : Philippe Constantin se bagarre pour le rock
français. Il décide donc de louer l'Olympia trois soirs de suite
pour y organiser un grand festival punk français avec Stinky Toys,
Marie et les Garçons, Bijou, Starshooter, Metal Urbain, Asphalt
Jungle et autres Guilty Razors. Tous ces groupes sont français
de France, beaucoup viennent de Lyon. Il y a même un groupe
entièrement féminin, les Lou's, copines des Clash. Hurlant à la
récupération, Marc Zermati refuse de venir.

Du coup, il me reste une place.

Devant l'Olympia, je rencontre un gamin de quatorze ans
monté de Lyon, sanglé dans son Perfecto pour assister au grand
festival punk. Il est tout seul dans la nuit, au bord des larmes, il
n'a pas trouvé de billet, tout est archi-complet.

Je lui donne la fameuse place en trop. Il me remercie et me dit
son nom : *Cyril Deluermoz.* Nous nous reverrons. Quinze ans
plus tard, Cyril deviendra l'un des piliers de *Rock&Folk* et un
très grand journaliste rock.

Pendant le set de Starshooter, le chanteur Kent tente de créer
l'événement : *« C'est ça, le punk à Paris ? Ben c'est pas terrible !*

Putain, l'Olympia, vous allez le laisser intact ? Dire que les fans de Gilbert Bécaud avaient cassé cette salle, putain, vous êtes mous à Paris ce soir ! »

La foule a entendu. Elle se dresse et commence à attaquer les fauteuils. Méthodiquement. Il y en aura deux cent quatre-vingt-seize, en tout. Pas peu fier de son coup d'éclat, Starshooter entame un hymne aux chauffeurs de poids lourds, le morceau « 35 Tonnes ». Marie-France, le célèbre travesti, monte sur scène et arrache son T-shirt. Seins nus, elle commence un effeuillage total qui révèle au final… qu'elle est encore un homme ! Émeute dans la salle. Des rockers hurlent de rage, d'autres s'extasient.

Une soirée inoubliable.

Il y en aura plein d'autres.

Janvier 1980 : les Clash m'invitent à suivre leur tournée London Calling qui sillonne l'Écosse. Je suis dans le bus avec mon copain Mick Jones et le reste du groupe. C'est une tournée sauvage. C'est l'époque où les Anglais crachent sur les groupes qui sont sur scène. Chaque soir, pendant la première partie, des punks kamikazes montent sur scène, attrapent la guitariste Viv Albertine des Slits et tentent de la faire chuter dans la foule. La chanteuse Ari Up prend son pied de micro et fracasse des mâchoires. Les bagarres n'arrêtent pas. L'Écosse punk est un territoire terrible. Un soir, un fan sera tué dans un concert. Mais après chaque passage sur scène, les Clash ouvrent la porte de leur loge et font rentrer les fans transis, pour discuter avec eux, boire des coups et ramener les sans-abri à l'hôtel.

Car il y a des hôtels.

Sauf que dans un souci d'économie, le management des Clash nous a réservé des chambres dans les pires Bed and breakfast du pays. Les piaules non chauffées disposent d'un chauffage électrique qu'il faut payer en glissant de la monnaie dans le radiateur.

Quand on a épuisé son stock de pièces, le froid s'abat. J'enlève mes bottes mais je dors dans mon Perfecto.

Les Clash arrêteront finalement, vaincus par l'absence de compétition. Que leur propose-t-on en 1982 ? De faire la première partie des Who aux États-Unis.

Un soir, alors que les Clash attendent nerveusement le concert dans leur loge, on toque à la porte. Qui ose ? Un certain Mick Jagger. Le chanteur des Stones est venu en curieux, avec sa fille qui est fan. Pour Joe Strummer, Mick Jones et Paul Simonon, c'est la révélation. Eux qui s'étaient lancés dans l'arène en hurlant « *plus de Beatles ni de Stones* » en 1977 se retrouvent cinq ans plus tard au cœur du système, ouvrant pour les Who, félicités par Mick Jagger en personne. Les Clash sont devenus tout ce qu'ils détestaient au départ.

Le groupe est sur le point d'exploser et de disparaître.

Les punks étaient venus défendre une version rêvée du rock. Une idée à eux, avec des bouts d'Elvis, des Stones, des Who et des Stooges dedans.

Le punk, c'est le temps des derniers vrais généraux du rock : Malcolm McLaren (Sex Pistols), Bernard Rhodes (Clash) et Marc Zermati (Skydog Records) — ils avaient tous trois fait un peu de prison.

Bien sûr, ensuite, on dira tout et son contraire sur le mouvement punk. On écrira que les Sex Pistols étaient le premier des boys bands et que leur grand gourou, ce raté de Malcolm, leur avait fait faire les pires conneries.

La vérité, c'est que ces trois hommes s'étaient ramenés et avaient dit aux gamins que nous étions : « *Faites votre truc.* » Prenez le pouvoir, allez-y, l'époque est à vous, défoncez la porte du vieux château rock, nettoyez les écuries d'Augias, sortez votre machin, prenez votre destin en main.

Nous y avons tous cru.

Et alors ? La musique était exceptionnelle. Certains ont monté des groupes, ouvert des salles de concert, des clubs, des magasins de disques, d'autres ont fait des films, des fanzines, des livres. Puis le punk a infusé et il est ressorti dans les endroits les plus étranges.

À la fin du punk, on voit arriver des choses fabuleuses, Ian Dury, Elvis Costello, Lords of the New Church, Devo, Big Audio Dynamite, Magazine, Joy Division, Public Image Limited.

Les mouvements de jeunesse explosent de toutes parts. Il est question de ska, de reggae, de novö, de groupes électro ou alterno.

En France, les Béruriers Noirs, la Mano Negra, Parabellum, Gogol et la Horde vont pousser l'idée punk jusque tard dans les années 80.

Aux USA, Nirvana, en intitulant son album de 1993 *Nevermind* fait un clin d'œil explicite aux Sex Pistols de *Never Mind The Bollocks.*

J'ai souvent revu les Pistols.

Ce sont des gens rares et exquis. Lorsqu'ils ont tourné le film *The Great Rock'n'Roll Swindle* Sid, Steve Jones, Malcolm et Paul Cook étaient à Paris. Après une longue interview à leur hôtel, je les ai invités chez moi. Nous sommes arrivés vers 2 heures du matin. Ma copine dormait. Nous sommes tous entrés dans ma chambre et je lui ai dit un truc à la con, genre : *« Ah oui tiens au fait, chérie, je te présente les Sex Pistols… »*

Ensuite, on est allés dans la pièce à côté, on a bu des bières, ils ont vidé tout mon stock de Heineken et ils sont repartis à leur hôtel à l'aube, la dernière cannette vidée.

Depuis, des années durant, j'ai sillonné la France pour parler du rock à des étudiants, des fans, des lecteurs. Une causerie rock ne s'achève jamais sans questions de l'assistance. Rares sont les fois où on ne m'a pas posé la question : *« Dites, monsieur Manœuvre, il était comment le Vicieux ? Vous pouvez nous parler du Sid ?* » Je leur raconte ce que j'ai vécu : avec moi, Sid Vicious le fracasseur de rock critics a toujours été charmant, respectueux, un vrai nounours. Il m'avait rencontré avec les Heartbreakers, groupe chéri des Pistols. Ceci explique sans doute cela.

Un beau soir de 1988, je me suis retrouvé à dîner dans un Tex-Mex du boulevard de Sébastopol avec trois survivants du punk.

J'étais attablé avec Johnny Thunders, Stiv Bators et Dee Dee Ramone. Pour les deux premiers, j'étais bel et bien devenu un producteur télé. Oui, effectivement, j'avais fait passer Johnny Thunders et Stiv Bators aux *Enfants du Rock*.

Mais Dee Dee Ramone n'était pas d'humeur. Plusieurs fois, au cours du dîner, le bouillant bassiste m'a désigné, fourchette en l'air : « *Ce mec parle comme un putain de rock critic. J'ai bien envie de le crever...* »

Johnny et Stiv essayaient bien de temporiser : « *Calme-toi Dee Dee, Philippe est un producteur télé !* »

Voilà comment j'ai échappé à une fin quasi certaine sous la fourchette d'un Ramone.

Les membres de ce dîner ont commencé à mourir les uns après les autres. Stiv en 1990, Johnny en 1991, Dee Dee en 2002.

Je suis le dernier convive.

J'attends mon tour sans impatience.

Et Mick Jones alors ? J'allais revoir le guitariste dans les années 2000, quand Sony a décidé de rééditer les singles des Clash dans un gros coffret luxueux. Apprenant que Mick Jones acceptait quelques entretiens, j'ai foncé à Londres pour revoir mon pote. Nous avions rendez-vous dans son club de gentlemen. Vous avez bien lu. Mick était devenu un vrai gentleman, membre d'un club. Il est arrivé, vêtu d'un costume gris anthracite, très classe.

Très vite, nous nous sommes mis à papoter comme de vieux complices, nous remémorant les grandes batailles du punk. Tirant sur un Montecristo, Mick a bu un vieux cognac.

Je commençais à me dire que notre histoire trouverait ici une conclusion parfaitement *bourgeoise*... quand une furie a déboulé dans la salle. On parle d'une dame dépenaillée, qui bouscule le portier et déboule dans le respectable club. Plantée devant notre table, elle m'apostrophe :

« *Monsieur, vous êtes en interview ?*

— *Tout à fait, madame.*

— *Alors sachez que vous êtes un pauvre d'esprit en train d'interviewer un cornichon. Je vous parle d'un con total, un salaud, un mec qui n'est pas rentré depuis trois jours et trois nuits alors que ses enfants l'attendent ! Une andouille à la noix, un parfait crétin, voilà à qui vous parlez, si mon avis intéresse quelqu'un...* »

Et la furie s'en est allée comme elle était venue, dans un nuage de mépris.

J'hésitais entre arracher la moquette pour me cacher dessous et exploser de rire.

Mick Jones a conclu : « *Sans même raconter cet incident à tes lecteurs, je crois que je n'ai pas tellement changé.* »

Punk un jour, punk toujours.

MÉTAL HURLANT

Rester indépendant

J'ai été recruté par le journal *Métal Hurlant* en 1976. C'est un chapitre de ma vie que j'évoque relativement peu. D'autres s'en chargent à ma place. L'aventure *Métal Hurlant*/Humanoïdes Associés a été maintes fois racontée, commentée.

C'est bien normal. Les journaux vont et viennent, certains restent, d'autres ont une vie plus courte. Mais *Métal Hurlant* fut une aventure exceptionnelle.

Pour Alexandro Jodorowsky : « Métal Hurlant *est un journal qui s'est attaqué à l'empire de la BD mondiale et qui a réussi. C'est un événement capital de l'histoire de la culture.* »

Métal Hurlant, quand je tombe sur un vieux numéro dans mon grenier, je me dis que c'était vraiment autre chose.

Le premier mensuel de bande dessinée de science-fiction ! Parfois, j'ouvre et je feuillette un vieux numéro de *Métal* et je reste fasciné. C'est nous qui avons fait ça ? Feuilleter un *Métal* des années 70, c'est comme fumer un énorme pétard de skunk pure et surfer sur le Net. *Métal Hurlant* a été fondé par de très grands de la BD : Philippe Druillet, Mœbius et Jean-Pierre Dionnet.

Dionnet n'était pas dessinateur. Surnommé Grat Grat par Druillet, c'était sans doute le premier des Nerds. Dionnet est un jeune homme atypique. Enfant, il a eu des problèmes osseux, il a passé deux ans couché, sans sortir. Sa maman l'avait abonné à tous les journaux de BD de France, il a une culture étonnante. Dionnet connaît tout. Car, non content de lire toutes les BD, il a également lu tout le reste. Les dessinateurs préraphaélites n'ont aucun secret pour lui. Il a cherché dans toute l'histoire du graphisme, de la peinture et de l'illustration les grands ancêtres de la science-fiction.

À l'époque, en 1976, cette démarche est rare. Il y a l'art officiel (Malraux, Mozart, Mauriac, etc.) et l'art neuneu, réservé aux *minus* : la bande dessinée, le rock, la science-fiction sont considérés comme des passe-temps imbéciles intéressant des crétins.

Dionnet refuse cet état de fait, il pense que l'art se cache dans les pin-up de camionneurs d'Aslan, les illustrations d'Arthur Rackham ou d'Alma-Tadema, les dessins des vieux livres de Jules Verne, il trouve des racines classiques au moindre comic book underground.

C'est une grande première.

Ludion étonnant, Dionnet s'intéresse à tout ce qui se passe, mais sa culture est encyclopédique.

Druillet et Mœbius ne veulent plus dessiner pour le journal *Pilote*, ce magazine de BD créé dans les années 60 par Goscinny. Mai 68 est passé par là. Depuis, ils n'ont plus du tout envie de travailler pour le papa d'Astérix, qui dirige encore ses équipes de dessinateurs à l'ancienne, comme un patron des années 50.

Ces deux graphistes surpuissants ont des envies de liberté. Et *Métal* va leur donner tout cela.

De fait, l'équipe de *Pilote* a éclaté. Certains dessinateurs sont partis fonder *L'Écho des Savanes* avec Mandryka et Bretécher. Gotlib a rallié les comiques autour de *Fluide Glacial*.

Mœbius est un cas à part. C'est l'un des pseudonymes de Jean Giraud. Sous la signature Gir, il dessinait Blueberry (sur un scénario de Jean-Michel Charlier). Sous le pseudonyme Mœbius, il pratique la science-fiction.

Je connais bien son œuvre : durant toutes les années 60, Mœbius a dessiné des couvertures de livres de SF chez Opta. Il a choisi d'illustrer certains livres, ceux dont les textes l'inspirent, *Le Son du cor*, *Les Loups des étoiles*. Gamin abonné à la bibliothèque de Châlons, je choisissais précisément mes lectures en fonction de ces étranges couvertures.

Quant au dernier, Philippe Druillet, c'est un géant. Il a explosé les cadres habituels du récit et créé un personnage cultissime, Lone Sloane. Les aventures de ce *chien cosmique aux yeux rouges* m'ont littéralement fasciné dans ma chambre d'adolescent. J'ai passé des heures et des heures à rêver sur les planches du *Pont des étoiles*, à imaginer les fusées glissant dans le cosmos.

Étonnamment, je vais me retrouver éditeur de Mœbius et Druillet. Mais n'anticipons pas.

Dans un premier temps, les gens de *Rock&Folk* me disent que Dionnet va m'appeler. Il cherche un secrétaire de rédaction pour l'aider à *Métal Hurlant* pendant les vacances d'été. Je découvre que les gens qui font la mystérieuse nouvelle revue de BD de SF habitent à trois cents mètres de chez moi. Je vis rue Jean-Beausire, Dionnet habite boulevard Voltaire.

Dès notre première rencontre, je suis ébloui par Dionnet. Ce garçon est un passeur. Il pense qu'il y a une continuité d'Aubrey Beardsley, illustrateur décadent du XVIIIᵉ siècle, à Mœbius et Druillet. Je suis estomaqué par cette conception qui explique beaucoup de choses et donne une cohérence à des aventures éparses.

En plus, Dionnet aime la musique. Il a des goûts très particuliers, mélange rock mods et musiques de film ou de danse, mais nous nous retrouvons autour de James Brown et de Ricky Nelson, que nous adorons tous les deux. Dionnet est des rares personnes qui ont vu, de leurs yeux, Jimi Hendrix en concert à l'Olympia dès 1967.

Quand je rencontre Dionnet, *Métal* a déjà publié cinq numéros en mode trimestriel. Les ventes sont bonnes, *Métal* va donc devenir mensuel. Je fais deux mois d'été au bureau de la rue de Lancry et septembre venu, au moment de me rendre ma liberté, Dionnet m'offre un poste de secrétaire de rédaction adjoint. Il trouve que nous travaillons bien ensemble. Surtout, je suis ouvert à tous les délires qui traversent le bureau de la rédaction.

Et Dionnet me propose de gagner un peu d'argent en traduisant des BD américaines. Ma première traduction est une bande dessinée de *Conan le Barbare*, épisode « Les Clous rouges », admirablement dessiné par Barry Windsor-Smith. Ensuite, les ennuis commencent. Dionnet me confie la traduction d'une BD étrange : *Talons aiguilles dans le cosmos*. C'est une BD de SF avec des fusées, aucun doute là-dessus, mais ce qui se passe dans les fusées relève du porno. Car c'est une BD sadomaso, avec des astronautes poitrinaires qui se donnent des fessées dans leurs vaisseaux spatiaux, tandis que des poulpes géants tripotent des demoiselles dénudées.

La publication de ces pages datant des années 50 va faire grand bruit, attirer l'attention de la commission de censure des publications destinées à la jeunesse et valoir à *Métal* une triple interdiction. Interdit à l'affichage. Interdit à la publicité. Interdit à la vente aux mineurs.

Ça fait cher du coup de fouet, mais ces avanies bien dans la tradition gaullienne ne font que nous encourager. OK, nous avons énervé les tout-puissants de ce monde, nous devons avoir fait quelque chose de bien ! Il faut savoir que la BD adulte n'existait pas vraiment, alors, et que ces publications étaient toutes étroitement surveillées par les censeurs de la Place Beauvau. Dès 1967, un éditeur lyonnais, Lug, avait tenté de traduire les comics Marvel en France. Ces éditions de *Doctor Strange* et du *Surfer d'argent* avaient été totalement interdites car « *trop bien dessinées* ».

À l'époque, on veille sur la jeunesse française. Astérix, oui, Doctor Strange, non.

Le terrain est donc miné.

Parallèlement, avec beaucoup d'acuité, Mœbius publie son album *Arzach*, la première BD sans paroles, sans texte. Juste huit chapitres graphiques d'une plongée dans un univers incroyablement bien dessiné, conçu comme une porte vers les étoiles.

Le Monde signale la sortie de cet album à la une, affirmant que c'est là un très grand événement graphique. Dionnet est ravi : il montre ce papier à notre banquier pour le rassurer. Nous voilà confortés dans notre envie de faire encore plus fort.

De partout, des dessinateurs nous rejoignent. Tardi, Mézières et Bilal seront au sommaire des numéros suivants. Ces dessinateurs sont tous sous contrat avec de puissants éditeurs, mais ils s'offrent de petites parenthèses en publiant des BD risquées ou étranges dans *Métal*.

Notre maquette est conçue par Étienne Robial, graphiste au talent immense qui contribue à affirmer la puissance de *Métal*. Et très vite, de jeunes et grands talents vont toquer à la porte du journal, des gens comme Frank Margerin, Serge Clerc ou Yves Chaland.

Le problème, c'est que cette communauté de dessinateurs travaille dans un chambard total. Je lance alors quelques règles simples : « *Il faudrait que tout le monde ait livré le jour où ça part à l'imprimerie* » me semble une bonne première étape.

Chaque planche doit être relue, cotée, paginée. Quand Mœbius livre une BD intitulée *Cauchemard blanc* pour un album, je gratte le *d* de cauchemar sur la planche avant l'envoi à l'imprimerie. Ce sont de petits détails mais, à mon sens, il faut en passer par là si l'on veut assurer la pérennité du titre. En plus j'arrive de *Rock&Folk*, où la faute d'orthographe est traquée sans pitié.

Notre triple interdiction (affichage, pub et vente aux mineurs) est assortie d'une taxe assez démente, la même que pour les magazines pornographiques. Le destin de *Métal* semble alors compromis, mais l'équipe redouble d'efforts et les lecteurs nous suivent. Leur nombre augmente chaque mois.

Pour contrebalancer les puissantes BD des dessinateurs, nous décidons ensuite de mettre du texte dans *Métal*. J'écris un premier papier sur le rock satanique, l'occasion de mettre Mick Jagger en photo dans le journal. Une première ! Druillet adore. Puis, Dionnet va nous donner des idées de plus en plus folles, et les textes vont contribuer à l'envol du titre.

Dionnet rentre d'un déjeuner. Il est passé chez un libraire importateur de comics.

« Philippe, il faut faire un article sur ce nouveau truc… ça s'appelle les serial killers. »

C'est la première fois que j'entends ce terme. Nous publions donc un article sur Ed Gein, qui se faisait des abat-jour avec la peau de ses victimes.

Comme on publie surtout des histoires de science-fiction, on se met à recevoir des courriers fous de lecteurs assez déments. Il y a un type qui sait où se trouve le trésor des Templiers, un autre qui a vu les extraterrestres de près et encore un autre qui a une théorie sur les roches et le cristal.

Puisque nous sommes interdits, autant en profiter. Dionnet adapte en français le chef-d'œuvre de la BD bondage, *Les Aventures de Gwendoline*. Les ventes sont énormes. Nous découvrons les amateurs de SM, des cinquantenaires très gentils, très doux, qui viennent au bureau acheter la fameuse bande dessinée. L'un d'eux me confie : « *Vous vous rendez compte, je lis ces BD depuis vingt ans en anglais, je vais enfin savoir de quoi ça parle !* » Le bondage a des règles très précises. On ligote, on fesse, on fouette, mais surtout, surtout, pas de sang ! Si du sang apparaît, les amateurs tournent casaque. Une légère trace bleutée suffit, les codes du SM sont ultra-précis. Je les apprends.

L'époque est étrange : le porno existe, mais uniquement dans quelques salles parisiennes spécialisées. Le magnétoscope n'est pas inventé, Marc Dorcel dirige alors une entreprise de transports. Du coup, la BD érotique fonctionne bien et nous décidons de lancer une collection SM *« pour les amateurs véritables »*.

Les dessinateurs de BD ont une vie étrange. Ils passent l'année chez eux, à dessiner. Ils sont souvent en couple, mais peu de gens les connaissent. La seule occasion de les rencontrer reste les festivals de BD et, justement, il s'en crée un du côté d'Angoulême. Nous y allons tous, et ces aventures festivalières solidifient l'idée qu'il y a un groupe *Métal Hurlant*, une bande d'artistes réunis par un même but.

Dans le même temps, sortent des films qui vont exactement dans le même sens que nous.

Star Wars, mais aussi *Alien*, film auquel nous consacrons un numéro hors-série, qui fera date. Le septième art nous fait les yeux doux. Druillet dessine l'affiche française de *Star Wars* à la demande expresse de George Lucas, qui demande qu'une projection spéciale soit organisée pour l'équipe de *Métal* ! Nous en revenons estomaqués. En un rien de temps, notre petite aventure de la rue de Lancry a pris une importance cosmique. Il y a d'autres gens qui tâtonnent dans la même direction que nous dans le monde entier !

Moi, toujours désireux d'apporter le rock aux masses laborieuses, j'organise un hors-série spécial rock dans lequel les dessinateurs s'épanchent.

Qu'écoutent nos hommes ?

Mœbius confesse qu'il reste un grand admirateur de Janis Joplin. Druillet serait plutôt T Rex. Serge Clerc reste un inconditionnel des Doors. Yves Chaland : *« Je dessine en écoutant la première face de* Let It Bleed *des Rolling Stones. J'en suis très content. Un jour, je pense que je vais retourner ce disque pour écouter la face 2, mais pas tout de suite… »*

Dans ce numéro, Frank Margerin ose dessiner pour la première fois une bande de rockers, la bande à Lucien. Margerin est le Renaud de la BD. Il raconte la banlieue comme personne. Tout y est ! Les Malaguti, les Flandria, les bistrots avec flippers. Mélangeant ses expériences personnelles à cette banlieue fantasmée, Margerin va devenir l'un des plus gros vendeurs d'albums des années 80.

Repéré par Dionnet, Margerin a été la première grande trouvaille du journal. Très vite, il a amené l'un de ses copains dessinateurs, Denis Sire, maître de la pin-up. Puis les Belges nous rejoignent : les frères Schuiten déposent au bureau une BD superbe, *Carapaces*, qui va attirer l'attention générale. L'Américain Corben aussi est de l'équipe, mais nous ne le rencontrerons qu'une seule et unique fois, à la convention de Lucas, en Italie.

Dionnet trouve une baseline pour le journal qui devient « Métal Hurlant, *la machine à rêver* ».

Dionnet est débordé. Il gère les livres, le journal, le banquier, s'occupe de la revente des BD à des éditions italiennes, allemandes, hollandaises. À un moment, les Américains arrivent et décident de publier une édition de *Métal* en langue anglaise sous le titre *Heavy Metal*. Enfin, la disparition de Franco ouvre toutes grandes les portes de l'Espagne à nos dessinateurs.

Du coup, un beau jour, Dionnet m'annonce qu'il me nomme rédacteur en chef de *Métal Hurlant*. J'ai vingt-quatre ans.

Georges Wolinski m'appelle dès qu'il apprend la nouvelle. Lui est le rédacteur en chef de *Charlie Mensuel* depuis des années. Il a fait un sacré bon boulot en publiant tous les grands anciens de la BD. Il veut déjeuner avec moi car nous allons devenir rivaux. Je passe donc cinq heures avec Georges qui m'explique plein de trucs sur le monde de la BD, les dessinateurs, l'équipe *Hara-Kiri*, dont il est l'un des piliers.

Je rentre au journal en me disant que je vais essayer d'être le meilleur rédacteur en chef de tous les temps. Quel est notre but ? Notre idéal métallique est de rester indépendants le plus longtemps possible, de travailler pour nous, avec des créateurs libres, sans subir les diktats d'un quelconque éditeur maître du monde. Nous allons tenir sept ans, avec plein de hauts et quelques bas.

Je suis devenu la cheville ouvrière des Humanoïdes Associés et de leur journal *Métal Hurlant*.

Non content de tout relire, de corriger, de faire les impositions, d'écrire des articles et des éditos, il m'arrive aussi d'écrire des scénarios à la demande de dessinateurs en manque d'idées. Lorsque le journal est terminé, je m'occupe des albums (nous en sortons trois ou quatre par mois). Nous sommes dans l'accélération permanente, cherchons à réduire les délais d'impression. Ce n'est pas une mince affaire, avec un imprimeur en Italie ou en Espagne !

À l'époque, la composition des textes prend un temps fou. Il faut envoyer les textes à un imprimeur qui les compose sous forme de bromures. On les corrige encore, puis on maquette. C'est trop long, il faut trois semaines pour boucler un numéro ! Comment font les quotidiens ? Je passe alors un deal avec *Le Matin de Paris*. Une fois par mois, je passe rue Hérold vers midi, avec tous les textes du prochain numéro à composer. *Le Matin de Paris* a une armée de gens qui travaillent sans relâche. En une heure de déjeuner, ils me rendent toute ma copie parfaitement composée, prête à être maquettée. Je relis sur place et ramène tous les textes vers 17 heures. Ce qui prenait quinze jours prend désormais une demi-journée.

Puis, soucieux d'accélérer la communication avec les éditeurs étrangers, Dionnet achète un télex. Désormais, il peut taper une lettre et l'envoyer comme un télégramme instantané à un correspondant muni de la même machine dans un autre pays. Le tout en quelques secondes.

Si c'est pas l'invention du mail, c'est quoi ?

Toujours à la recherche du gros coup éditorial, Dionnet décide de publier un journal de BD féministe, puisqu'il sera entièrement réalisé par des femmes. Parution de *Ah ! Nanas*. Toutes les dessinatrices françaises en sont, Nicole Claveloux, Keleck, Florence Cestac, Chantal Montellier. Des dessinatrices américaines comme Trina Robbins complètent le dispositif.

En revanche, nous peinons à rassembler une équipe de filles journalistes. On n'en trouve pas ! De guerre lasse, je prends alors l'habitude d'écrire des textes féministes que je signe Émilie Labroux. Dans ces papiers, je m'attaque aux bandes dessinées bondage (que Dionnet publie par ailleurs !), je ridiculise les machos, je m'enflamme pour le livre *Mersonne ne m'aime* (si on dit *personne* on reste sous l'influence du père !) et je fais d'Émilie Labroux la féministe bipolaire de référence. Un jour, Trina Robbins passe au bureau et découvre avec horreur qu'Émilie Labroux est un homme. « *Get some girls* », peste-t-elle en repartant.

Au final, *Ah ! Nanas* s'arrête au numéro 7, à mon grand soulagement.

Découvrant toute la puissance du pseudonyme, Dionnet et moi, nous avons l'idée de créer un super trublion nommé Joe Staline qui signera dans *Métal Hurlant* des notes absolument incorrectes et rédigera même parfois l'édito du mensuel.

Pendant des années, nous ferons signer à Joe Staline (fils bâtard d'Émilie Labroux !) nos textes les plus hallucinés et les plus barrés.

Un beau jour, Dionnet revient de chez notre banquier avec une nouvelle idée : il faut que nous éditions de vrais livres, des livres de textes. Et là, il me tend la perche : « *Toi, durant tous tes voyages aux États-Unis, tu as bien dû découvrir des auteurs que tu aimerais traduire ici, non ?* »

C'est le début de la collection Speed 17. On va faire très vite des bouquins (speed), on va essayer d'en faire dix-sept. Robial est OK pour nous imaginer une maquette novatrice.

Pour lancer la collection, il faut frapper fort. Je réussis à convaincre le rédacteur en chef de *Rock&Folk*, Philippe Paringaux, de traduire un livre sur une tournée US des Rolling Stones, *STP* de Robert Greenfield. Nous en vendrons quatorze mille.

Mais l'autre grande trouvaille de la collection, c'est Bukowski. Déniché par Philippe Garnier, journaliste à *Rock&Folk* et grand ami à moi, Bukowski est un phénomène. Personne n'a osé le traduire en français. Les éditions Grasset ont acheté un titre, mais l'éditeur est perplexe. Il trouve ça trop cru, trop sexe, trop alcoolisé.

Philippe Garnier accepte de traduire *Notes of a Dirty Old Man* que nous proposons en français sous le titre de *Mémoires d'un vieux dégueulasse*.

Le livre paraît en 1977, année punk.

Au moment de l'envoyer à la presse, je rédige un communiqué de présentation pour le livre. Une morne présentation (sexe, alcool, vie pourrie, etc.). Mais au dernier moment, j'ai un éclair. Personne ne va ouvrir le livre de cet écrivain inconnu, à moins qu'on ne lui trouve un parrain prestigieux… Je tape cette conclusion : « *Bukowski, l'écrivain préféré de Sartre et Genet, qui ne jurent que par lui.* »

Incroyablement, cette petite phrase sera reprise. Dans les innombrables papiers sur Bukowski, tous saluent l'apparition d'un auteur majeur. Très vite, les ventes décollent et montent jusqu'à trente mille exemplaires. La venue de Bukowski sur le plateau d'*Apostrophe* et le mini-scandale qui en découlera relancent encore le titre : soixante mille copies du *Vieux Dégueulasse* circulent bientôt en France.

Nous voilà riches ? Alors là, pas du tout !

Au moment de calculer le prix du livre, j'ai tout additionné, l'avance sur droits, la photo, la traduction, la composition, le papier, la maquette de Robial, l'impression, la reliure, la livraison. Tout cela me revient à 31 francs par exemplaire. Je décide que nous allons vendre le livre 32 francs.

Pardon, j'avais vingt-cinq ans et je n'avais pas fait d'études de commerce ni de marketing.

Mais les éditions Grasset ont décidé de publier « leur » Bukowski et ont fait un tintouin pas possible auprès de l'agent pour que nous arrêtions de publier l'Américain en France. C'est la fable du pot de terre contre le pot de fer. Nous sommes battus. L'agent de Buk nous laisse le roman *Le Postier* mais il a récupéré les droits des trois autres titres que nous voulions publier et les a revendus à Grasset.

Quelque peu énervé par cette situation, le lendemain d'*Apostrophe*, je vais voir Bukowski à son hôtel, rue des Saints-Pères. J'essaye de lui expliquer la situation. Il me dit : « *Mon pauvre Philippe, tu vas publier* Le Postier *? Dans ce livre, j'explique que je suis nul en affaires et que je ne m'occupe plus de mes affaires parce que ces histoires de droits, d'avances et de contrats me dépassent.* »

J'en ai les larmes aux yeux, je veux qu'il comprenne : « *Mais ce n'est pas juste, vous vous rendez compte ? Ils exigent qu'on leur rende le contrat ! Parce que ce sont des gros et nous on est tout petits. »*

Bukowski est désolé : « *So sorry, so sorry… »*

Il part le lendemain pour l'Allemagne, où on va lui faire un triomphe total, considérer qu'il est quasiment un écrivain allemand, et Buk ne reviendra jamais en France.

Pas grave. Je me console en signant Hubert Selby Junior. Très abîmé, devenu catholique et revenu de toutes les drogues, l'auteur de *Last Exit to Brooklyn* me touche. C'est un grand carbonisé de la vie, un personnage d'une gentillesse extrême.

Il vient de terminer un livre massif, puissant, bouleversant, *Le Démon.* Beaucoup ne sortiront pas indemnes de sa lecture.

Je demande à mon ancien professeur d'anglais du lycée de Châlons, Marc Gibot, de traduire ce texte exceptionnel. La traduction est une réussite et Selby, très satisfait, entre en correspondance avec nous.

Nous devenons amis et chaque Noël, jusqu'à sa mort en 2004, Selby nous enverra une carte de vœux d'inspiration ultra-catholique avec des Vierge Marie partout.

Durant l'été 1980, je suis à Los Angeles pour *Rock&Folk* avec un photographe nommé Dominique Cazenave. Je vois dans une vitrine un livre énorme, à la couverture fascinante. C'est un volume de huit cents pages, *La Grande Chasse au requin*, de Hunter Thompson. Nous en achetons les droits.

Le problème, c'est la traduction. Philippe Garnier n'a pas le temps… Or les textes de Hunter Thompson demandent un formidable travail de traduction. L'écrivain gonzo multiplie les descriptions archi-spécialisées. Tel secrétaire d'État mérite tout notre mépris, car il porte des socquettes *Ivy League.* Et ainsi de suite. En ces temps pré-Wikipédia, il faut trouver des traducteurs spécialistes du sport, du rock et de la politique américaine. J'ai un grand moment de doute.

Un soir, en dînant avec le photographe Pierre Benain, je fais la connaissance de Jeffrey Kime, un acteur anglais fan de Hunter Thompson qui vit en France et joue dans le *Rocky Horror Picture Show*. Jeffrey me propose de relire la traduction en comparant mot à mot avec le texte original américain. Un travail de titan, qui va m'immobiliser de nombreuses nuits, suant sang et eau pour proposer un texte d'une fidélité exemplaire à l'original. Je corresponds avec Hunter, nous avons de longues conversations téléphoniques transatlantiques. À un moment, il m'enverra même son fils Juan en stage à *Métal Hurlant*. Avec des courriers de dix pages d'instructions sur comment le remettre dans le droit chemin.

C'est aussi à *Métal Hurlant* que je ferai la connaissance d'un autre personnage unique, Alexandro Jodorowsky. Le réalisateur de *La Montagne sacrée* ! D'*El Topo* !

Jodoroswky venait d'essuyer un échec pénible.

Son ambition était de porter au cinéma le livre *Dune*, sur l'adaptation duquel il a travaillé plusieurs années, réunissant autour de lui une tribu de créateurs. Au dernier moment, les financiers avaient pris peur devant le budget du film (cent millions de dollars) et ils s'étaient retirés.

Jodorowsky avait beaucoup travaillé avec Mœbius sur le projet *Dune*. Alors, les deux hommes ont décidé de concevoir ensemble une bande dessinée, *L'Incal*, une autre grande réussite graphique et psychédélique.

La créativité de *Métal* ne semble pas avoir de frontière. Un beau matin, je vois arriver dans mon bureau un dessinateur hollandais underground du nom de Joost Swarte. Swarte a un concept : il décrit son dessin comme relevant de la ligne claire, en hommage à Hergé.

Ce soir-là, apéro informel chez moi, rue Albert-Thomas. Il y a là Serge Clerc, Yves Chaland et Ted Benoît. Swarte les persuade de rejoindre le mouvement « Ligne claire » *De Klare Lijn* en hollandais. Et, entre deux bières, il leur demande de prêter serment : *« Nous, dessinateurs, jurons de travailler dans la droite lignée définie par notre maître Hergé... En route vers la ligne claire ! »*

Puis, Swarte s'en repart vers sa Hollande. Et les trois dessinateurs de *Métal* rejoignent la fameuse ligne claire. Ted Benoît publie très vite un album sous ce titre, Yves Chaland se passionne pour Spirou et invente un galopin belge, le jeune Albert, et Serge Clerc fluidifie au maximum son trait.

Un autre soir, alors que je travaille mes impositions tout seul au bureau, on sonne à la porte. Je vais ouvrir. C'est Federico Fellini en personne. Il veut rencontrer Mœbius. Il veut que le grand dessinateur lui dédicace un poster d'*Arzach*.

« Mœbius n'est pas ici, maestro, *il travaille chez lui...*

— *Che desolazione... »*

Je prends note. Nous enverrons le fameux poster dédicacé à Fellini qui, en retour, nous écrira bien volontiers une préface pour l'œuvre graphique de Mœbius. *« Dans mon* Casanova, *révèle Fellini, j'ai appelé Mœbius un personnage de vieux médecin, herboriste, homéopathe, mi-magicien, mi-sorcier. C'était une façon de te montrer ma sympathie, ma gratitude, car tu es formidable... »*

Peu après, nous décidons de sortir toute l'œuvre graphique de Druillet. Mais qui pourrait bien écrire la préface ? Druillet est sûr de son coup : *« George Lucas »*. Il n'en démord pas. Je suis sur le cul. George Lucas ? LE George Lucas ? Impossible ! En pleine fête *Métal*, nous appelons la 20th Century Fox. M. Philippe Druillet demande à parler à M. George Lucas. Qui le prend au téléphone et accepte, sur-le-champ, l'idée d'une préface qui arrivera un mois plus tard au journal.

Tout n'a pas toujours été surexcitant dans notre grande aventure. Il y a même des souvenirs affligeants. Comme ce jour où

Mœbius passe au bureau et nous montre le fruit de plusieurs mois de travail : une série de dessins extraordinaires destinés aux éditions Albin Michel qui vont publier un livre sur la télépathie. Pour cette commande, Mœbius a utilisé des feuilles de trames américaines, les dessins sont sublimes ; il nous les montre et part chez Albin Michel. En route, il décide d'aller voir un film sur les Champs-Élysées et laisse sa DS ouverte, avec les dessins dans leur enveloppe, sur le siège avant. Lorsqu'il sort du cinéma, les dessins ont disparu. Personne ne les a jamais revus.

Quelle perte ! Quel gâchis ! Je me demande encore : que sont devenus ces fameux dessins ? Dans quelles mains se trouvent aujourd'hui ces trésors ? Ont-ils été détruits ?

Sur les cent quatre-vingt-six livres que j'ai portés à l'imprimerie en sept ans, il en est un que je préfère aux autres. C'est *Le Garage hermétique* car, à lui seul, il résume totalement cette époque de création fertile et débridée.

Cette BD de Mœbius a été dessinée deux pages par deux pages en cinq ans. La prépublication avait été hasardeuse. Mais quel que fût le contexte, tel un samouraï, Mœbius s'était imposé ces deux pages mensuelles. Lui seul savait où allait cette histoire démente, qui épuisait tous les poncifs de la BD. Personne ne comprenait rien au scénario et beaucoup considéraient ce *Garage hermétique* comme un gâchis terrible.

Au final, une fois rassemblées, les planches constituent un tout, un véritable monument. C'est Chaland et moi qui les avons réunies pour terminer le livre en plein mois d'août. Seuls au bureau, nous l'avons expédié à l'imprimerie avec une grande fierté. *Le Garage hermétique* est une histoire folle, délirante, dans laquelle on trouve des idées graphiques ou de scénario qui ressortiront bien plus tard, dans des séries comme *Lost* et dans d'innombrables films comme *Brazil*.

Le numéro 50 de *Métal Hurlant* est l'occasion de grandes fêtes et célébrations dans les clubs de la capitale. Les dessinateurs ont monté un groupe, le Dennis' Twist. Ils reprennent des titres yéyés de Richard Anthony en version punk, un mélange roboratif. Louis Bertignac de Téléphone et Vincent Palmer de Bijou montent sur scène pour jammer. Émeute dans la salle. Dans le magazine, une BD de cent pages, une histoire complète, dessinée par cinquante dessinateurs qui ont réalisé durant trois ans un immense cadavre exquis, chacun tirant l'histoire dans sa direction personnelle, jusqu'à la conclusion finale : « *En route vers le numéro 100 !* »

De son côté, Dionnet multiplie encore et toujours les bonnes idées éditoriales. Jodorowsky et Mœbius, eux, réalisent un petit album, *Les Yeux du chat*. Ce livre, tiré à mille exemplaires, n'est pas mis en vente. Il est *offert* à tout acheteur de cinq albums Humanoïdes. Succès de l'opération qui sera renouvelée quatre années de suite. Dans toute la France, nous avons désormais notre réseau, les Libraires Humanos.

Janvier 1981 : *Métal* a atteint sa vitesse de croisière. C'est un journal, un vrai. Choyés, gâtés, nos dessinateurs peuvent repousser toutes les limites, dessiner l'Atlantide, décrire des pièges cosmiques, raconter la banlieue, un épisode peu connu de la conquête du Far West. Tout est possible. Nous publions des hors-séries remarquables. Les thèmes abordés ? Lovecraft, la guerre, la fin du monde, les robots, Hollywood, les aliens, le futur heureux, les vacances, les voitures, les animaux. Notre équipe se déchaîne et repousse toutes les limites de la BD connue.

L'équipe des pigistes se retrouve lors de grands déjeuners mensuels au restaurant Les Fins Gourmets, boulevard Saint-Germain. Nous descendons moult bouteilles de madiran en dégustant de l'andouille et des magrets, nous terminons par une glace aux marrons et le patron y va de son armagnac de derrière les fagots. Souvent, je dors à poings fermés dans le taxi qui nous ramène au bureau (en fin d'après-midi).

Qui est là ? Marc Duveau, spécialiste de la SF, Jacques Goimard, le maître du fantastique, Pierre Benain et Olivier Assayas (nos critiques cinéma), François Rivière (spécialiste de Lewis Carroll), François Truchaud (traducteur émérite), Jean-Pierre Saccani (journaliste), Claude Pupin (rocker), et même Jean-Patrick Manchette. Sous le pseudonyme de Général Baron Staff, Manchette écrit pour *Métal* des chroniques de… jeux vidéo.

À l'époque, il n'y en a pas plus d'une douzaine au monde, mais cela nous semble relever de l'avenir.

Au cours de ces déjeuners, l'actualité est passée en revue, tout est discuté, des sujets d'articles sont imaginés. L'un de nos rédacteurs, Alain Paucard, est l'un des tout derniers communistes. Nous l'envoyons passer Noël à Moscou. Il nous en ramène un récit effarant.

Côté graphique, beaucoup de jeunes dessinateurs imaginent de réaliser leur chef-d'œuvre et nous apportent le fruit de nuits de délire graphique. Ceux-là veulent juste être publiés une fois dans *Métal* et quand on leur demande la suite, ils nous disent qu'ils ont déjà tout donné ! Mais une troisième génération arrive : Dodo et Ben Radis, Tramber et Jano, Max, Pierre Ouin. Et eux veulent rester.

Hugo Pratt monte à bord en 1981. Le papa de Corto Maltese rejoint la Machine à rêver… Je suis très impressionné par la rencontre avec le dessinateur vénitien. Corto étant bloqué chez Casterman, Pratt nous amène un western, *Fort Wheeling*. Il nous faut une couverture. Le jour du bouclage, Pratt arrive à mon bureau et pose dessus un dessin original aux couleurs sublimes, tout en aquarelle.

« *Manœuvre, il faut me payer la couverture...*
— *Oui Hugo, bien sûr, combien ?*
— *2 600 francs.*
— *On te fait un chèque ?*
— *Mah... non... Je veux du liquide.* »

Je fais le tour des bureaux, pioche dans la caisse, emprunte deux cartes de crédit, fonce à la banque, finis par ramener à Pratt une liasse de billets.

Sans même recompter, il la glisse dans sa poche et décrète : « *Mah... maintenant j'ai faim. Et si on allait déjeuner ?* »

Pratt décide d'amener Yves Chaland, le maquettiste Pascal Guichard, Isabelle la secrétaire, Dionnet et le comptable au restaurant. Nous allons à la brasserie Flo, toute proche, et Pratt nous régale de tonnes d'anecdotes durant tout un long déjeuner fort arrosé. D'ailleurs, le garçon amène la note : 2 400 francs. Pratt s'en saisit : « *C'est pour moi* », et il pose la liasse sur le plateau du serveur. Nous remontons au bureau. Et Hugo Pratt rentre chez lui.

Philippe Paringaux est, lui aussi, un fanatique de Hugo Pratt. Il me demande de l'interviewer pour *Rock&Folk*, où je pige toujours. Je pars à Venise pour l'entretien. En conclusion, je décris Pratt nous faisant ses adieux « *Place Saint-Marc, tout seul, tel l'un de ses personnages aventuriers. Il regarde le ciel où volent quelques corbeaux.* »

Dès la parution, Pratt m'appelle, indigné : « *Des corbeaux à Venise ? Mah tu es fou ! Des pigeons, oui, mais des corbeaux ? Jamais !* »

Inutile de se le cacher, Pratt trouve le papier totalement raté à cause de ces malheureux corbeaux.

Peu après, son fils, qui vit en banlieue parisienne avec sa mère, se fait voler son scooter. Pratt prend l'affaire très au sérieux. Son fils sait où sont les voleurs. Ils fréquentent un petit café... Pratt y va, suivi par son fils. Il entre dans le bistrot, prêt à en découdre. L'un des voleurs l'aperçoit : « *Ah bon sang, Monsieur Hugo ! On a lu votre interview dans* Rock&Folk... *Pardon... C'était à vous ce scooter ? Prenez-le bien sûr !* »

Pratt, au final, me rappellera en me disant que mon article plein de corbeaux n'était pas si mal.

Notre seul raté sera Tanino Liberatore. Le plus grand et le plus fascinant des dessinateurs des années 80. Nous devions le signer pour publier *RanXerox*. Mais un jour, Liberatore aperçoit la bande *Métal* dans un restaurant de Lucas, en Italie. C'est une grosse convention. Il y a là Mœbius, qui vient d'obtenir le Grand Prix de la Ville, Dionnet et Druillet. Toute l'équipe *Métal* déjeune et célèbre ce nouveau trophée dans un grand restaurant.

Tout seul à une table, Liberatore nous observe et nous prend aussi sec en grippe. Il ne se présente pas, ne nous dit pas qui il est. Il nous trouve puants, la grosse tête. Annulant le rendez-vous avec Dionnet, sans aucune explication, il va signer à *L'Écho des Savanes.*

C'est la première fois que *Métal* perd la main et c'est pour moi un choc, un grand rendez-vous manqué. Le pire c'est que Tanino, rencontré aux Bains Douches, deviendra, par la suite, l'un de mes meilleurs amis et que nous regretterons tous les deux cet incroyable ratage, ce coup de sang qui a privé *Métal* d'un formidable talent.

Côté Humanos, on manque de liquidités, les Humanos ne vont jamais bien. Dans un premier temps, les albums ont aidé le journal à tenir. Désormais, le journal se vend très bien, quatre-vingt mille exemplaires, mais ce sont les albums qui piétinent et creusent le déficit.

De puissants éditeurs cherchent à nous racheter. Je les prends au téléphone, je leur explique que je veux bien être racheté mais que l'équipe est indivisible. Dionnet, Mœbius, Druillet, tout le groupe fondateur doit rester. Je suis ultra-loyal. Soit nous continuons tous ensemble avec notre liberté éditoriale, soit nous arrêtons.

Mais l'étau financier se resserre. Dionnet ne dort plus. Il y a des échéances importantes, des dessinateurs à payer, des imprimeurs en attente… Au final, notre imprimeur espagnol accepte de nous renflouer et nous sauve la mise. C'est reparti pour quelques années.

Mais Jean-Pierre Dionnet a des plans de remise à flot qui me semblent de plus en plus hasardeux. Pour oublier nos problèmes financiers, il sort énormément, reste chez Castel jusqu'à la fermeture. À la recherche d'une nouvelle idée géniale, il décide de publier un journal de BD comique nommé *Rigolo* dont il me nomme rédacteur en chef. Ce projet « gros nez » m'enthousiasme bien moins que la BD de SF qui était ma vraie culture. Je fatigue et m'épuise à tenter de faire décoller *Rigolo*.

Dans le même temps, Dionnet crée un magazine d'aventure, *Métal Aventure*, qui sera dirigé par son copain Jean-Luc Fromental.

Je demande une assistante, ne serait-ce que pour gérer les appels téléphoniques. Dionnet ne veut pas. Il refuse. Y voyait-il une tentative de coup d'État ?

Nous n'en avons jamais parlé… Sur le coup, son refus me semble éclairant et je décide de quitter les Humanoïdes Associés.

C'est Mœbius qui est le plus touché. Le grand, le génial Mœbius passe chez moi et discute longuement avec moi :

« *Tu sais que si tu t'en vas, la fusée* Métal *va changer de capitaine ? Tu te rends compte de ça ?*

— *Jean, ma décision est prise…* »

Je pars. Ce n'est pas facile. Mes copains dessinateurs s'éloignent petit à petit. Après trois mois de repos, je repasse à *Métal Hurlant* dire bonjour. Je constate que j'ai été remplacé par… trois personnes. Un sur les livres, un sur *Métal* et une assistante de rédaction. Les bras m'en tombent.

La suite est connue. Dionnet sera viré un an plus tard, en 1985. Il aura de son côté bien du mal à se remettre de l'aventure et passera même en jugement pour des problèmes d'Urssaf impayé. Il survivra à ces épreuves. Aujourd'hui, nous sommes toujours amis, comment pourrait-il en être autrement ?

Hachette finira par prendre le contrôle du titre qui se meurt tout doucement et fermera ses portes en 1987, au terme d'une lente agonie. Le dernier numéro de *Métal* est tiré à quatorze mille exemplaires.

Aujourd'hui, je réalise que nous avions tout en main pour devenir les maîtres du monde.

Tant pis.

Nous nous revoyons parfois, souvent, dans des conventions du rock ou de la BD. Ou dans des enterrements. En dépit de ce qu'ils ont raconté à droite et à gauche, tous ces dessinateurs sont restés des amis. J'ai continué à voir régulièrement Alexandro Jodorowsky qui m'a souvent tiré les tarots et aidé à prendre plein de bonnes décisions personnelles.

Yves Chaland est parti le premier, dans un horrible accident de voiture, puis Mœbius, d'un sale cancer.

Les autres tiennent bon. Ils aiment la vie. Ils ont peut-être, comme moi, le sentiment d'avoir accompli quelque chose de majeur. Contribué à une aventure humaine et éditoriale de groupe.

Je le dis et je le répéterai jusqu'à mon dernier souffle : « *Je n'ai pas connu le groupe surréaliste, mais j'ai fait partie de la bande* Métal Hurlant. »

Ensemble, nous avons dynamité les cadres de la vieille BD. Et en plus, grâce à toute cette aventure, j'ai publié Bukowski, Hunter Thompson et Selby.

Qui dit mieux ?

À propos de Hunter Thompson, mon récit ne serait pas complet si je ne mentionnais une ultime anecdote. Vers 1998, je suis à mon bureau de *Rock&Folk*, en train de faire mon boulot de rédacteur en chef lorsque mon téléphone sonne. Garçon enjoué et poli, je décroche.

« *Allô Philippe Manœuvre ?*

— *Lui-même en personne !*

— *Est-ce que vous avez des disques de Lynyrd Skynyrd en vinyle ?* »

Je me demande immédiatement ce que cache cette question : « *Oui, tous, pourquoi ?* »

On m'explique que l'acteur Bill Murray est à Paris, entre deux tournages. Bill Murray a le blues. Il a besoin de se remettre les idées en place et souhaiterait écouter des albums de Lynyrd en buvant une bière.

Le soir même, Bill Murray en personne débarque chez moi, porte de Champerret. Nous passons une soirée d'anthologie. Bill est tout chose. Il est entre deux rôles, en perte de repères. Il a juste besoin d'écouter du bon rock. Il sort un peu d'herbe. J'ai des bières. Nous buvons, nous fumons et Bill examine ma bibliothèque. Soudain, il découvre les deux volumes de la traduction de *La Grande Chasse au requin* dédicacés par Hunter Thompson lui-même et nous nous retrouvons à comparer nos expériences avec le grand écrivain en écoutant « Sweet Home Alabama ». Car Bill Murray avait joué le rôle de Hunter Thompson dans un film totalement raté, *Where the Buffalo Roam…*

« *C'est fabuleux, parce que Dieu sait que le film était mauvais et que j'ai massacré le rôle, mais Hunter ne m'en a jamais voulu… »*

Retapé par cette excellente soirée, Bill Murray est reparti vers son hôtel à 23 h 55. J'ai rangé mes disques et vidé un fond de cannette dans l'évier.

SERGE GAINSBOURG

La langue des oiseaux

En 1979, le magazine *Playboy* reparaît en France avec une toute jeune rédactrice en chef, Annick Geille. Du haut de ses vingt-trois ans, la dame décide de faire de *Playboy* un journal branché et littéraire. Intime de Sagan, amie de Bernard Frank, Annick Geille convoque alors plein de talents, récupérant des gens chez *Façade, Métal Hurlant,* et ailleurs. Signalons Thierry Ardisson, Philippe Morillon et moi-même.

Chaque mois, Annick me charge de réaliser la grande interview de *Playboy*. Me voilà donc à proposer des entretiens avec Jacques Dutronc, Alain Bashung, Jacques Séguéla ou encore Paul Bocuse. De tous, c'est peut-être le cuisinier aux cinq étoiles qui me marque le plus.

L'arrivée de *Playboy* à Collonges-au-Mont-d'Or, c'est quelque chose pour M. Paul, qui va me traiter pendant trois jours comme un fils perdu qui rentrerait à la maison. La deuxième nuit de mon reportage, sans prévenir, Bocuse débarque à mon hôtel à quatre heures et demie du matin. Péniblement, je décroche pour entendre le patron en surchauffe : « *Allez, Philippe Manœuvre, debout, on va faire le marché, je t'attends en bas... »*

Nous sommes en pleine époque post-punk.

Je me fais un mini-rail et je descends en mode « *Let's go !* »

Le mois suivant, je m'enhardis et soumets à Annick Geille une autre idée de rencontre : Serge Gainsbourg. Elle me demande pourquoi. Il est vrai que, jusqu'à sa *Marseillaise* reggae qu'il vient de sortir, Gainsbourg a peu vendu. Certes, ses productions de 45 tours (pour des chanteuses) ont toujours cartonné. Mais en tant qu'artiste solo, depuis son premier disque de 1959, Serge se traîne une scoumoune terrible. Son chef-d'œuvre sixties, *Melody Nelson*, s'est vendu à seulement trente mille exemplaires !

Je sais que l'album *Aux armes et cætera* va décoller. Dans mon bureau à *Métal Hurlant*, j'ai écouté un test pressing tout l'été et les réactions des gens qui l'ont entendu sont étonnantes. Tout le monde adore le virage reggae de Gainsbourg (le disque va effectivement se vendre à près de deux millions d'exemplaires).

Gainsbourg a pour projet de passer au Palace et de remonter sur scène avec ses rastas jamaïcains. Tout bien calculé (*Playboy* a des délais d'impression très longs), on pourrait sortir un grand papier pile pour le retour sur scène du chanteur. Annick demande à voir et donne un OK réticent.

De mon côté, j'ai très envie de frapper un grand coup.

Je sais que dans mon dos, nombre de copains disent le plus grand mal de ce que je produis. On appelle ça le show business. Cet entretien avec Gainsbourg me semble un bon moyen de tracer ma route et de montrer à tous qu'Annick Geille a eu raison de m'appeler. Et puis disons-le, je suis très fier de rencontrer enfin Serge Gainsbourg. Quand j'étais gamin, il était bien le seul Français (avec Polnareff) dont j'achetais les disques. Les 45 tours de ces deux artistes me paraissaient suprêmement intelligents, leurs apparitions télé, toujours étonnantes.

Je prends alors contact avec Jacky Jakubowicz, l'attaché de presse des disques Philips, lequel m'emmène vitement rencontrer

Serge, au 5 bis, rue de Verneuil. Lorsque je rencontre Gainsbourg, j'ai vingt-cinq ans, il en a cinquante et un.

Nous allons passer trois jours ensemble. Trois jours alcoolisés, très. Dans mon souvenir, on attaque au chablis et si l'on dîne, on boit des rouges choisis par Serge. Ensuite, on sort ou pas, mais on boit des cocktails ; Serge en a inventé un, le Scorpion. On lui en concocte à l'Élysée Matignon ou chez Castel, mais Serge adore réaliser lui-même ses mélanges dans son antre de célibataire où nous nous finissons généralement à l'heure où, dit Serge, « *les ouvriers vont pointer chez Renault* ».

Le Scorpion est un mélange foudroyant, pernicieux, d'une étrange couleur fluorescente. Recette : 5/10 de rhum Bacardi. 2/10 de liqueur d'abricot. 1/10 de jus de citron. 2/10 de jus d'ananas. Une jetée de grenadine. Passer au shaker.

Boire un Scorpion, c'est comme déguster un alcool de bonbon. À un moment, on s'écroule, hagard. Et là, Serge décrète : « *On va se réveiller, que dirais-tu d'un bloody bullshot pour démarrer la journée ?* » Vite, il mélange dans son shaker bouillon de bœuf, vodka et Tabasco et conclut : « *C'est tout de même meilleur qu'un café.* »

Avec Bocuse, j'avais frôlé l'attaque cardiaque tant le cuisinier étoilé me proposait de victuailles. Avec Gainsbourg, je découvre l'alcoolisme, le vrai.

Comme je l'avais prévu, l'interview est démente. Il se passe des trucs. Nous sommes en 1979 et je demande à Serge ce qu'il pense de la politique, la gauche, la droite, tout ça. Sa réponse me hante encore : « *Politiquement, je suis plus consterné que concerné.* »

Il me parle de sa fille Charlotte dont il est raide dingue (Lulu n'est pas né, Bambou pas rencontrée). Il me dit : « *Je ne ferai pas la saloperie de laisser à ma petite Charlotte cent briques à la banque.* » Cette phrase est étonnante. Sur le moment, je ne la comprends d'ailleurs pas, puisque je la prends au premier degré. En fait, il ne va pas lui faire la saloperie de lui laisser cent briques, il va lui laisser beaucoup beaucoup plus !

Tout Gainsbourg est là. Brillantissime.

Toute mon enfance, j'avais lu des articles aberrants dans la grande presse : « *Gainsbourg-Birkin, la bête et la belle* », ce genre. Des articles ignobles : « *Il ne se lave jamais.* » Moi, Serge je le trouvais plutôt beau avec ses cabans, ses oreilles décollées et ses longs cheveux mal peignés. C'était un dandy. Il avait passé toutes les années 60 superbement looké à la dernière mode londonienne. Là, une nouvelle décennie arrivant, il met au point son nouvel uniforme : jean délavé, Repetto blanches, chemise kaki. Il va passer toutes les années 80 ainsi vêtu.

Comme on s'entend hyper bien tout de suite, il renvoie l'attaché de presse à son bureau, non sans lui demander auparavant d'aller nous acheter des cassettes vierges. Jacky nous quitte avec son enthousiasme coutumier : « *Bon, ça va nous faire un excellent papier !* »

Tout de même, au bout de deux jours de fréquentation non-stop, je n'ai encore jamais vu Jane. Un soir, à la fin d'une interview, comme s'il lisait dans mes pensées, Serge me dit : « *Allez viens, on va retrouver Jane, elle dîne un peu plus loin dans la rue, au Verneuil, elle nous attend.* »

Courte marche. On entre dans le restaurant. Serge m'emmène dans la grande salle. Où nous trouvons Jane, assise en face de Jacques Doillon, qui lui tient langoureusement la main. Ils sont à une petite table et n'ont apparemment pas du tout prévu de dîner avec Serge. Qui tombe des nues. Donc on décide d'aller dîner ailleurs et on rentre au 5 bis où Serge va nous usiner des Scorpions toute la nuit.

Rentré chez moi avec un sac de cassettes, j'essaye de retrouver mes esprits. Pas si simple ! Je suis tellement alcoolisé que j'ai l'impression que mes veines charrient de l'alcool pur. Au réveil, je suis encore ivre. C'est diabolique, il faut que ça cesse. Je me mets au travail, en suant sang et eau, je transcris tout et je délivre un papier énorme, fondateur de tout ce qui alimentera par la suite le mythe Gainsbarre.

L'article tombe pile. Dès sa parution, Daniel Filipacchi en personne appelle Annick Geille pour la féliciter de cet entretien avec Gainsbourg. Dans le groupe qui porte son nom, il n'y a pas plus haut compliment. Annick Geille décide illico que je suis son *wonder boy* et me laisse une liberté totale pour la suite des interviews du mois.

L'article (un tantinet gonzo) fait beaucoup parler et Serge Gainsbourg est très content de mon action.

Il m'appelle pour me remercier. J'en suis stupéfait. Il me confie : *« C'est la seule et unique règle de notre métier. Quand quelqu'un te rend service, tu appelles pour dire merci, s'il te plaît, n'oublie jamais ça. »*

Nous allons devenir intimes, très. En parallèle, il remonte sur scène grâce à un trio de rockers français, les Bijou, eux aussi artistes Philips. Serge leur ayant composé un titre, les Bijou proposent à Serge de venir le chanter avec eux en concert. Serge est très réticent mais il tente le coup à Épernay et la salle explose de joie. Ils remettent ça au Palais des Sports : nouveau triomphe.

Les concerts du Palace sont un gros événement. *Playboy* profite des retombées et Gainsbourg se retrouve catapulté dans un rôle de super adulte sympa, le seul que nous avons envie d'écouter en vrai. Il ne s'est pas encore transformé en Gainsbarre.

Rue de Verneuil, Serge a alors une bande de jeunes mecs qui deviennent peu à peu ses poissons-pilotes, des sortes de conseillers occultes. Il nous appelle tous *« le gamin »*. Il y a là Bruno Bayon, de *Libération*. Étienne Daho. François Ravard, le manager de Téléphone. Il y a aussi Alain Pacadis, que Serge rencontre inévitablement en boîte de nuit et qu'il dépanne invariablement de 50 francs (« *pour rentrer en taxi, il n'y a plus de métro* »). Serge est hyper généreux. Un soir que Pacadis sanglote encore ses problèmes de toxico, Serge ouvre son attaché-case et lui donne 10 000 francs en billets de 500.

Si on sort avec Serge, le problème des taxis se pose rarement. Il préfère arrêter les paniers à salade et demander qu'on l'emmène au prochain bar où, souvent, il paye un coup aux agents.

Serge réglera l'épisode Birkin à sa façon : il appellera lui-même Paris Match pour annoncer que c'est fini avec la belle Anglaise. Il a fait son communiqué avant elle, tout va bien.

N'empêche, sa situation amoureuse le tracasse.

Un autre soir d'ivresse, nous nous retrouvons en bande à l'Élysée Matignon. Pierre Benain, qui avait organisé le concert des Sex Pistols au Chalet du Lac, est là avec Benoît Ferreux (acteur du *Souffle au cœur* de Louis Malle). Jean-Pierre Dionnet aussi est là et Serge est au centre de toutes les attentions, ce qu'il adore. À un moment, il se lève, sort son calepin de téléphone de sa poche et décrète : « *Vos gueules tous, je vais appeler Bri Bri.* » Brigitte *fucking* Bardot !

Il est environ 3 heures du matin et Serge demande qu'on baisse le son car il a un coup de téléphone à passer. Le DJ barman obtempère et lui pose un téléphone de plastique gris sur le bar. Gainsbourg compose le numéro de la mythique actrice. Dans la salle, nous sommes pendus à ses lèvres. Évidemment, la communication avec la Madrague sera des plus courtes (« *Tu sais l'heure qu'il est ? Oublie mon numéro s'il te plaît !* ») et Serge s'en revient à notre table, fort déconfit.

La conversation repart.

Benain : *Tout de même ! Tu as appelé Bardot en pleine nuit ! Ça me troue le cul !*

Gainsbourg : *T'as le cul troué ? Reste assis STP !*

Peu après, il s'isole dans les toilettes avec une fille de passage qu'il tronche gaillardement.

Un truc sur Gainsbourg : il boit plus que nous, mais il n'est jamais bourré. Parfois il se penche vers moi pour un conseil : « *Arrête un peu de boire, tu trembles.*

— *Qui c'est qui parle ? Tu t'es vu ?*

— *Oui, mais moi je ne tremble pas !* »

Comment faisait-il ?

Serge adore nos interviews qui, dit-il, lui donnent de nouvelles idées. Par deux fois, il demandera d'ailleurs à son producteur Philippe Lerichomme de venir rue de Verneuil avec un gros Revox. Nous enregistrons des entretiens. L'un d'eux sortira en disque 33 tours et sera envoyé à la presse avec l'album *Love on the Beat*.

Pour la promotion de son second album reggae, en 1981, *Mauvaises Nouvelles des étoiles*, Serge me demande de l'accompagner dans son marathon promo. J'accepte bien volontiers. Jacky est de retour, qui nous emmène au Pop Club de José Artur, dans diverses télévisions. Je suis là en soutien. La promo est difficile pour ce disque. Pratiquement tous les interviewers reprochent à Serge d'avoir fait un second album reggae. Le monde de la pop est sans pitié. Alors qu'*Aux armes et cætera* frôle les deux millions, tout le monde s'essuie les pieds sur son successeur. Serge est très seul.

On se retrouve rue de Verneuil, dans son salon.

Totalement dandy, Serge avait assemblé un musée à son image. Tout, chez lui, était signifiant. Pas de disques d'or au mur, trop vulgaire. Par contre un vaisselier, avec les pochettes de tous les 45 tours réalisés pour des chanteuses, de Catherine Deneuve à Marianne Faithfull en passant par Régine. Il y a également un immense portrait de Bardot, des toiles de maître (Bacon, Gainsborough). Sur le clavier du piano, deux portraits : Jimi Hendrix et Sid Vicious.

119

Sur une table basse, une cinquantaine d'objets précieux, vanités en ivoire, sulfures, bricoles uniques. Toutes ces antiquités méticuleusement rangées, au millimètre près. Et malheur au visiteur qui aurait l'audace de toucher une petite tête de mort en ivoire. Aussitôt, le maître de céans se précipite pour remettre l'objet « *bien en place* ».

Dans son bureau, il a un tiroir rempli de cartes de plastique VIP. À égalité avec Johnny Hallyday, Serge a la réputation d'être le noceur number one de l'industrie du disque et toutes les boîtes de nuit de France et de Navarre lui ont adressé une carte VIP. Il en a plusieurs centaines.

Parfois, pour discuter, nous nous installons dans sa cuisine. J'adore : le frigo a une porte de plexiglas transparent, on voit l'intérieur. Je suis stupéfait de cette modernité.

Sur les étagères, des boîtes de sardines par dizaines... Il les achetait chez Fauchman, comme il disait.

— *Qui ça ?*

— *Fauchon, place de la Madeleine !*

Il me conseillait de les prendre sans arêtes, elles peuvent se conserver indéfiniment. Profitant d'un ravitaillement, nous achèterons également une caisse d'alcool (pisco ! tequila ! Malibu !) que nous descendrons avec Bashung.

Sur les conseils de Bruno Bayon, Serge a accepté d'écrire un album pour Bashung (*Play Blessures*, 1982) mais le projet n'avance pas. L'écriture des textes est au point mort. C'est comme ça que Serge procède : il attend le moment ultime pour cracher la purée. Sauf que Bashung aimerait avancer, préparer... Un après-midi, nous sommes en train de déconner comme deux beaux diables rue de Verneuil quand Serge voit Bashung remonter la rue. « *Catastrophe, le voilà.* » Instantanément, Serge endosse son costume de grand artiste torturé.

Ding Dong ! Je descends ouvrir. Bashung. *« Quelle bonne surprise mon Alain ! Entre donc ! »* Serge débarque dans le salon, en larmes. Bashung s'inquiète :

« Ça ne va pas, Serge ?

— Je n'ai pas réussi à finir le morceau !

— Ben c'est pas grave, on va boire un coup. »

Deux bouteilles plus tard, nous prenons congé, Bashung et moi. Serge jure qu'il va s'y mettre.

Je le comprends. Il attend que la pression monte.

Là, à quinze jours du studio, il ne sent rien…

Pour moi, les choses sont très claires.

Serge Gainsbourg est un maître. Celui que je respecte et révère. C'est un alchimiste. Un personnage unique, en ce sens qu'il a fait la transition entre les XIXᵉ et XXᵉ siècles.

Parfois, épaté, je lui disais : *« Mais enfin, Serge, tu tires ça d'où ? D'où ça te vient ? »* Sa réponse était toujours la même : *« Il y a des Maîtres. Nous sommes des élèves. Il suffit de lire les Maîtres qui ont pour nom Daniel Defoe* (Robinson Crusoé), *Herman Melville* (Moby Dick), *Edgar Allan Poe* (Histoires Extraordinaires *traduites par Baudelaire), Cervantes,* (Don Quichotte), *Homère. »*

En musique, il révérait Chopin, Gershwin et Art Tatum.

Bien sûr, Gainsbourg avait des détestations dans la chanson française, il y avait des trucs qu'il ne supportait absolument pas, notamment Gilbert Bécaud.

Bécaud avait été une superstar des années 50, il remplissait l'Olympia et ses fans cassaient les fauteuils, ruinant plusieurs fois la salle mythique où il était passé plus de trente fois. Du coup, on avait surnommé le bonhomme « Monsieur 100 000 volts ». Bécaud, je l'ai rencontré longtemps après, c'était le chanteur dynamique, tombeur, viril, il avait tout. C'était vraiment l'über-chanteur pour les années 50, un truc phénoménal. Mais Gainsbourg le détestait à cause de « Je reviens te chercher ». Une chanson dans laquelle, et ça, Gainsbourg ne se lassait pas de me l'expliquer, le mec revient et il dit à sa meuf : « *On a rompu, je reviens te chercher (…) et puis dépêche-toi de te décider, il y a le taxi qui attend en bas.* » Pour Gainsbourg, c'était le comble de la muflerie ce texte, il voyait là, dans cette mention du taxi dont le compteur tourne, un manque phénoménal de classe. Gainsbourg passait des heures à m'expliquer ça, à se demander comment une maison de disques avait bien pu sortir un truc pareil. Il s'était mis à la chanson pour dégager ce genre de disques.

Et puis, il y avait le surréalisme. Serge a connu et fréquenté Salvador Dali qui lui a donné deux ou trois idées sur la promotion des œuvres notamment. Pour l'anecdote : Serge avait obtenu la clé de l'appartement parisien de Dali. En son absence, il emmenait sa maîtresse chez le peintre et la baisait dans le lit du génie.

Bambou arrive dans l'histoire. C'est une beauté exceptionnelle et une femme charmante. Elle est de notre génération et parfois, Serge l'utilise à sa manière pour me faire passer des messages personnels.

Durant ces années 80, j'ai eu une collection de copines toxico-junkies. Allez savoir pourquoi, je les attirais. Et bien sûr, je ne me rendais compte de rien. Un soir, ma nouvelle fiancée participe à l'un de nos dîners. Elle s'écroule au milieu du repas et s'endort dans une assiette de purée. Je suis consterné. Serge aussi, mais il ne dit rien. C'est Bambou qui m'appellera le lendemain avec ce message : « *Philippe, tu ne peux pas te trouver une gentille copine normale, genre qui ne serait pas dans la poudre ?* »
Gainsbourg, lui, ne donnait aucune leçon, jamais.

Très vite, le journaliste Gilles Verlant décide d'écrire une biographie de Gainsbourg. Serge ne l'invite plus à nos fêtes improvisées, jamais : « *C'est mon biographe, il pourrait raconter des trucs.* »

Après *Evguénie Sokolov*, paru en 1985, Serge a resigné pour publier cette fois son journal chez Gallimard, « *la Rolls Royce des éditeurs* », selon lui. Je l'aide à rédiger son journal. Il écrit devant moi :

Aujourd'hui 5 mai 1986 = RIEN. Il est très content de cette entrée. Le projet en restera là.

À cette époque, on sort souvent au restaurant avec son grand copain Jacques Wolfsohn. Serge exige toujours de payer la note. Wolfsohn ne veut pas. Les deux compères s'engueulent, se traitent de « *sale juif antisémite* » mais ils restent inséparables.

Wolfsohn est sans doute le plus grand découvreur de talents que la France ait connu. Il a signé Johnny Hallyday dès 1960 chez Vogue, Françoise Hardy en 1962, Jacques Dutronc en 1965. Serge me raconte souvent que quand il a eu son attaque cardiaque en mai 1973, Wolfsohn est le seul du Métier qui soit venu le visiter à l'Hôpital américain.

Le dimanche soir, Wolfsohn organise régulièrement des dîners chez lui, place de Breteuil. J'y suis souvent invité avec Brenda Jackson. Toujours ébahi de me retrouver à table avec Isabelle Adjani, Catherine Deneuve — qui viendra par un beau dimanche printanier avec Marcello Mastroianni — Radiah Frye, Anne-Marie Périer, Pierre Lescure, Bertrand de Labbey, Françoise Hardy ou Jacques Dutronc. C'est drôle, mais en présence de celui qui les a révélés, le couple mythique redevient une paire d'enfants studieux. Ils l'écoutent avec un respect qu'on ne connaît pas à Dutronc !

Wolfsohn mange rarement. Tiré à quatre épingles, lui qui a

cuisiné tout l'après-midi nous regarde dévorer son aïoli en fumant sa cigarette.

Chaque dîner est prétexte à une foule de petites histoires surréalistes. Tel le sparadrap de Tintin, l'affaire *du ver blanc* rebondira ainsi de dimanche en dimanche, durant un mois. Car un beau dimanche, dans la salade amoureusement préparée par Wolfsohn, Serge trouve... un petit ver blanc. Il le montre à tous... Et l'avale. Tout le monde est écœuré, les dames sous le choc, cris, rires, vivats. Le week-end suivant, profitant de l'absence de Serge, Anne-Marie Périer nous explique qu'elle qui était assise juste à côté de Gainsbourg a eu l'impression qu'il avait fait *semblant* de gober le minuscule ver blanc.

Retour de Serge la semaine suivante. Wolfsohn est d'attaque : « *Alors, pauvre escroc ? Anne-Marie Périer nous a bien dit que tu n'avais pas mangé le ver blanc...* » Serge est au bord des larmes : « *Ça alors ! C'est dégueulasse ! J'ai mangé ce ver et Anne-Marie dit que je ne l'ai pas avalé !* » Sanglots. Rires. Vivats.

Ces soirées du dimanche se terminent le plus souvent vers 2 heures, quand Wolfsohn ne les interrompt pas d'un retentissant « *Cassez-vous tous, vous me fatiguez.* »

Gainsbourg a des règles de vie très simples qu'il nous demande de respecter avec un soin proche de la maniaquerie. Arrivant dans n'importe quel restaurant, il exige que tous les convives déplient leur serviette et la posent sur leurs genoux.

Un soir, aux Bains Douches, une fille s'énerve contre ces lunettes noires Ray-Ban Wayfarer que je commence à porter jour et nuit. Gainsbourg l'arrête d'une phrase : « *C'est son look, cocotte.* » Voilà, tout est dit. Comme les rockers, il aime l'économie, il est sans cesse à la recherche du mot juste, de la phrase qui tue. Il vise le cœur de la cible, toujours.

Serge était très respectueux de ses fans. Un soir, on dîne au restaurant avec lui quand un fan des *Enfants du Rock* se précipite à notre table pour nous demander un autographe, à Dionnet et à moi. Il se peut qu'Antoine de Caunes soit là aussi. Dionnet et moi, nous sommes incrédules. Quoi, Serge Gainsbourg en personne est là et un fan réclame notre signature à nous ? Croyant bien faire, nous déclinons et nous renvoyons le jeune homme déconfit à sa table, sans son sésame.

Stupéfait de la scène à laquelle il vient d'assister, Gainsbourg prend la parole et nous explique que nous sommes en France, pays où les gens ont une immense réserve. Il nous dit que ce jeune homme qui dînait là avec sa petite amie a rassemblé un très grand courage pour venir nous demander ce rien, ce petit autographe et que nous l'avons renvoyé au néant comme une merde. Et il conclut : « *Enfin vous faites comme vous voulez, mais moi, si un fan sonne à ma porte pour une dédicace, je sors pour lui donner, même à 1 heure du matin. Au risque de me prendre deux balles dans le buffet comme John Lennon.* »

Je n'ai plus jamais refusé un autographe ou un selfie à qui que ce soit.

Gainsbourg me faisait une confiance totale.

Il acceptera dix fois de participer aux *Enfants du Rock*, quel que soit le scénario tordu qu'on inventerait pour lui. L'un des plus déments sera l'enregistrement de « Sex Machine » de James Brown, revisité par Gainsbarre.

Pour l'occasion, je lui déniche deux musiciens punk hors pair, les frères Crawa (Patrice et Denis Diaw) qui accompagnaient Gogol et la Horde. On doit enregistrer un playback aux studios Ferber (car dès cette époque, aucun ingénieur de la vieille ORTF ne sait plus faire une prise de son en live). Chez Ferber, nous découvrons un nouveau Serge, très tendu, limite inquiet. Il s'agit de reprendre du James Brown, tout de même !

Dans le studio, les frères Crawa, guitare et batterie, commencent à répéter un tapis. Gainsbourg entend un truc qui ne lui plaît pas du tout au niveau tempo. Il fonce dans le studio et se transforme en professeur de solfège. Il met les punks au parfum. Faut pas que ça glisse, le tempo. Le fêtard que nous connaissons est avant tout un pro ultra-rigoureux.

Deux jours plus tard, on filme la version de Gainsbourg à la Taverne de l'Olympia. Serge est en grande forme, les frères Crawa aussi. Très alcoolisé (c'est un playback), il saute deux fois de la scène dans la foule, visionne la séquence dans un état second et rentre rue de Verneuil.

3 heures du matin, mon téléphone sonne. « *Manœuvre ? Ça va gamin ? Dis donc, ma jambe est toute noire…* » Je fonce rue de Verneuil. Gainsbourg s'est fait une entorse à la cheville. Il arpentera Paris un mois durant appuyé sur une canne à pommeau d'argent, expliquant à qui veut l'entendre ce qui lui est arrivé lors du tournage de « Sex Machine » pour *Les Enfants du Rock*.

Le soutien de Serge aux *Enfants du Rock* est total. Il est impliqué dans tout ce que nous faisons. Un samedi, Serge accepte de faire l'émission *Champs-Élysées* rien que pour dire aux téléspectateurs (devant un Michel Drucker médusé par son culot) qu'il faut surtout regarder l'émission d'après, parce que là, pardon, mais il a pu se lâcher et faire ce qu'il voulait !

Drucker encaisse.

Évidemment, Serge n'a pas la même vie que nous. Il ne peut plus aller au cinéma à cause de sa notoriété. Les films lui manquent. Alors, il s'achète un magnétoscope (nouvel objet qui vient de sortir) et je l'emmène chez Champ Disques sur les Champs-Élysées où il s'achète pour une brique de *VHS* que nous ramenons en taxi rue de Verneuil.

Je lui recommande *Mad Max*, que j'adore. Le lendemain, je demande à Serge s'il a enfin vu *Mad Max 2*.

« *Nan, le film s'est coincé dans le magnétoscope.* » Prenant un marteau, Gainsbourg a fracassé la récalcitrante machine. On lui en livrera rapidement une autre.

S'il y a bien un truc que Serge ne regarde pas avec son magnétoscope, c'est du porno. Entre l'arrivée de Canal+ et les premiers films Marc Dorcel, le porno prend alors son essor. Grand amateur d'érotisme, Serge s'était procuré une partie de la collection de photos ultra-louches de l'acteur Michel Simon. Mais le porno, ça, non. Serge est absolument et totalement contre. Tout lui déplaît, « *ces gonzesses ruisselantes de foutre* », mais c'est surtout la taille des bites des acteurs masculins qui l'affole. « *Là*, explique-t-il, *c'est juste pas possible.* » Il subodore l'invention d'objectifs grossissants.

Il déteste et le dit à tous ceux qu'il croise. Même à Catherine Ringer, ex-actrice X qui casse la baraque avec les Rita Mitsouko. Il dépasse même carrément les bornes lorsqu'il croise Catherine sur le plateau de Michel Denisot.

Je l'engueule. Il fait la tête.

Le problème de Serge c'est que, comme les blagues de Coluche, comme les provocations de Polnareff, ça ne passe qu'une fois sur deux. Quand Serge se met à raconter des histoires sur ses connaissances célèbres, il est bien souvent méchant. Vachard, à la recherche du bon mot, sans pitié. Les gens sont soit hilares, soit réellement choqués. On ne peut jamais prévoir. Il m'est arrivé plusieurs fois, alors que je l'interviewais en direct sur France Inter, de perdre littéralement le contrôle du bonhomme, alors qu'il s'en prenait à Lio ou à Vanessa Paradis. Je passais à la suite, priant pour que personne ne soit à l'écoute.

Les réactions des gens, Serge s'en fout assez royalement : « *Tout le monde m'engueule d'avoir brûlé ce billet de 500 balles, mais enfin, grâce à ça j'ai eu pour 200 bâtons de pub dans toute la presse !* » (mars 84).

Le nouvel an 1985 a lieu chez moi. J'habite rue Monge, tous les *Enfants du Rock* se retrouvent là, c'est central. On boit, on sniffe, on schmouze, on rigole, on déconne. Un couple fait tac-tac dans mon armoire à vêtements (qui s'écroule). Vers 3 heures du matin, Dionnet part faire la tournée des boîtes de nuit parisiennes. Le lendemain, il m'appelle et me confie être tombé sur Serge coiffé d'un petit canotier chez Castel, tout seul avec Bambou, infiniment triste.

Dire que je n'avais pas osé l'inviter, m'imaginant qu'il réveillonnait avec le Tout-Paris…

Deux ans plus tard, mon téléphone sonne. Il est 3 heures du matin, l'heure de Serge. La future maman de ma fille Manon décroche, écoute et me tend le combiné : « *Tiens, c'est ton fiancé !* »

Je me lève.

« *Ça va Serge ?* »

Ben non, ça ne va pas du tout. Serge est usé par l'alcool. Il a des idées noires, il ne dort plus. Il me confie son envie de se suicider, carrément.

« *Ben comment tu ferais ça ?* »

Il me raconte tout. Il a un vieil automatique chez lui. Un pote flic lui a procuré des balles, un chargeur plein. Serge contemple sa destruction immédiate.

Il est 3 heures du matin. Je cherche un truc à dire :

« *Serge tu ne peux simplement pas faire ça !*

— *Ah bon, pourquoi ?*

— *Il va y avoir une épidémie de suicides en France.* »

Serge est dubitatif. Je lui raconte donc qu'à la suite de la séparation des Smiths, deux gamins de Manchester se sont suicidés et je lui arrache la promesse de ne pas se tirer une balle dans la tête. Sur ce, je me recouche.

Deux jours plus tard, je passe chez Philips. Serge est là, en train de raconter l'anecdote à tout le monde sur le thème « *Je me faisais chier, j'ai appelé le gamin en lui disant que j'allais me tirer une balle, devinez ce qu'il m'a répondu ?* » Show business ! Nous en rions tous très fort.

En 1987, je fonde le Festival du cinéma rock de Val-d'Isère. L'année suivante, Serge accepte d'être le président du jury. Gainsbourg à la neige ! Il débarque en Repetto et chemisette kaki. À peine arrivé, il hurle : « *Manœuvre, c'est glacial ton truc !* »

Oui Serge, c'est la neige !

Gainsbourg n'aime pas la neige. N'empêche, pendant dix jours, très méticuleux, professionnel ultime, Serge se prêtera à toutes les exigences de sa fonction. Il donnera les interviews, fera les radios, déjeunera avec le maire de Val-d'Isère et se comportera idéalement avec son jury. Bambou et Lulu passeront lui rendre visite et le propriétaire de l'hôtel Christiania me dira sa surprise : « *Il ne casse rien dans sa chambre.* »

Mais Gainsbourg, c'est Gainsbourg. Et quand on est à Val-d'Isère, évidemment on est entouré par les cimes et il peut sembler naturel de penser aux chansons sur la montagne. Pendant un dîner, un membre du jury évoque donc Jean Ferrat et son fameux « *Pourtant que la montagne est belle* ». Et là, Gainsbourg, hilare : « *Mais Jean Ferrat, restes-y dans ta montagne, mon vieux ! Restes-y avec ton fromage de chèvre, ton couteau Opinel et ta bonne*

femme. Moi, pendant ce temps-là, je suis chez Castel et je bois du
champagne avec des top models ! »

Plus tard, un matin, alors qu'on petit-déjeune à l'hôtel, Gainsbourg me dit avoir envie de rendre visite à la gendarmerie de Val-d'Isère. Tiens donc. Se dirigeant vers le bar, il demande deux bouteilles de champagne bien fraîches à emporter. Nous partons pour la gendarmerie, où notre arrivée ne passe pas inaperçue.

« Salut, c'est Gainsbourg, on est venus trinquer avec vous ! » Bien vite, tout le monde picole du Cristal Roederer dans des gobelets en plastique. Gainsbourg se fait servir un petit pastis (il préfère). La conversation roule sur le boulot des gendarmes, la neige, les touristes italiens qui ont le culot de fumer des joints sur les pistes.

Au moment de repartir, Serge se fait suppliant : *« Vous ne me donneriez pas une petite pucelle ? »*

Ce mot désigne non pas une vierge nubile, mais l'écusson de métal des compagnies de gendarmerie. Chez lui, Gainsbourg a commencé une collection de pucelles et il en réclame à chaque gendarme qu'il croise. Il punaise à son revers celle des hommes de Val-d'Isère, fier comme Artaban.

Le grand prix de cette année-là sera remis à *Imagine* film sur John Lennon. Mais Gainsbourg exige un Prix spécial du jury pour le film de concert de Prince, *Sign O' the Times*. Serge est formel : *« Je préfère Prince à Jackson. Regarde son spectacle... Regarde ce film... Dément ! Il nous donne à voir le ciel... et l'enfer. Tout bon spectacle devrait partir de ce principe ! »*

Au départ de Val-d'Isère, Serge va encore nous surprendre. Au moment de partir vers la gare TGV dans la vallée, il s'approche du bar et réclame *« sa note de bar du séjour »*. J'ai beau lui expliquer que ce n'est pas la peine, qu'il est le président du jury, que tout est pris en charge par la ville et le festival, Serge réclame sa note. Le patron du Christiania en personne amène la chose : on parle de 22 400 francs Mitterrand. Ouvrant son attaché-case, Serge sort son chéquier, l'ouvre, me demande de remplir le chèque (il a mauvaise vue) et le signe. Alors que nous sortons pour monter dans le taxi, Serge me donne une bourrade : *« Hé gamin, t'as vu ? C'est ça, la classe. »*

Dans le TGV de retour pour Paris, c'est un festival. Durant tout le voyage, Serge va nous sortir, à moi et au jury (Valli, Caroline Loeb, Nicola Sirkis, Vincent Palmer, Axel Bauer…), sa valise d'histoires drôles. Il les collectionne, il en a un carnet rempli, il nous en récite des dizaines. Il y a de tout, dans les histoires de Gainsbarre : du cul, Hitler, des préservatifs, des barmen, des petits singes. Et du cul.

Serge adorait jouer avec la langue. À la fin de sa tournée japonaise, à chaque fin de concert, il disait merci en japonais, *« Aligato »*. Le dernier soir, à Tokyo, il avait osé un triomphal *« Aligato… au chocolat »*. Celle-là, il a bien dû me la raconter dix millions de fois.

Six mois après la naissance de Manon, en 1989, je l'amène pour la présenter à Serge. À l'époque, Serge loge à l'hôtel Raphael pour terminer un album de Vanessa Paradis, il a besoin de changement, il doit tout reprendre, il s'est posé là. Je débarque avec ma petite de sept mois, dans son porte-bébé. Je suis attendu. Le réceptionniste m'amène à la suite de M. Gainsbourg. Je sonne. La porte s'ouvre. Serge voit Manon. *« Ben ça alors, v'la aut' chose ! »* Il est simplement ravi.

Il faut changer Manon. Serge installe une serviette sur le lit et surveille l'opération en me prodiguant moult conseils. À présent, Manon veut son biberon. Je lui donne, maladroitement. Serge : *« Le biberon, t'as pas compris ? Il y a trois vitesses… Faut pas lui donner comme ça, passe-la-moi !* » Et, la prenant sur ses genoux, il lui colle la tétine dans la bouche, à la bonne vitesse.

Volontiers tragédien, Serge évoque souvent sa disparition. Ce qui donne à Jean-Louis Cap, le réalisateur des *Enfants du Rock*, une idée que j'aime beaucoup et soumets à Serge.

Nous lui proposons de réaliser une interview post mortem, à ne sortir qu'après sa disparition. Là-dedans, il nous dira tout. Sa rencontre avec Boris Vian, ses premiers disques, ses péplums, ses plagiats classiques recyclés en pop, ses heures de travail avec Anna Karina, Catherine Deneuve, Isabelle Adjani, Vanessa Paradis. Sa presque bagarre avec Jagger, ses quatre-vingt-six jours d'amour avec Bardot, l'excommunication du Vatican. Tout, sans limites, sans langue de bois.

Pour la première fois, je vois Serge hésiter. Il demande à réfléchir et me rappelle. Ce sera non à l'entretien post mortem : « *Ils vont faire des procès à Charlotte et Lulu.* » Serge ne m'a absolument jamais mentionné l'existence de ses deux premiers enfants, Natacha et Paul. Je respecte tellement Serge que je n'insiste pas. Aujourd'hui, je le regrette. Dommage, vraiment.

J'ai revu Serge une ultime fois, en août 1990. Il avait écrit et réalisé un album entier pour Jane Birkin, *Amour des feintes*. Je me suis étonné qu'il refasse un disque avec celle qui l'avait quitté. Réponse de Serge : « *Je me suis mal comporté avec Jane. J'ai été comme un homme préhistorique avec elle…* »

Surprise : Serge était au régime sec. Les médecins l'avaient prévenu, c'était ça ou la disparition pure et simple. Il fumait encore, mais beaucoup moins qu'avant. Décharné, amaigri, terriblement marqué et vieilli, il m'a regardé m'installer devant la fameuse table aux vanités auxquelles, pour la première fois, je n'ai pas du tout touché. Nous avons commencé à parler de choses et d'autres, notamment de sa rencontre avec Johnny Hallyday, quelques mois plus tôt. Ils s'étaient vus à une soirée Polygram à l'usine de pressage. Johnny avait été « *exquis, charmant* ». Serge en avait été très touché. Il m'a dit ça dans un souffle et puis, soudain, il a ajouté :

« *Gamin, je ne suis plus du tout marrant, OK ? Si tu te fais chier, je comprendrai, tu te casses, y'a pas de problème.* »

Je suis resté jusqu'à la tombée de la nuit. Je l'ai longuement rassuré. Réconforté. Félicité pour le coffret de son œuvre complète, sortie en CD.

« *Ouais bof, une jolie pierre tombale.* »

C'était désespéré. Serge avait arrêté de boire mais toute sa joie de vivre s'en était allée. L'alcool avait été une béquille pour ce garçon vraiment très timide. L'alcool lui donnait l'assurance qu'il n'avait pas.

Mais les Pastis 51 étaient devenus des 102, puis des 204.

On a encore discuté de son prochain album, qu'il voulait enregistrer début 1991 à La Nouvelle-Orléans, avec BB King à la guitare. Le disque se serait intitulé *Christian's Name Christian*.

Ce serait le disque blues de Gainsbourg.

Et Serge était sûr de son coup. Dessus, il y aurait une chanson très rock, « Quoi que ». Il m'a récité le texte :

« *Moi Gainsbarre, j'ai fait toutes les conneries*
Mais y' a un truc que je ferai jamais
Et c'est me taper la femme de mon meilleur ami…
Quoi que… »

À un moment, il m'a fait une ultime révélation.

« *Je ne baise plus du tout. Incapable. C'est fini. Foutu.* »

Je suis reparti de la rue de Verneuil les larmes aux yeux. Serge est mort le 2 mars 1991. J'ai appris la nouvelle à Roissy. J'arrivais de Los Angeles où j'étais allé recueillir des interviews de gens qui avaient connu Jim Morrison. Comme Jim, certains chanteurs sont encore plus grands morts que vivants. Quand le taxi m'a appris la nouvelle en me montrant la une du *Journal du Dimanche*, je me suis dit que Serge allait devenir immense.

Et c'est ce qui s'est passé.

Mort, Serge a conquis les territoires anglo-saxons. Ses disques ont commencé à se vendre en Grande-Bretagne et aux États-Unis. Un truc absolument et totalement inimaginable dans les années 80 !

Une fois, une seule, j'avais essayé de lui faire comprendre que l'Angleterre, peut-être… Il m'avait arrêté d'un geste : « *Laisse tomber !* »

J'ai de mes yeux vu ses disques en vente dans les magasins de Londres comme de New York et Los Angeles. Bravo Serge !

À l'aéroport, j'avais fait bonne figure, mais le soir, chez moi, tout seul, j'ai craqué et chialé comme un gamin. Submergé par le flip, j'ai dû appeler une assistante des *Enfants du Rock* qui est venue chez moi à 2 heures du matin et j'ai pleuré dans ses bras jusqu'à ce que le jour se lève.

JOHNNY HALLYDAY

Il faudrait que les copains saluent...

Le 6 décembre 2017, je suis réveillé par mon téléphone portable qui vibre obstinément depuis des heures, tout seul, sur mon canapé. Je me lève. À 7 heures du matin, j'ai quatre-vingt-treize messages. C'est à ce moment-là que Candice, ma femme, s'écrie : *« Johnny est mort ! »*

On dit que le rock'n'roll n'oublie pas. Effectivement, à l'heure où j'écris ces lignes, sept mois après sa mort, Johnny Hallyday reste le sujet de conversation numéro un des Français. Les querelles autour de l'héritage du rocker sont devenues le feuilleton judiciaire qui passionne la France.

Comme pour tous les gens qui ont fait du rock en France, une rencontre avec Johnny Hallyday était inévitable.

La première a lieu en 1982. Cette année-là, mon copain Jean-Pierre Dionnet rentre d'un week-end à Saint-Tropez. Là, dans une boîte de nuit, le Papagayo, il est tombé sur une scène des plus étranges.

Vers les 3 heures du matin, alors qu'un petit groupe est en train de jouer dans le club, Johnny Hallyday débarque. Il monte sur scène, s'empare du micro et se met à défourailler du rock'n'roll

135

totalement sauvage pendant vingt-cinq minutes, comme si sa vie en dépendait.

En 1982, Johnny est au fond du trou.

Certes, il remplit encore des Zénith mais sa carrière discographique ressemble à celle d'Elvis Presley après le service militaire : elle est en ruine. Une révolution rock a lieu en France et elle s'appelle désormais Téléphone. Johnny semble le survivant d'une époque révolue.

Pourtant, cette histoire de bœuf sauvage au Papagayo me travaille. Johnny est putain de là. En club, à l'aube, il crise le rock. Il le hurle à s'en arracher les tripes. Cette anecdote pue le bourbon, la coke, et on entend les riffs tronçonnés derrière.

Je décide alors de demander une grande interview au rocker pour tenter de comprendre quel bonhomme se cache derrière le mythe. Un vieux show businessman ? Un rusé surfer des modes rock tombé de sa planche ? Qui est le héros de la France profonde, en vrai ? Tout est imaginable !

La réponse me revient à la vitesse d'un boomerang : Johnny accepte. Il est partant. Mais ne connaissant pas *Métal Hurlant*, il demande que le chef de produit des Rolling Stones, Dominic Lamblin, de chez Warner, assiste à l'entretien. Étonnante requête, mais ce que Johnny veut...

Il me fera le même coup, une nuit, bien plus tard, en 2014 : « *Allô ? C'est Johnny... Dis donc, Brian Setzer vient jouer avec moi dimanche. On va répéter en studio. Je voudrais que tu sois là.* »

OK, Johnny.

Donc, Johnny appelle Lamblin : « *Je veux que tu sois là.* »

OK, Johnny. Personne dans l'industrie du disque française ne pouvait rien refuser à Johnny Hallyday.

Du côté de *Métal*, nous arrivons à trois pour l'interview. Il y a moi (qui adore certains albums de Johnny et vais toujours voir ses spectacles, par principe). Il y a Jean-Pierre Dionnet, qui a vu tous les films de Johnny et qui aime notamment *Le Spécialiste* de Corbucci. Et il y a l'un de nos pigistes, qui est fan total, le jeune Karl Zéro. Karl est un dandy très particulier pour l'époque : Johnny Hallyday, c'est son truc. Il aime tout. Pour lui, Johnny, c'est l'alpha et l'omega, le pôle Nord et le pôle Sud, le plus grand chanteur de tous les temps, le pionnier et le rocker ultime. Et j'en oublie.

L'entretien se passe très bien. Johnny est immense, blond, très simple, en jeans et blouson de cuir. Dominique Lamblin et Johnny descendent des scotchs, Johnny est disert, flatté un peu, je crois, de se retrouver cerné par de jeunes rockers qui ont envie d'en savoir plus. Nous passons sa carrière au crible. J'amène avec moi toutes les remontrances des spécialistes du rock. Et évidemment, numéro un, comment expliquer les transformations successives de Johnny, rockabilly, twist, rhythm and blues, folk, hippie, hard rocker, glam rocker, crooner ?

Johnny balaye tout ça d'un revers de la main et plante ses yeux d'acier dans les miens : « *Tu sais, moi, je voulais juste durer...* »

Il est convaincant, le bougre. Il s'explique, se raconte. Sans tomber dans les pièges habituels. Intellectuel tenté par le rock'n'roll, Karl Zéro lance Johnny sur les rituels spectaculaires qui émaillent ses spectacles. Johnny glisse :

« *Tu sais, ne vois aucun rituel avec ma bouteille d'eau. Moi, je bois parce que j'ai soif !* »

À la fin de l'entretien, nous avons deux cassettes d'une heure. Il est décidé que Karl en transcrira une et moi, l'autre.

Je retranscris mot à mot ce que dit Johnny. Karl, de son côté, fait ce que tous les journalistes français ont fait depuis 1960 :

il adapte. Il retranscrit en tentant de faire passer Johnny pour quelqu'un de normal, ce qu'il n'est pas du tout.

Le lundi, on compare, Karl est effaré : « *Bon sang, tu l'as fait parler dans l'article comme il parle dans la vie…* »

Nous décidons que cette option est la seule possible pour *Métal Hurlant*. Karl revoit sa copie dans la nuit, livre cette fois du mot à mot, l'article part à l'imprimerie. La couverture l'annonce de loin : « *Johnny Parle ! Sexe, Défonce, Rock et Impôts.* »

C'est une première. L'entretien servira de modèle à toutes les interviews que Johnny donnera durant les années 80/90. C'est Johnny côté pile.

Antoine de Caunes, lui, découvre le côté face du Gémeaux Hallyday. En 1984, les *Enfants du Rock* cartonnent et Antoine décide d'emmener le chanteur à Nashville pour lui faire enregistrer une vraie émission de rock.

Ne reculant devant rien, il a invité en studio Carl Perkins, Monsieur « Blue Suede Shoes », les Stray Cats, Don Everly et Tony Joe White. Johnny et Antoine s'entendent bien. Avec cette émission, Antoine voudrait en fait redonner à Johnny son aura rock qu'il a perdue en faisant, admettons-le, toutes les conneries possibles et imaginables.

Car si Johnny a amené le rock en France dès mars 1960, il est devenu, depuis, de la chair à tabloïd. Il s'est retrouvé mêlé à trop de trucs qui, à l'époque, choquent les puristes rock. En gros, à part l'album disco, Johnny a fait absolument tout ce qu'il ne fallait pas faire. Il a livré sa vie à la presse. Il a donné dans tous les plans foireux. Il a copiné avec Michel Sardou. Il a fait de la publicité. Il a aidé Giscard et Chirac en campagne. Il a signé des 45 tours inexplicables, des films idiots. Antoine de Caunes pense donc qu'en présentant un Johnny américain, chantant avec les pionniers du rockabilly, il pourra remettre le rocker en selle.

C'était compter sans Jean-Claude Camus. Dans mon souvenir, l'émission Johnny à Nashville passe à la télévision un mercredi soir, sur France 2. Nous la regardons tous ensemble, nous la trouvons remarquable. Johnny chantant devant un drapeau américain, Johnny purement et strictement rock, voilà, c'est ça qu'on attendait, c'est ça qu'on veut !

Jugez de notre déception quand, le samedi suivant, à 13 heures, Johnny apparaît sur TF1 en duo avec Sheila, pour chanter « Mon p'tit loup ça va faire mal ce soir ». Antoine de Caunes m'appelle, soufflé. Il a mis des mois à monter tout seul le « *grand retour au rock* » de Johnny et voilà que ses efforts se retrouvent totalement ruinés, moins de trois jours après la diffusion de ce fameux documentaire sur Nashville !

Ce duo avec Sheila était une idée de son producteur, Jean-Claude Camus, qui gérait à la fois les tournées de Johnny et de la petite fille de Français moyen. Le dernier Sheila ne se vendait pas, alors Johnny a joué la roue de secours.

Voilà, résumée en une anecdote, l'histoire de Johnny et de son producteur. Étrange Jean-Claude Camus. Le bonhomme est un personnage de roman, double, avec des côtés sympas et d'autres odieux. Ses colères et ses hurlements étaient notoires dans toute l'industrie du disque. Et cet homme a réussi à contrôler Johnny Hallyday pendant des années.

Peu de gens ont réussi à gérer Johnny Hallyday. L'énergumène avait ses coups de folie, ses délires d'acheteur compulsif de motos, de bolides de course et autres Lamborghini, qui l'ont occupé jusqu'à son dernier souffle. Ajoutons à cela un régime de marathon des sables. Quand beaucoup de chanteurs débutants rêveraient de donner cent quatre-vingt-trois concerts, Johnny Hallyday, lui, a fait cent quatre-vingt-trois tournées de soixante concerts.

Notre homme ayant très tôt été une véritable poule aux œufs

d'or (il a toujours tout rempli), il fut décidé qu'il n'écrirait pas ses propres chansons lui-même. Alors qu'il pouvait (« Les Bras en croix », 1963). Sauf que voilà, écrire prend du temps. Et pourquoi perdre un temps précieux à laisser Johnny composer alors qu'il pourrait être sur la route, remplir des chapiteaux et ramener du pognon ?

Très vite, Lee Halliday s'est moqué des efforts d'écriture de Johnny, ridiculisant le texte du débutant au prétexte que l'Oklahoma, ce n'était pas comme ça. On imagine la suite...

« À quoi bon écrire ? T'inquiète, Charles Aznavour et Hugues Aufray vont s'en charger pour toi... »

Le Métier français s'est ainsi organisé et quand Johnny s'est réveillé, il était beaucoup trop tard.

Comme Elvis, comme Sinatra, Johnny n'écrira pas. Par contre, on le mettra au charbon. Il tournera dix mois sur douze, on ne lui fera aucun cadeau. D'autant que, passé chez Philips, très vite, Johnny a pris la mauvaise habitude d'appeler sa maison de disques chaque fois qu'il avait besoin d'une rallonge financière. Philips était trop heureux de lui prêter de l'argent, moyennant un avenant, une rallonge au contrat. Et très vite, Johnny s'est retrouvé pieds et poings liés chez les Allemands, avec un contrat qui durera de 1962 à 2005. Quarante-trois ans, le record absolu pour un artiste de ce calibre. Or, tels des footballeurs, les chanteurs doivent savoir changer régulièrement de maison de disques pour mettre en valeur leur carrière.

Heureusement, Johnny a eu quelques coups de chance, comme l'arrivée d'Alain Levy à la direction du groupe Polygram, qui a changé la donne.

En 1985, Alain Levy a l'idée du fameux *Rock'n'Roll Attitude*, le disque réalisé par Michel Berger qui marquera le retour en force de Johnny. Voilà enfin l'album que tout le monde espérait.

Servi par un groupe impeccable (Chris Spedding et Peter Frampton aux guitares) et des textes brillants, *Rock'n'Roll Attitude* propose un Johnny Hallyday nouveau, à l'image de la photo de pochette, qui préfigure *Reservoir Dogs*.

Le problème, c'est que Berger est fan de Mitterrand (il déjeune avec France Gall à l'Élysée tous les dimanches) alors que Johnny, lui, adore Jacques Chirac.

En 1988, Johnny nous fait un coup à sa façon : il vient chanter pour Chirac en campagne, à l'hippodrome de Vincennes. Johnny monte sur scène avec son groupe de l'époque, le même qu'à Bercy pour entonner *« on a tous en nous quelque chose de Jacques Chirac »*.

Pas content, Michel Berger jure, un peu tard, qu'on ne l'y reprendra plus. Terminé, les textes pour Hallyday. Bien ennuyé, Alain Levy tentera la piste Daho (refus de Camus et de Johnny), puis il fera appel à Jean-Jacques Goldman, qui fera du bon boulot malgré « Je t'attends » (Johnny sur Europe 1 : *« Oui, ben moi j'attends toujours les paroles... »*).

En vrai, la rencontre Johnny/Goldman ne débouchera sur aucune envie d'en faire plus des deux côtés. Johnny me confiera qu'il trouve Goldman trop secret, trop réservé. Bref, la rencontre n'a pas eu lieu. Du coup, Alain Levy appelle au secours Étienne Roda-Gil, qui signe l'album *Cadillac*, en 1989.

Vers cette époque, j'interviewe Sting qui vient de triompher deux soirs à Bercy. Sting me demande : *« Qui est Johnny Hallyday, ce chanteur qui reste plus de trois semaines d'affilée à Bercy ? »*

Johnny est de retour en grâce. Plus que jamais bête de scène, il représente à nouveau 2 % de l'industrie du disque et ses spectacles ne désemplissent pas.

En 1987, je suis seul au bureau des *Enfants du Rock* pendant l'heure du déjeuner. Bien m'a pris de rester car soudain, le téléphone sonne.

Je décroche. C'est Johnny en personne ! Un Johnny qui me dit avoir très envie de faire une nouvelle apparition aux *Enfants du Rock*. Il va sortir un film, *Terminus*, un disque. Bref, les sujets ne manquent pas. Je décide qu'il faut faire une émission sur Johnny. Dionnet n'est pas d'accord. Pour la première fois en six ans, il refuse de participer. Mais pas question, pour moi, de laisser tomber Johnny. Je vais mener l'affaire seul.

Considérant que Johnny est un artiste qui aime la démesure, j'appelle alors le musée d'Orsay, qui vient d'ouvrir. J'aimerais faire une interview de Johnny dans ce cadre prestigieux. Le conservateur me renvoie dans mes starting-blocks : « *Johnny à Orsay ? Jamais !* », ce genre. Trente ans plus tard, le Louvre accueille un clip de Jay Z et Beyoncé. Bonne idée.

Au final, nous tournons à la Locomotive, club rock historique jouxtant le Moulin Rouge, et l'entretien est génial. Hélas, il y a *Terminus*, une sorte de *Mad Max* français en version intégralement ratée.

Johnny avait suivi un régime sec tant qu'il était sous la houlette de Nathalie Baye. Séparé de la maman de Laura, il recommence à écluser des whiskeys à longueur de soirées. Du coup, nous nous entendons vraiment bien. Johnny a des anecdotes à la pelle sur Jimi Hendrix (dont il a lancé la carrière, qu'on le veuille ou non) mais aussi sur Bob Dylan, les Stones, Dick Rivers, etc.

Un jour, donc, Johnny m'invite à le suivre à Avoriaz pour la projection en avant-première de son *Terminus*. Il veut absolument voir son film sur grand écran. Sauf qu'il faut absolument l'empêcher d'assister à la projection. L'attachée de presse sait que les réactions de la salle risquent d'être impitoyables pour ce navet de SF post-apocalyptique, alors elle m'appelle au secours.

Nous inventons illico une règle secrète du septième art : les acteurs n'assistent jamais à la projection avec le public, ça porte malheur. Et nous en rajoutons. Johnny fait semblant de nous croire.

Il présente le film, il est exfiltré de la salle. Et nous l'emmenons dîner dans un restaurant d'Avoriaz où, par hasard, nous tombons sur Bruno Masure. Par loufiat interposé, le journaliste nous fait savoir qu'il aimerait que nous allions à sa table. Johnny s'offusque. Je découvre le bronco, le chanteur coq de combat, intraitable sur le protocole. Johnny n'ira à la table de personne. Si Bruno Masure, par ailleurs présentateur du 20 heures, persiste dans cette compréhensible demande d'audience, qu'il apprenne qu'un siège à la table de Johnny lui sera offert. Méconnaissant une règle fondamentale (ne jamais discuter avec un chanteur alcoolisé), j'insiste, le ton monte et la discussion s'achève lorsque Johnny renverse la table en hurlant « *Je suis Johnny Hallyday !* », ce que personne ne conteste dans le restaurant.

Nous partons nous terminer dans un club jusqu'au petit matin. Au final, je vais ramener Johnny en le portant sur mon dos, dans la neige, jusqu'à son hôtel. Il pèse lourd, le dieu. Ses santiags traînent dans la poudreuse, l'attachée de presse ouvre la voie en trébuchant. Je manque piquer du nez dix fois.

Je le monte dans sa chambre. Je l'allonge sur son lit, nous faisons tomber la table de nuit, la lampe explose. Je lui enlève ses bottes, le borde. Johnny reprend connaissance : « *Merci rocker…* » Puis, au moment où je vais quitter la pièce, il me rappelle pour me dire dans un souffle : « *Tu sais… je suis le dernier… le dernier des rockers. Après moi… il n'y en aura plus.* » J'éteins en sortant et je rentre à mon hôtel, pas déçu de la soirée.

Pourtant, à force d'être tout le temps ensemble, l'alcool aidant, on a bien failli en venir aux mains plusieurs fois, lui et moi. Pour ne pas se bagarrer comme des blaireaux, on faisait des bras de fer. *Johnny, bras de fer, le défi !* On pouvait rester très longtemps en suspension comme ça, à peu près de force égale. Bien sûr, il faisait du culturisme, mais moi, j'allais à la piscine presque tous les jours, donc j'avais des muscles d'acier et puis en fait, ça devenait un pur assaut de volontés.

Un soir, en plein bras de fer dans un restaurant d'Avoriaz, il en a marre, il prend une fourchette à fondue sur la table et il me l'enfonce dans le bras. Ouille, je ne faiblis pas. Prenant un couteau, je lui scie le bras. Le lendemain, on se retrouve au petit déjeuner. Johnny me montre son bras entaillé : « *C'est quoi ça, tu peux me dire ?* »

Je lui montre le mien, plein de trous de fourchette à fondue : « *Et ça c'est quoi ?* »

1989 : Antenne 2 a supprimé les *Enfants du Rock* peu après la diffusion de l'émission *Johnny Terminus*, qui a pourtant fait un score remarquable.

Pierre Lescure et Alain de Greef dirigent Canal+. Ils m'ouvrent grands les bras et j'imagine une émission sur le rock français au Palais des Sports. Avec Rita Mitsouko, Bijou, Louis Bertignac et les Visiteurs, Alain Bashung, Eddy Mitchell. Et Johnny Hallyday. D'autres rockers participent : Les Négresses Vertes avec Helno, Cri de la Mouche, Garçons Bouchers. Tous piochent dans le vieux répertoire de Johnny et reprennent « Noir c'est noir », « Les Coups », etc.

La préparation de pareille émission est un vaste challenge. Chaque jour, je dois répondre à des demandes diverses et variées. Dick Rivers, Moustique et bien d'autres s'étonnent de ne pas

144

Ça fume, ça boit : backstage avec Lou Reed, Philadelphie 1978.

Mick Jagger et moi, Londres, 2001.

Face à Keith Richards, New York, 1998

Top Bab avec Iggy Pop.

Avec Keith Moon, batteur des Who, 1975.

Avec John Bonham, batteur de Led Zeppelin, 1976.

Avec Ringo Starr, batteur des Beatles, 1976.

Avec Steven Tyler, chanteur d'Aerosmith, 1977.

© Claude Gassian

Interview de Patti Smith dans sa loge de l'Élysée Montmartre, 13 mai 1976.

© Dennis Morris

Avec Jordan, égérie des Sex Pistols,
pour le scandale du jubilé, 7 juin 1977.

© Dominique Cazenave

Paul Cook, batteur des Sex Pistols,
se mouche dans le drapeau nazi, Le Palace, 1978.

© Claude Gassian

Rock critic ? Un métier à risques ! Kidnappé par les Stranglers,
ligoté au premier étage de la Tour Eiffel, 1978.

Avec L7 à Canal+ : punk pas mort ! Mai 2000.

Avec Debbie Harry dans le corridor
d'entrée du Palace.

Ultime rencontre avec Lemmy de Motörhead,
Clisson, juin 2015.

Avec Billy Idol, 1985.

© Claude Gassian

Associé aux Humanoïdes, Mœbius, Serge Clerc,
Philippe Druillet, 1976.

© D.R.

Mœbius, dans le stock des Humanos, 1982.

Avec Serge Gainsbourg, rue de Verneuil, 1979.

Val d'Isère, avec Johnny, 1989.

Dans les coulisses du retour gagnant de Michel Polnareff, Bercy, 2007.

Avec Bernard Pivot, sur le plateau d'*Apostrophes*, 1980.

Entretien avec Salman Rushdie pour *Rock&Folk*, 1999.

Monsieur Paul Bocuse et moi, 1979.

Les Enfants du Rock proposent d'initier PPDA à la BD.

Arnold Schwarzenegger face à Philman le Barbare
et Dionnet le Sorcier Rouge. Tournage de *L'Impeccable*, 1982.

Avec Pauline Laffont, égérie du générique de *Sex Machine*, 1983.

Les Enfants du Rock 1985. Phify, Antoine de Caunes, Philman, Jean-Pierre Dionnet et Jacky.

Avec les TV Boys, groupe rap éphémère auteur d'un 45 tours culte chez Barclay. De gauche à droite : Philippe Chany, Philman, Alain Chabat, Antoine de Caunes, Dominique Farrugia.

Madonna et moi, 1984.

James Brown sort de chez son dentiste, 1987.

Avec Wayne Kramer du MC5, Transmusicales de Rennes, 1994.

Avec Run-DMC, quand la télévision française découvre le rap.

Au Crossroads, croisement des highway 61 et 49,
non loin de Clarksdale, berceau du blues, 1993.

Avec Gad Elmaleh et JoeyStarr. Coulisses des *Grosses Têtes*, RTL 2018.

Mon pote Jean-Luc, 2011.

SOUVENIRS, SOUVENIRS !

Philman fan des Stones,
Saint-Nazaire, 1968.

© D.R.

Philman à la guitare,
Châlons, 1971

© D.R.

Groupe de lycée avec Olivier Ledref,
Laurent Manœuvre, Patrick Bridoux
et Philman, 1974.

La famille Rock : Philman, Manon, Ulysse, Candice et Lily Rock,
Avril 2017.

Au pied de la grande pyramide, janvier 2010.

avoir été appelés. On tente de leur expliquer que tout le monde ne peut pas être là...

Par contre, il y a de bons côtés. Je parle à M. Camus tous les jours. En veine de confidences, il m'explique comment il gère la carrière du « *toujours difficile* » dieu du rock...

Camus avait monté une gestion de Johnny « *en triangle* ». Selon lui, il fallait trois personnes pour convaincre Johnny. Si Camus, la maison de disques et la fiancée du moment tiraient dans la même direction, Johnny suivait. Dans le cas contraire, s'il percevait l'ombre d'une faille ou le moindre petit doute d'un des interlocuteurs, il s'engouffrait pour attiser le chaos.

Car Johnny Hallyday provoquait le chaos.

1989 : le Festival du cinéma rock de Val-d'Isère approche et Johnny, qui est désormais en ménage avec Adeline Blondieau, dite Dadou, fille de Long Chris, son parolier et meilleur pote des années 60, accepte volontiers d'en être le président.

Particularité : nous avons loué un TGV entier à la SNCF. Tous les participants du festival, journalistes, acteurs, rockers, réalisateurs, jury, attachés de presse, doivent embarquer dans le même train. Le départ a lieu un matin de décembre, à 7 h 30. Les paris sur notre homme Johnny sont lancés : viendra ? Viendra pas ? En tant qu'organisateur, je suis dans mes petits souliers.

Fièrement campé sur ses santiags, Johnny déboule à 7 h 25 et monte dans le TGV qui part pile à l'heure. Dadou nous rejoindra en fin de semaine.

8 heures du matin. Assis sur le siège à côté de moi, Johnny lève un verre de scotch, regarde à travers le liquide ambré et me dit :

« *Regarde-le bien, ce verre, rocker.*

— *Ah oui, pourquoi ?*

— *Parce que c'est le dernier que je vais m'octroyer pour un bon*

145

petit moment. J'ai décidé d'arrêter l'alcool pendant toute la durée de ton festival… »

10 heures : esclandre au bar. Dadou a invité plein de copains de son lycée. Un grand flandrin pose problème. Ivre mort au bar, il raconte à tous ceux qui passent *« avoir sauté Dadou en terminale »*.

Et si Johnny entendait ça ?

On calme le garçon et on fonce retrouver le rocker qui, oublieux de sa promesse, est en train de descendre son troisième scotch.

« Tu sais ce que j'aime avec Dadou ? demande-t-il comme s'il lisait dans mes pensées : *grâce à elle, je sais tout ce que pensent les jeunes ! »*

On pensait déjà avoir beaucoup bu à Val-d'Isère avec Gainsbourg. On croyait même avoir repoussé toutes les bornes et toutes les limites de l'alcoolisme mondain. On se trompait. Avec Johnny Hallyday président, je vais boire comme jamais. J&B, champagne, Jack Daniels, vodka : tout va y passer.

Tout au long du séjour, Johnny se révèle en grande forme. Président du jury scrupuleux, il va voir absolument tous les films. Seule requête : qu'on lui prévoie un pack de Heineken dans la salle obscure.

Sinon, Johnny a quand même des règles strictes. Le matin, quand il émerge, il aime que les bonshommes de son entourage soient rasés de frais. Tatoués. Vêtus de jeans sanglés. Régulièrement, Johnny inspecte son jury. Pierre Richard a les mauvais jeans, Truc a oublié de se raser, je ne suis pas tatoué… Remontrances. Un jour, j'arrive du ski en pantalon argent. J'implore Johnny de donner un entretien rapide à Skyrock avec moi.

« Je le ferai uniquement si tu vas changer de pantalon. »

Après les projections et les dîners, Johnny fonce s'éclater en boîte avec son gang. Il hennit de plaisir en dévalant quatre à quatre les escaliers, sanglé dans son plus beau Perfecto. Pour un oui ou pour un non, il monte sur scène dans tous les clubs de Val-d'Isère. Les rockers, dont Vincent Palmer de Bijou, carbonisent les amplis. Johnny est là, avec eux ! Tout le monde mouille la chemise.

À son hôtel, de retour de boîte, Johnny aime discuter. Nous avons alors de longues discussions purement musicales. Ça parle glissements de tempo, Jerry Lee Lewis, disques Sun. Je découvre le Johnny musicologue !

Un Johnny intarissable. Une nuit qu'on parle d'Eddie Cochran vers 4 heures du matin, pour ne pas perdre le fil de sa péroraison, il se lève, urine directement dans le foyer de la cheminée tout en poursuivant sa démonstration, puis revient s'asseoir sur son fauteuil en remontant sa braguette. Axel Bauer est bluffé. Johnny réveille alors le room service : il a envie d'une soupe.

Il nous parle également de l'industrie du disque, de ce qu'il a essayé de faire, de changer, de moderniser. Des bâtons qu'on lui a sans arrêt mis dans les roues. Dès le début, quand Vogue lui a refusé un malheureux saxo pour un nouveau morceau ! Johnny a appris le Métier sur la route, avec des gens de théâtre, des danseurs, dans des clubs européens. Et tout ce qui se passe sur scène l'intéresse, le fascine. Il tombe sous le charme des VRP, ce groupe alternatif qui passe à Val-d'Isère. À Paris, il débarque sans arrêt à Bercy pour voir le dernier groupe à la mode, il cogite de nouvelles idées de spectacle, toujours plus démentes, avec des arrivées sur scène irréelles.

Et son truc, désolé, c'est le rock.

En 1991, je participe à l'émission d'Antenne 2 produite par Thierry Ardisson, *Télé Zèbre*. Je fais l'interview de la semaine, plein d'autres animateurs participent et le chauffeur de salle, Bruno Solo, va devenir une vedette. Mais l'émission ne fait jamais assez d'audience et un jour, Ardisson m'envoie interviewer Johnny Hallyday qui tourne dans les Zénith du sud de la France.

Je pars donc rejoindre le Johnny Circus à Toulouse, mais ça ne se passe pas très bien.

Dadou, qui devait venir avec moi sur la tournée, annule au dernier moment. Johnny est furieux de cette forfaiture. Où est la traîtresse ? En plus, il a perdu sa voix, ayant fait la teuf toute la nuit en chantant des rocks dans le hall d'un hôtel. Consternation. Camus aussi est en rogne, ma venue cette fois l'indispose. Il refuse que l'interview se fasse avant le concert car Johnny n'a plus beaucoup de voix. La preuve, un médecin vient shooter l'idole à la cortisone avant qu'il ne monte sur scène.

Dépité de ne pas avoir Dadou backstage, en plein *Honky Tonk Women*, Johnny traverse la scène et s'en va se frotter à une choriste black. Il termine le titre en l'enlaçant et en lui roulant un patin. Dans la salle, les gens sont hystériques. Johnny s'est récemment marié à Dadou, son attitude avec la choriste est totalement incompréhensible…

Bref, impossible de faire l'interview après le concert.

En plus, Camus s'énerve à l'idée que nous avons filmé le fameux moment délictueux avec la choriste. N'empêche, tout le monde se retrouve à table, les musiciens, les copains, Johnny, Camus et moi. Je suis un peu tendu. Une équipe télé coûte cher, je ne peux pas rester trois jours au lieu d'un à attendre le bon vouloir de M. Camus. Johnny pose sa main sur mon bras. *« Ne t'inquiète pas, Philippe. On fera l'interview demain, OK ? »*

Camus se raidit un peu plus, il tient la table à deux mains. Un silence de mort retombe. Heureusement, le garçon de salle surgit, porteur de pièces de viande saignante. Je respire.

Nous ferons finalement l'interview et je repartirai vers Paris, mission accomplie.

1993. Je vais voir Johnny et son incroyable entrée en scène au

Parc des Princes. Ce qu'il réussit tout seul dans son gros blouson clouté est à peine imaginable. Personne, aucun chanteur, ne pourra jamais réitérer un truc pareil. Et je l'écris en connaissance de cause : l'année suivante, en tournée solo au Japon, Mick Jagger essayera de rentrer par la salle. Ce sera une débâcle totale pour le Stone solo, qui devra rebrousser chemin, les cheveux arrachés par des Japonaises en folie. Il fallait être un colosse comme Johnny pour réussir ce tour de force.

Beaucoup de gens ne comprennent pas mon respect pour Johnny. C'est pourtant simple : il est notre Elvis. Le premier à avoir osé. Celui qui a terminé Tino Rossi. Celui qui a repoussé l'accordéon, au nom de la guitare électrique et du rock.

Et puis, les anti-Johnny ont leur doxa. Ils nous expliquent que Johnny, ayant chanté du twist dès 1962, a cessé à ce moment-là d'être un rocker crédible. Certains sont même allés jusqu'à faire abattre des arbres pour écrire ça dans des livres, j'ai les noms !

Moi, le critique, je garde le souvenir de ce qui a été mais de ce qui aurait pu être, aussi. Quelques exemples.

En 1977, Johnny enregistre le double album *Hamlet* d'après Shakespeare. Inconscient du punk, inconscient de ce qui se passe dans le monde, Johnny s'enferme cinq mois avec cent cinquante musiciens. Le studio 92 est trop petit pour mettre tout le monde, on enregistre les cuivres dans la cour... Mais dès sa sortie, le double album sera retoqué. Moqué de tous, le Hamlet rock de Johnny deviendra la risée. Incroyablement, si ce disque avait marché, Johnny et son équipe avaient prévu d'enregistrer *Les Chants de Maldoror*, adapté du livre de Lautréamont.

Sinon, en 1991, Johnny part en Louisiane pour enregistrer un album entier avec Tony Joe White, le fameux compositeur du « Polk Salad Annie », repris par Elvis. Deux chansons sont réalisées, mais voilà-t-il pas que Johnny drague Michelle, la fille de Tony Joe. Les sessions s'arrêtent illico. Tony Joe White ramène Johnny à l'aéroport, sans rancune. Le projet prometteur ne sera jamais terminé.

Mais il y a encore un autre opus qui n'a jamais vu le jour. Et de taille.

Johnny me l'a raconté alors que je le suivais sur sa tournée américaine. Il aurait dû faire un disque... avec Michel Polnareff.

Cette idée d'album, Johnny et Michel l'ont eue avant les ennuis de santé de 2009. Johnny aussitôt sorti de l'hôpital, Polnareff vient lui rendre visite dans sa villa de Pacific Palisades.

Michel se montre alors formel : « *Oui, le projet avance. Je peux te dire que j'ai terminé trois chansons...* »

Affaibli, Johnny lui désigne le piano, dans un coin du salon : « *Michel, joue-moi un petit bout d'un titre, s'il te plaît...* »

Michel refuse. Il préférerait amener à Johnny les douze titres terminés d'un coup.

« *Au revoir, Michel...*
— *Bye Bye, Johnny...* »

C'est alors que Johnny est pris d'un doute terrible. « *Si Michel avait joué un truc au piano, n'importe quoi, je signais avec lui... Mais son refus m'a fichu la trouille...* », me confiera-t-il, deux ans plus tard.

Car Johnny avait soudain réalisé que Michel n'avait rien publié depuis 1996. Et si Polnareff repoussait, des années durant, la remise des chansons de Johnny ? Or Johnny avait envie de revenir vite. Il n'avait rien fait depuis deux ans. Il s'est donc tourné vers M, qui lui a proposé une solution plus rapide. Ils sont allés enregistrer au studio Ocean Burbank avec Johnny et une petite formation rock. Et l'expérience s'est conclue par le malheureux album *Jamais seul*. Mais pour Johnny, ce n'était pas grave. L'important était de revenir.

Durer, encore et toujours.

Polnareff avait sans doute composé des choses. Peut-être s'exprimera-t-il d'ailleurs sur ce sujet, resté lettre morte à ce jour... Mais il fallait mentionner cette histoire. Ce grand album perdu Johnny/Polnareff est appelé à devenir un mythe, comme tout ce qui touche à la légende Hallyday.

1996. Johnny se marie avec Laeticia Boudou.

Faut-il insister ? Raconter des trucs ? Essayer de grossir le trait d'un côté ou de l'autre ?

Voici du vécu.

Je suis rédacteur en chef de *Rock&Folk* depuis trois ans quand Johnny épouse Laeticia à la mairie de Neuilly. Un jour de cette année-là, je déjeune avec Pascal Nègre, le directeur des disques Barclay et bientôt le grand chef du monde Universal, ainsi qu'Olivier Caillart, qui travaillait chez Barclay et idolâtrait Johnny depuis sa petite enfance. Le papa de Caillart était le grand argentier des disques Philips. Souvent, le dimanche soir, Johnny passait chercher un chèque chez les Caillart et il restait dîner. Évidemment, Caillart et moi, nous étions allés vivre l'anniversaire de Johnny au Parc des Princes (à deux sur sa Harley).

Et donc, dès le début du déjeuner, on évoque cette nouvelle conquête, Laeticia. Pratiquement tout le monde dans l'industrie prend des paris : « *Est-ce qu'elle va rester plus d'une semaine ? Un mois ? Six mois ?* »

On conviendra que ça tourne vite, à l'époque, dans la vie de Johnny. Il y a eu des Dadou, des Babette, un certain nombre de filles qui sont restées trois semaines avec l'idole. Mais Pascal Nègre nous dit : « *Oui, sauf que celle-là, je ne crois pas qu'il va la quitter. Il y a des familles où on ne quitte pas la fille...* »

Resté curieux de tout ce que fait Johnny Hallyday, j'essaye d'assister à toutes ses tournées au moins une fois, pour savoir où en est le patron. Quand il réussit enfin à quitter Universal, c'est après une bataille phénoménale avec Pascal Nègre qui perd littéralement la proverbiale poule aux œufs d'or (*Sang pour sang*, un album de Johnny, composé par David, avait dépassé les deux millions d'exemplaires).

Chez Universal, Johnny s'éloignait du rock. Pas grave. Il vendait des disques, des places de concert. Il était devenu une planète à lui tout seul. Désormais, dans sa loge, il y a son ami Nicolas Sarkozy, Jean-Pierre Raffarin et Rachida Dati. Et deux ou trois ministres qui font le pied de grue dans le couloir. Comme James Brown, Johnny est devenu l'ami des présidents.

Tout ça ne me regarde plus du tout.

Je vais aux concerts de 2009 au Stade de France, mais j'évite les loges.

Et puis, il n'y a pas que Johnny dans la vie !

En 2009, je rassemble un groupe plutôt intéressant, le Dharma Project. Il y a là trois guitaristes et une excellente chanteuse, Lussi, repérée à Nouvelle Star : elle avait provoqué un mini-scandale en exigeant de pouvoir chanter du AC/DC. Je monte le groupe avec des gamins du Gibus, Yarol Poupaud et quelques vétérans comme le batteur de Trust ou Fred Jimenez, l'ancien bassiste de AS Dragon. Les Dharma ne font que des reprises : Led Zeppelin, Lynyrd Skynyrd, Deep Purple, Doors, Steppenwolf. On joue du hard rock psychédélique et ils terminent le concert par une version de « Sister Ray » assez terminale.

Ça a de la gueule, comme on dit !

En plein retour d'un concert épique à Morzine, le téléphone de Yarol sonne : c'est l'équipe Hallyday qui lui demande s'il pourrait venir faire une télévision derrière Johnny.

Un Johnny qui ne va pas fort. Revenu des morts après son coma artificiel, il n'a pas chanté pendant deux ans. Il vient de faire un disque avec M, mais Matthieu Chedid ne peut pas assurer la promo de l'album, qui ne se vend pas du tout. Johnny est seul comme jamais. Yarol va devenir sa planche de salut, ce qui, automatiquement, détruira le Dharma Project.

C'est très con, mais c'est la loi du plus fort. Et Johnny Hallyday a besoin d'une équipe nouvelle.

Yarol devient directeur musical de Johnny. Il amène Sébastien Farran, qui sera le manager dont Johnny avait toujours eu besoin.

En bref, Yarol fait du très bon boulot. Il remet Johnny dans un bain classic rock, puisant dans le répertoire de vieilles pépites rock, blues ou country, retrouvant la flamme et proposant au final le meilleur des groupes que Johnny ait jamais eu pour la fin de carrière, de 2011 à 2016.

Yarol dans la place, très vite, l'équipe Hallyday fait appel à moi. Interview, entretien, conférence de presse, on me demande même d'assurer la première partie de Johnny en tant que DJ lors d'un concert de Noël au Trianon, le 15 décembre 2013.

Immense honneur.

Après le concert, une petite fête est organisée dans les salons du Trianon. Je passe plein de 45 tours rockabilly, notamment du Vince Taylor, du Eddie Cochran, du Johnny Cash. Un Johnny enthousiaste vient me féliciter de mes choix musicaux.

« J'avais oublié tout ça… bravo et merci ! Fais-moi un CD de rockabilly… »

Seb Farran m'appelle ensuite pour me proposer de suivre la tournée américaine Born Rocker USA. Johnny va effectuer quinze concerts aux États Unis. Comme les Stones de la grande époque, il veut qu'un rock critic certifié participe à la tournée pour la raconter de l'intérieur. Serais-je OK pour écrire un livre sur cette tournée avec Johnny ?

« Seb, le pape est-il catholique ? »

153

Au début, la promesse initiale, c'était que nous devions faire cette tournée sans Laeticia, ni femmes ni enfants, rock'n'roll à tous les étages. À l'arrivée, Laeticia est là, bien sûr, du premier au dernier concert, très observatrice, très douce, sirotant ses bloody mary pendant les courts trajets en jet privé entre les grandes villes légendaires où Johnny joue enfin, New York, Boston, Washington, Miami, New Orleans, Dallas, Houston.

En Amérique, Johnny est comme un enfant qui déballe ses cadeaux le matin de Noël. À soixante-dix ans, il tourne enfin aux États-Unis ! Quand l'avion se pose, les guitaristes foncent récupérer leurs étuis à guitare. Leur vie. Johnny, lui, se redresse de son siège, pousse un petit coup de gorge qui résonne comme une corne de brume et décrète : « *Moi, ça va, elle est là, ma voix !* »

Johnny avait une voix phénoménale.

Surtout, sa voix avait magnifiquement vieilli.

Entraîné par un exercice régulier des cordes vocales (cent quatre-vingt-trois tournées !), il avait réussi à préserver son organe dans toute sa splendeur.

Je découvre alors un Johnny changé. Ce n'est plus le chien fou des années 80. Johnny a vieilli, certes, mais il s'est bonifié, humanisé. Johnny s'est frotté au monde du cinéma, qui l'a énormément apprécié. On ne passe pas innocemment des semaines avec des Rochefort, Seigner, Luchini, Leconte, Masson, Lelouch… Johnny est devenu un autre personnage. Il manie impeccablement la langue française et il a gommé la plupart des johnnysmes de son vocabulaire.

Nous avons vécu beaucoup de choses fabuleuses ensemble, et tout a été raconté dans *La Terre promise*, paru aux éditions Fayard.

Le livre n'a connu aucun succès. C'est même sans doute le livre de Johnny Hallyday qui s'est le moins vendu. Il y a une raison pour cela : il est sorti le 14 novembre 2015, le lendemain de l'attentat du Bataclan. Une dédicace était envisagée au drugstore des Champs-Élysées, en décembre. Inutile de dire que les événements allaient réduire tous ces projets à néant. Et j'ai abandonné la promotion du livre au bout de quatre télévisions. Moi aussi, j'avais besoin de faire mon deuil.

Terriblement touché par la tuerie du Bataclan, l'une des seules salles de France où il n'avait jamais joué, Johnny a été le seul performer (avec Bob Dylan) à ne pas cesser sa tournée, à ne pas annuler une date, à continuer de tracer sa route mordicus, jusqu'en Belgique. En janvier 2016, je lui ai rendu visite dans sa loge de Bercy avec Marion, la photographe de *Rock&Folk* blessée au Bataclan, et Johnny a été un hôte exquis, attentionné.

Il n'est pas facile d'être un chef du rock.

Les critiques fusent de partout. Être numéro un dans le rock ? Ah, il a dû en faire, des compromissions pour arriver là ! C'est ce qu'on a dit de U2, de Coldplay, de tout ce qui marche. Johnny Hallyday avait été *number one* du rock de 1960 à 2017.

Ça laisse des traces.

Et puis la maladie l'a rattrapé.

Et le dieu est mort.

De tout ce que j'ai vécu avec lui, je crois que je préférerai me souvenir de quelques belles soirées avec l'idole.

Un concert à Marseille, en 2012. Johnny part du Bourget dans son jet privé, avec Guillaume Canet et ses musiciens. On se pose à Nice. Johnny descend de l'avion pour monter dans une Mercedes qui part à cent trente kilomètres/heure, escortée par des motards avec sirène. Nous arrivons au Zénith. La voiture de Johnny rentre directement dans le couloir des coulisses. Johnny en descend, nous passons vingt minutes ensemble, tout seuls dans sa loge.

Johnny est un Gémeaux, comme Dylan, comme McCartney, comme moi. On se comprend sans se parler. S'il est dans un stade, il a envie de faire un club. S'il est dans un club, il a envie de faire un stade. C'est ainsi. C'est la malédiction du Gémeaux. Je ne l'ai vu apaisé qu'une seule et unique fois.

C'était une belle soirée de printemps à Los Angeles et il m'a invité à dîner chez lui. Nous sommes arrivés avec Candice vers 20 heures, à la villa de Pacific Palisades. Le soleil hésitait au-dessus de quelques palmiers. Le couchant californien, ce sont des nuages roses et orange partout dans le ciel.

Sur un fauteuil de cuir noir, notre homme, Johnny. À ses pieds, un petit électrophone sur lequel il écoutait un vieux vinyle de Little Richard. Johnny a bu un verre de rouge, m'a proposé un Coca. Je l'ai épaté : un rocker qui boit de l'eau ? ? ? J'ai sorti un pétard et Johnny m'a demandé, sur le ton de la confidence, si je ne pourrais pas lui en glisser un pour tout à l'heure, avant de dormir.

Le Johnny rencontré ce soir-là, c'était le patriarche.

Il était là, dans la ville qu'il s'était choisie, non loin de son copain Polnareff. Jade et Joy jouaient, Laeticia préparait des pâtes pour le dîner. Le disque de Little Richard terminé, Johnny nous a montré sa collection de photos. Puis, nous sommes allés au garage admirer ses Harley. C'était Johnny et c'est comme ça que j'ai envie de me souvenir de lui.

J'ai écrit ce chapitre à La Rochelle, pendant les Francofolies. Le premier soir, je suis allé voir un groupe sur la grande scène où Johnny jouait, devant nous, il y a trois ans, précisément. C'est là que j'ai reçu le choc énorme de sa disparition. Quelque part dans mon cerveau, une petite voix disait que *c'était la scène de Johnny et qu'il ne la foulera plus, jamais.*

Cette fois, c'est bien fini. Johnny ne reviendra pas.

Une phrase de James Brown me revient : « *Et vous ne reverrez pas un truc pareil pendant des milliers d'années...* »

LA TÉLÉVISION ET MOI

Télévision, la drogue des nations

Un jour, en 1974, une dame m'arrête, alors que je me promène dans la rue Saint-Antoine. Productrice à la télévision, elle me demande si moi, le jeune de vingt ans à cheveux longs, j'aime la musique.

Bénédicte Baillot-Hardy me propose de passer dans le poste pour jouer un fan d'… Alan Stivell. Elle pense que je pourrais trouver ma place dans une émission (en noir et blanc !) sur le barde celte qui a organisé un triomphal retour de la harpe celtique. Je pourrai même parler avec Stivell, si je veux. Stupéfait de la proposition, j'accepte et on tourne. L'émission s'appelle *Court-Circuit*, elle sera diffusée le 15 janvier 1975.

Personnellement, j'aurais préféré parler des Rolling Stones, mais je deviens, ce jour-là, pour la télévision, *« le chevelu qui aime la musique rock »*. Un rôle que je vais interpréter pendant plus de quarante ans ! Avec des hauts et des bas, comme dans toute carrière médiatique.

Merci Bénédicte pour votre intuition !

En 1975, toujours, nouvel appel. Un jeune monteur nommé Alain de Greef est en train de travailler sur l'émission rock de Freddy Hausser. Ils doivent interviewer Ian Gillan, le chan-

159

teur de Deep Purple, mais Freddy Hausser est dans le sud des États-Unis avec Allman Brothers. Du coup, de Greef appelle *Rock&Folk*. Il a repéré mes articles et demande si je peux venir à Cognacq-Jay interviewer Ian Gillan. En plus, c'est payé. Très heureux de gagner de quoi m'acheter quelques disques de plus, je découvre, de l'intérieur, la télévision de l'âge de bronze, dans les studios historiques où tout a commencé...

Après l'interview, très intéressé par ce nouveau monde, je vais voir de Greef monter l'émission. Processus laborieux, à l'époque. De Greef travaille sur du film, avec ses petits gants blancs, il fait ses repérages, coupe, recolle les bouts de film avec du scotch. Nous passons une bonne semaine à monter l'entretien Deep Purple. Nous décidons de nous revoir. C'est le début d'une grande amitié avec Alain de Greef qui deviendra, en 1984, le numéro deux de Canal+ et inventera nombre de concepts prémonitoires pour la télévision, à commencer par les Guignols.

Avec le recul, il m'arrive de penser que toute ma carrière télé a été rêvée par de Greef. Que c'est lui qui a tout prévu, imaginé. C'était mon meilleur ami. Nous étions très différents l'un de l'autre. Il admirait mon énergie sans faille pour le rock, je trouvais admirable son côté cérébral et réservé.

Alain, où que tu sois, merci pour ces années de rires et de musique.

Avec Freddy Hausser, je m'entends aussi très bien immédiatement.

Freddy est un personnage séducteur, adorable. C'est un grand reporter de *Cinq Colonnes à la une*. Vietnam, guerre des Six-Jours, Algérie : il a plusieurs fois risqué sa vie pour ramener des images de guerre à la chaîne. Personne ne peut rien lui refuser, alors il a décidé d'utiliser son nom pour produire et réaliser une émission rock, *Juke Box*. Freddy est un pionnier et un baroudeur du rock.

Freddy ira jusqu'au bout de son rêve en filmant les concerts des Rolling Stones, aux Abattoirs, en 1976.

Il en tire un film de concert luxuriant, l'un des tout premiers tournés en vidéo. Le film sera revendu dans quarante pays. Malheureusement, Freddy deviendra aussi le meilleur ami de Keith Richards. Désormais junkie confirmé, Freddy va laisser beaucoup de plumes dans la dope.

En 1976, le producteur Claude Villers me repère lors d'un dîner chez Jean-Pierre Dionnet. Il prépare une émission sur Eddy Mitchell. Il me demande d'apporter un peu de contradiction dans l'entretien. Pour moi, c'est facile. Le punk arrive, je le sais. Je vais donc reprocher à Eddy Mitchell de ne plus faire du rock comme à l'époque des Chaussettes Noires et d'être devenu un crooner pacifique, lui qui a été un chanteur sauvage. Cette séquence sera rediffusée un grand nombre de fois, hors contexte, tant et si bien qu'un beau jour, Eddy Mitchell m'appellera : il en a marre (et moi aussi). Nous déjeunerons ensemble et déciderons d'interdire toute rediffusion de cette séquence venue d'un passé lointain.

Septembre 1978 : le punk est là ! Et les Clash sont invités à la télévision dans une émission de Jean-Loup Lafont et Freddy Hausser, qui passe le mercredi après-midi sur Antenne 2. Alain de Greef m'appelle à *Métal Hurlant*. En fait, tout le monde craint que, profitant du direct, les Clash ne fassent un scandale punk et insultent la chaîne, le présentateur, ou les deux. Je fonce à Antenne 2 et je fais l'interview du groupe en direct. Je présente chaque Clash, Joe Strummer rote effectivement dans le micro. Nullement perturbé, j'en conclus : « *Comme on peut voir, il parle français* » et les Clash se mettent à jouer « Complete Control ».

À peine le temps de jouer l'intro, les techniciens présents quittent le plateau et foncent chercher la médecine du travail. *« Ce groupe joue beaucoup trop fort... grève générale ! »* Le médecin du travail agite un sonomètre et confirme : nos oreilles vont saigner. Le groupe interloqué s'arrête de jouer. Pour Freddy Hausser ce sera la goutte d'eau proverbiale. Cette interruption du concert des Clash en plein direct ne passe vraiment pas. Dégoûté, Freddy abandonne, ce jour-là, l'idée de proposer toute émission rock à la télévision.

1982 : Alain de Greef est devenu le chef d'atelier d'une émission imaginée par Pierre Lescure et diffusée sur Antenne 2 : *Les Enfants du Rock*. Pierre est un journaliste de très grand talent. Sous ses costumes-cravates se cache un rocker. Aidé par de Greef, il rassemble une équipe de compétition avec Antoine de Caunes, l'impayable Jacky Jakubowicz, le vrai Léon Zitrone en personne (qui présente la première !), Jean-Pierre Dionnet et moi.

Alain Burosse présente des clips fous, Dionnet et moi faisons nos débuts en proposant un magazine sur la bande dessinée intitulé *L'Impeccable*. Nous essayons de rendre hommage à la BD en interviewant de grands dessinateurs et en multipliant les séquences poilantes. Une bonne école.

Le meilleur numéro de *L'Impeccable* est tourné au moment de la sortie du film *Conan le Barbare*. Le réalisateur John Milius vient faire la promotion à Paris avec l'acteur principal du film, un culturiste nommé Arnold Schwarzenegger. Lors des projections, peu de gens ont compris la vision barbare et l'univers de Milius.

On ne se bouscule pas pour inviter Arnold sur les plateaux non plus... sauf que *L'Impeccable* a mis les petits plats dans les grands. Nous accueillons Arnold sur un plateau gothique, en présence d'un sorcier (Dionnet), d'un bourreau (Fromental), de deux pin-up (Sophie Bramly et Florence), d'un barbare (moi) et d'une collection d'instruments de torture dignes d'un clip gothique (haches, serpents, têtes de mort, épées, lances et boucliers). La séquence est toujours sur YouTube.

Dionnet et moi passons à la question le traducteur des livres de *Conan*, François Truchaud. Ligoté sur une croix de Saint-André, il nous explique tout sur Robert E Howard et le mythe de Conan. C'est à ce moment-là que Schwarzenegger fait son entrée sur le plateau en santiags et veste de cuir, beuglant : « *What are you, little frogs, doing here ?* »

L'entretien est musclé. J'ai à la main une épée géante et Arnold va se faire un plaisir de me faire une démonstration d'escrime. Considérant impitoyablement mon ventre de buveur de bière, il me conseille aussi de me mettre au plus vite à la musculation, conseil qui restera lettre morte à ce jour.

Mais la grande découverte de *L'Impeccable*, c'est Emmanuelle Béart, rencontrée lors d'une fête *Enfants du Rock* à Garches, où Emmanuelle est venue en voisine. Frappé par sa fraîcheur ou va savoir quoi, Dionnet lui propose de jouer dans une émission spéciale « Guerre et Bande dessinée ».

Le jour du tournage est arrivé. Emmanuelle a un petit rôle dans une bande de guerrières, entre deux top models suédois. Le cadreur, Jean-Michel Marchais, jette un regard dans l'œilleton de sa caméra et devient tout pâle. Il appelle le réalisateur Jean-Louis Cap, qui regarde à son tour. Emmanuelle Béart crève l'écran. On ne voit qu'elle. La proverbiale reine au milieu des esclaves. On lui donne instantanément le rôle de chef des Amazones, avec un peu de dialogue et un gros revolver avec lequel elle flingue Patrick Coutin, chanteur de « J'aime regarder les filles ».

Une star est née.

Pierre Lescure est notre chef adoré. Il a su souder l'équipe et tirer de nous le meilleur, tout en nous défendant face aux inévitables pressions extérieures — *Le Figaro* et toute la grande presse sont souvent excédés.

Fin 1982, Lescure nous commande une émission de Noël. Nous rédigeons alors le scénario d'*Embûches de Noël,* pour un résultat qui s'apparente à du Maritie et Gilbert Carpentier sous acide. Je me souviens (entre autres) de Bashung chantant « Stille Nacht » avec la chorale de Jalons (Daisy d'Errata, Frigide Barjot, Karl Zéro, Basile de Koch, mais oui déjà !). Les punk rockers, eux aussi, sont là puisque Siouxsie and the Banshees (avec Robert Smith de Cure !) nous interprètent « Il est né le divin enfant » — leur version reste disponible en face B d'un 45 tours de l'époque.

En attendant les interminables réglages lumière liés au tournage dans une rue enneigée, je passe l'après-midi affalé au bar du studio de Boulogne à descendre des cognacs avec Siouxsie, un peu dubitative. L'heure venue, Robert Smith a bien du mal à entrechoquer ses deux cymbales. Peu après, les Téléphone jouent Cendrillon incarnée par une formidable Lio qui ose apparaître en souillon, armée d'une bâche. Les Téléphone apprécient notre émission, c'est l'une des seules qu'ils fassent sans arrière-pensées.

Jean-Pierre Dionnet et moi, nous passons quatre heures au maquillage : on nous grime en vieillards. Installés à un balcon, tels les deux vieux du *Muppet Show*, nous trouvons toutes les séquences pathétiques. Actors Studio nous voilà.

Ce qui est génial avec les *Enfants du Rock*, c'est que Pierre Lescure nous a permis de rencontrer Pierre Desgraupes, le président d'Antenne 2 nommé par Pierre Mauroy en 1981. Desgraupes est une légende vivante. Pionnier de la télévision, il a lancé *Lecture pour tous* et surtout *Cinq Colonnes à la une.* Nous aurons de longues conversations avec ce président bougon, rogue, incroyablement affûté et visionnaire.

Pour Desgraupes, *Les Enfants du Rock*, c'est nécessaire, c'est bien, mais le président voit loin, beaucoup plus loin. Il m'écoute, fasciné.

« *Tu as quel âge, Manœuvre ?*

— *Vingt-sept ans…*

— *C'est bien vieux. Mais tu connais le langage des jeunes et c'est ça qui compte.* »

Desgraupes vient de lancer *Châteauvallon*, feuilleton qui révolutionne la télé de l'époque. Pour la première fois, Antenne 2 fait plus d'audience que TF1 ! Et puis, Desgraupes a une nouvelle idée. Il voudrait que Dionnet et moi écrivions un feuilleton pour les jeunes. Nous avons l'idée du *Nain jaune* et rédigeons la trame des douze premiers épisodes.

Le générique du feuilleton commence dans la rue. La caméra suit un motard coursier, casqué sur son scooter, de dos, puis de face, qui s'énerve contre les automobilistes, roule très vite, zigzague, fait des doigts aux bagnoles, balance un coup de latte à un bus, rigole avec d'autres motards au feu rouge. Le motard fonce plein gaz dans Paris et s'arrête enfin devant une grande bâtisse isolée. Là, il enlève son casque, une cascade de cheveux blonds s'en échappe. Et on réalise que le motard violent est une fille de dix-neuf ans. C'est elle, le héros de la série. Elle vit dans un squat, le Nain jaune, vieille villa abandonnée où se retrouve une bande d'ados, des jumeaux, un matheux, un sportif, deux filles. Ce squat, c'est la république des enfants.

Voilà l'idée de départ, le pitch. Desgraupes trouve ça parfait. Il nous demande d'écrire le pilote.

Autre moment notable : Desgraupes est à son bureau directorial, ses lunettes sur le front, la porte s'entrouvre. Sa secrétaire passe une tête et annonce que le président Mitterrand est en ligne. Il voudrait lui parler immédiatement. Desgraupes relève la tête et s'écrie : « *Il me fait chier !* »

Il refuse de prendre la communication avec l'Élysée.

Ça, plus la grue de Latche, ça fait beaucoup.

On connaît la suite. Mitterrand fera voter une loi abaissant à soixante-cinq ans l'âge plafond des présidents d'entreprise publique. Desgraupes viré d'Antenne 2, le projet *Nain jaune* partira aux oubliettes de la télévision, dans la grande sargasse des émissions qui auraient pu et auraient dû.

Sur ces entrefaites, Pierre Lescure nous quitte pour prendre la direction de l'information sur Antenne 2. Il est remplacé par Patrice Blanc-Francard, qui arrive de France Inter. Quand Blanc-Francard s'installe dans son bureau, il trouve, posé dessus, un projet signé Dionnet-Manœuvre : une émission intitulée *Sex Machine* et au cocktail inédit : 33 % de musique funk, 33 % de gags et 33 % de filles très dévêtues.

Blanc-Francard accepte immédiatement le projet et nous dégage un budget pour une première émission. Jean-Louis Cap réalise. Vétéran du *Collaro Show*, il saura mettre nos délires en images et nous aider à affronter la *jamais facile* organisation communiste de service public connue sous le sigle SFP, Société française de production.

Aux Buttes-Chaumont, le montage du premier *Sex Machine* avance. Notre assistante, Brenda Jackson, passe chez Columbia pour récupérer des clips. Le responsable télé lui en remet plein, puis il ajoute : « *Tiens, au fait, on vient de recevoir une nouveauté des USA... Michael Jackson, 'Billie Jean'. Ça peut vous intéresser ?* »

À l'époque, le clip est encore une rareté coûteuse. Les Jacksons en ont tourné un mémorable, « Can You Feel It », Van Halen en a tourné un trop potache pour « Pretty Woman ». Tout le monde tâtonne, sans grand résultat. MTV a tout juste commencé à émettre aux États-Unis en août 1981 et un peu partout, des groupes et des artistes se lancent et essayent des choses...

Aux Buttes-Chaumont, Brenda Jackson est scotchée. Elle vient de visionner le clip de « Billie Jean » et un attroupement s'est formé autour du moniteur. Personne n'a jamais vu un truc pareil. Michael Jackson se révèle un danseur unique, sa scénographie est surexcitante (il allume les trottoirs en marchant dessus) et on me demande de venir de toute urgence au montage.

Je découvre l'équipe en plein dilemme.

Tout le monde est sûr d'un truc : ce clip de Michael Jackson est un monument, sa diffusion va créer un séisme. Problème : l'émission est déjà bien avancée. Trente-six minutes sont montées. Pourtant, « Billie Jean » mériterait la pole position... Je temporise. On va placer « Billie Jean » à la 37ᵉ minute et ce sera le clou de l'émission, au beau milieu du programme !

Le premier numéro de *Sex Machine* est diffusé le 14 avril 1983.

Les réactions sont fabuleuses et le 45 tours de « Billie Jean » devient un tube quasi universel.

Je passe au Lido Musique, sur les Champs-Élysées : le vendeur a posé une pile de « Billie Jean » à côté de la caisse. Pendant que je suis là, deux personnes passent avec la même demande : « *Avez-vous le disque du gamin qui allume les trottoirs ?* » Je suis stupéfait de ce nouveau pouvoir de la télévision. En une nuit, Michael Jackson est devenu un phénomène national.

Brenda revient de chez Columbia avec une nouvelle merveille : le clip de « Beat It ». Que nous diffusons à nouveau dans le troisième numéro de *Sex Machine*. L'audience de l'émission est énorme. À nouveau. On nous confirme que « *ça se passe pas trop mal* » et Patrice Blanc-Francard obtient un nouveau créneau de diffusion assez idéal : le samedi soir, juste après Champs-Elysées.

En revanche, la suite des aventures clippesques de Michael

Jackson nous échappera. Grâce à Marie-France Brière, son monumental « Thriller » (treize minutes chez les zombies réalisées par John Landis) sera diffusé sur TF1, un dimanche midi, dans une case spéciale.

Sex Machine devient très vite une émission ultra-populaire. La locomotive dont avaient besoin *Les Enfants du Rock*.

Mais la télévision de 1984 n'a pas la culture de l'Audimat. Parler des audiences ? Ça ne se fait simplement pas. Dionnet et moi découvrons notre popularité par petites touches successives, par les réactions des gens dans la rue. Un jour que je vais chercher notre assistante Brenda Jackson dans le 19e, je me retrouve entouré d'une bande de loulous effarés qui me lancent : « *Tu ressembles au type de* Sex Machine, *mais tu peux pas être lui, il ne viendrait pas dans un quartier pourri comme celui-là !* »

Généralement, après la diffusion de l'émission qu'on regarde tous ensemble avec l'équipe et les invités, on s'empile dans les voitures pour aller faire la fête en boîte de nuit. Surprise : les radios libres passent les mêmes morceaux que nous et les DJ délirent : « *Waow, vous venez de les voir dans* Sex Machine, *voici* Grandmaster Flash ! Voici Kool & The Gang ! Kid Creole & The Coconuts !* » Sur le coup, on se dit juste qu'on doit bien faire notre boulot. Jusqu'au jour où Blanc-Francard craque et nous révèle que *Sex Machine* dépasse les deux millions d'audience.

À la recherche de nouveaux talents, notre émission continue de décoller, alors que les nouvelles stars des années 80 apparaissent : Prince, Madonna, Boy George, Billy Idol, Kid Creole, tous seront de la fête. Face à cette nouvelle vague, les stars du rock marquent le pas. Beaucoup raccrochent même le gant. Scéniquement, les Rolling Stones disparaissent de 1982 à 1989. Et Téléphone arrête en 1985.

Un jour, j'appelle leur manager, François Ravard, pour lui proposer un passage dans l'une de nos émissions. François est embarrassé. Il finit par me dire : « *Il n'y a plus de groupe.* » Raccrochant, j'appelle la rédaction d'Antenne 2 qui me demande de réaliser un sujet : le premier groupe rock français n'existe plus.

Et moi ? J'ai vingt-neuf ans, je suis un peu perdu dans ma vie, je n'ai pas de copine régulière et l'émission *Sex Machine* fait de moi une starlette nationale.

Être associé à Jean-Pierre Dionnet en permanence fait de nous un duo, avec des bas et des hauts. Souvent, on m'arrête dans la rue pour me demander si je suis Philippe ou Jean-Pierre.

Le vent commence à tourner quand Bernard Lenoir succède à Patrice Blanc-Francard à la direction des *Enfants du Rock*. Très vite, Lenoir donne une interview à *Libération* dans laquelle il dit une chose très simple : lui, Bernard Lenoir, trouve dommage que pour passer de la musique funk on en soit réduit à montrer des gros seins à la télévision.

Sex Machine a vécu. La suite sera douloureuse.

Bernard Lenoir est un homme d'appareil.

Il passe la plus grande partie de son temps à participer à de grandes réunions avec d'autres directeurs. Il en redescend avec une seule et unique conclusion, toujours la même : « *Ça va mal.* »

Un soir de 31 décembre, je rentre chez moi vers les 3 heures du matin. J'ai un message sur mon répondeur. C'est Lenoir qui m'annonce son départ en vacances pour quinze jours et, dans la foulée, la fin de notre émission qu'il a décidé « *de ne pas reconduire l'année prochaine* ». Merci Bernard.

Sur Antenne 2, beaucoup sont écœurés. La rédaction décide que je dois rester sur la chaîne et me trouve un poste de chroniqueur chez William Leymergie, dans *Télématin*.

Voilà, j'ai toujours une rubrique musique sur Antenne 2, simplement elle est désormais en direct à 6 h 55 du matin. Moi aussi, je trouve ça tôt. William Leymergie est entouré d'un harem de journalistes. Il aime bien contrôler son émission matinale. Tout tourne autour de William, William est notre dieu, c'est lui qui nous passe ou nous reprend la parole. Sec, concis, imperturbable, il attend qu'on le mute ailleurs.

William ne m'aime pas. Pas grave, comme beaucoup de présentateurs, il n'aime que lui. Un beau matin, très tôt, trop tôt sans doute, je lui annonce que je vais parler de Depeche Mode.

« Ah, enfin un groupe français… »

Nous sommes à l'antenne. Je suis obligé de lui expliquer que non, pas du tout, Depeche Mode, contrairement à ce qu'on pourrait croire William, est un groupe anglais de Basildon, Grande-Bretagne. C'en est trop pour monsieur William qui pique une colère terrible hors antenne et m'annonce dans la foulée que je suis viré de son *Télématin*.

Même pas mal. Je resurgis peu après sur Canal+ où Alain de Greef m'accueille à bras ouverts. Je me console en organisant un immense raout du rock français en direct du Palais des Sports : l'émission *Génération Rock'N'Roll*. Mais, peu après cet ultime concert avec Bashung, Rita Mitsouko, Bijou, Eddy Mitchell et Johnny Hallyday, je décide que j'en ai marre de la télévision. Dans ma tête, je tire un trait final sur cette expérience de jeunesse.

Pourtant, en 1990, Alain de Greef, encore lui, m'appelle pour me proposer d'aller réaliser une interview de James Brown. Mais… il n'est pas en prison, James ?

« Si, justement. »

De Greef a été contacté par les avocats de James Brown qui croupit dans une geôle du South Carolina Correctional Center depuis deux ans et demi, sans espoir de sortie avant des années.

Au départ, un problème de drogue. Totalement accro au PCP (un tranquillisant pour chevaux), James a fait irruption dans les bureaux d'une compagnie d'assurances, un fusil à la main, hurlant que quelqu'un avait utilisé ses toilettes privées et que ça n'allait pas se passer comme ça. La police est arrivée toutes sirènes hurlantes et James Brown a pris la fuite au volant de son 4x4. Les pneus criblés de balles, James a roulé six miles sur les jantes et a franchi la frontière de deux États, Géorgie et Caroline du Sud. Son crime très banal (il n'y a pas eu le moindre blessé, seule la police a tiré) est devenu fédéral. Et James Brown, le Parrain de la Soul, Monsieur « Sex Machine » en personne, s'est retrouvé condamné à six ans ferme.

Oublié de tous, il aimerait aujourd'hui recouvrer sa liberté et, pour cela, il veut donner une interview à une télévision. Le plus tôt sera le mieux.

Avec l'ancienne assistante des *Enfants du Rock*, Charlotte Verneiges, je pars donc pour Augusta, où nous rejoint une micro équipe américaine (un cadreur et un ingénieur du son).

Sur place, on loge dans un motel très propre où arrivent les avocats de James. Dès le premier soir, sans plus attendre, ils me font subir un interrogatoire féroce. Qu'est-ce que je connais à James Brown ? Puis-je leur citer son premier hit ?

— « *Please, Please, Please* », 1959.

L'interrogatoire se poursuit. Combien de fois l'ai-je vu en concert ? Qu'est-ce que je pense de son morceau « Funky President » ? Combien de fois ai-je rencontré le Godfather ? Où ? Pourquoi ? Tout y passe. Il semble que j'aie passé le test de façon satisfaisante puisqu'ils m'expliquent leur plan.

Demain, dans sa prison, James va feindre une rage de dents terrible. N'ayant aucun moyen de le soigner sur place, l'administration pénitentiaire va amener le prisonnier sous escorte chez son dentiste, à Augusta. Nous serons installés dans la salle d'attente avec notre caméra. Et James Brown va nous parler. Pour sa première interview depuis trois ans.

Le lendemain, nous sommes chez le dentiste à 11 h 30. Sirènes de police. Deux voitures pie se garent. James Brown descend de la seconde. Grandiose, vêtu de son plus beau costume, il entre chez son dentiste. La main sur le ceinturon, les flics se plantent devant la porte pendant que nous réalisons l'entretien dans la salle d'attente, puis nous faisons quelques plans et des photos dans le jardin du dentiste, derrière sa maison.

En ce beau matin d'été, James Brown n'est pas grand, il est immense. Le parrain joue sa vie. Très disert, splendide de contrition, il fait son mea culpa : « *Ma place est dehors. J'ai compris la leçon. Mes démons sont derrière moi. Je veux faire le bien. M'occuper des enfants sans logis…* » Il semble en pleine forme et, me serrant très fort, il dit à ses avocats : « *J'ai toujours dit que c'étaient les Français, les meilleurs.* »

On a la putain de bande de l'interview et on a bien l'intention de la ramener en France avec nous. L'un des avocats nous ramène à Atlanta en voiture. Nous arrivons dans le centre-ville vers une 1 heure du matin. L'avocat se gare devant la tour CNN. C'est la nuit et dans la tour, il n'y a que des Blacks qui travaillent. Nous découvrons ce réseau très mystérieux, très secret. C'est la grande fraternité black au travail. L'un d'eux va faire une copie de la bande et la remettre à l'avocat. Gratuitement. Nous nous quittons là. Rentrés en France, nous diffusons l'interview sur Canal+, agrémentée d'un clip « Free James Brown » auquel participe NTM. Je récolte plus de presse que pendant cinq ans sur Antenne 2.

Pendant ce temps, aux États-Unis, les avocats de James contactent les télés américaines.

Un matin de 1991, un copain m'appelle des US : « *Philippe, tu as interviewé James Brown ou quoi ? Il m'a semblé reconnaître ta voix ce matin sur* Good Morning America. »

Avec ses huit millions de téléspectateurs quotidiens, *Good Morning America* est l'émission populaire du matin, une institution américaine.

Trois semaines après la diffusion, James Brown est relâché. Trois mois plus tard, il est en concert à Paris. Je le revois, il me serre dans ses bras : « *Mon cœur est avec les Français.* »

Alors que je n'y pense plus du tout, Pierre Lescure et Alain de Greef continuent de m'imaginer à la télévision.

Avec Michel Thoulouze, ils montent une chaîne pour le câble, Canal Jimmy. Cette chaîne sera celle des séries, des bolides et du rock. Dès janvier 1991, me voilà donc revenu à présenter un concert rock par semaine sur Canal Jimmy.

Canal Jimmy, le câble, ce sont un peu les mines de sel de la télévision. Tu bosses, tu bosses, mais est-ce que quelqu'un regarde ? À peine six cent mille personnes sont câblées en France… Mais comme m'a répondu un jour une assistante de façon lapidaire : « *Qu'est-ce que tu en as à foutre de l'audience ? Tu bosses à la télé, ça te fait du fric pour payer tes impôts.* » Et la pension alimentaire de ma fille Manon, repartie vivre avec sa mère aux États-Unis.

Plus tard, Michel Thoulouze me confie une autre émission : *Top Bab*. L'idée c'est que je présente des scopitones, des clips du passé. On me met dans une situation incongrue (un rallye moto, à la fête des Loges, au Salon de l'agriculture, chez Euro Disney) et j'envoie du rock.

Au bout de trois ans, je n'en peux plus de me retrouver tout seul face caméra. J'apprends qu'Alice Cooper est à Paris pour une promo. Il est à l'hôtel Meurice, alors que nous avons un tournage l'après-midi. Je persuade la réalisatrice Valérie Santarelli de venir avec l'équipe et nous tournons une émission… avec Alice Cooper. Un Alice Cooper ravi, qui choisit douze vidéos et les commente une à une avec beaucoup d'esprit. Valérie fait le montage, passe l'émission. Silence total. Rien. Nada. Aucune réaction.

L'erreur est humaine et les gens de télévision ne sont pas des dieux. Par erreur donc, l'émission est envoyée à Cannes, dans un festival de télévision. Et voilà que ce *Top Bab* avec Alice Cooper rafle le Prix émission musicale de l'année ! Instantanément, Canal Jimmy se réveille et exige que nous recevions désormais un invité hebdomadaire.

Années merveilleuses ! Dix ans durant, nous allons recevoir Alain Bashung, Mick Jagger, Aerosmith, ZZ Top, les Stray Cats, Ian Dury, Jacques Higelin, Lou Reed, Jean-Louis Murat, Christophe, Marianne Faithfull, Placebo, Paul Personne, Catherine Ringer, Lemmy de Motörhead, Taj Mahal, Étienne Daho, Dominique Laboubée des Dogs, Little Bob, Bill Wyman, Tom Jones, Screamin' Jay Hawkins. Entre autres. Tous les cabossés du rock ! Les petits, les humbles et certains très grands aussi. Tous ont vidé leur cœur. Parlé de musique avec franchise et gaieté. Fierté.

Tous vont me donner des conseils. Bill Wyman : « *Souris, tu rajeuniras de dix ans.* » Tom Jones, avec qui je m'entends hyper bien, me refait le hurlement de « What's New Pussycat » à dix centimètres du visage. Cet homme a les trompettes de Jéricho dans sa gorge ! Les Stray Cats improvisent une version doo wop a cappella de « Born to Be Wild ». Nous faisons de la vraie bonne télévision.

Putain, dix ans de rock à la télé et ce n'est pas fini. Nous sommes en 2000. Michel Houellebecq sort alors un disque étonnant. Produit par mon pote Bertrand Burgalat, le barde a mis ses poèmes en musique. J'ai assisté à une séance d'enregistrement de ce fameux album *Présence humaine*, dans les studios Tricatel. Accompagné par le groupe rock AS Dragon, Houellebecq passe au Printemps de Bourges. C'est là qu'une équipe de Canal Jimmy le récupère pour faire l'émission *La Route*. Le concept de *La Route* est passionnant. C'est une conversation à bâtons rompus entre deux personnages qui font ainsi connaissance. Et Houellebecq a posé ses conditions : il fera la route avec moi ou pas du tout. Sauf qu'il ne conduit pas, et moi non plus. Nous nous laissons driver par Sylvie de Canal Jimmy. Assis sur la banquette arrière, nous fumons des cigarettes et comparons nos expériences. À chaque village, nous descendons de la voiture pour essayer de draguer des gamines, ou boire des coups. Houellebecq aime bien l'un de mes vieux articles sur Lou Reed. Il m'en cite des bouts, comme ça, de tête ! « *Tout autre que moi lui aurait cassé les deux bras* », cette formule de Lou Reed le fascine.

Un Sept d'or récompense l'émission.

Ni Houellebecq ni moi n'irons le chercher.

Sylvie de la Rochefoucauld devient la patronne de Canal Jimmy. Elle me demande, au bout de dix ans de *Top Bab*, si j'aurais des envies d'autres émissions. Sautant sur l'occasion, je lui propose le *Rock Press Club*. Soit un débat sur la musique entre critiques rock.

Je réunis une équipe de cadors.

Stéphane Davet du *Monde*, Laurence Romance de *Libération*, Éric Dahan de *Rock&Folk*, Jean-Daniel Beauvallet des *Inrocks*, Benoît Sabatier de *Technikart*, Olivier Cachin, Hélène Lee. Patrick Eudeline, survivant des guerres punk, fait un tabac. Son personnage de vieux rocker pas dupe/jamais content fait fureur dans les lycées. Des groupes français viennent jouer des titres en rapport avec le débat. De tout ce que j'ai pu proposer à la télévision, ce *Rock Press Club* me semble l'un des concepts les plus fertiles. Évidemment, des choses sont dites ; et comme on est entre journalistes rock, des choses très crues sont dites très fort.

Genre Patrick Williams de *Technikart*, s'écriant en direct live : « *Mais vous tous, les rock critics, vous êtes des homosexuels frustrés. En fait, votre rêve, c'était de sucer la bite de Mick Jagger !* »

Il était important d'ouvrir cet espace de liberté et de discussion. Je me souviens de notre premier débat : Les Beatles ou le Velvet Underground, quel groupe fut le plus important ? Ou encore : Le rock français a-t-il fait le boulot ? Où est passé le reggae ? Pourquoi le grunge n'a pas survécu à Nirvana ?

Je vais rester sur Canal Jimmy jusqu'en avril 2002, date de l'éviction de Pierre Lescure par Jean-Marie Messier. Pierre Lescure est viré avec fracas. Le lendemain, je suis chez Canal Jimmy pour une réunion de production. Sylvie de la Rochefoucauld m'indique la porte d'un petit bureau. « *Vas-y, ce sera là.* » J'entre et je me retrouve face à un DRH assez odieux.

« *Heu, je suis venu pour la réunion…*

— *Il n'y aura plus de réunion pour vous. Votre émission* Rock Press Club *n'existe plus. Vos émissions s'arrêtent toutes. Nous sommes en avril, vous terminerez* Top Bab *en juin. La chaîne n'a plus besoin de vos services.* »

Chance incroyable, on enregistre le dernier *Top Bab* avec Lemmy Kilminster de Motörhead. Après le tournage, le vieux Lemmy en personne me réconforte : « *T'inquiète, tu n'es pas le seul. Les émissions rock disparaissent toutes, partout autour du monde. C'est global mec. Qu'ils aillent tous se faire enculer.* »

Je quitte Canal Jimmy.

Encore viré.

Valérie Santarelli est, elle aussi, effondrée. Avec ma fidèle réalisatrice, nous avons fait plus d'une centaine d'émissions dans une harmonie totale. Valérie décide que la télé, c'est terminé pour elle. Elle repart en Corse où elle refera sa vie, brillamment. Toujours amis, amis à la mort à la vie, nous sommes restés en contact. Ils peuvent tuer notre émission, mais notre amitié, ils ne l'auront pas.

2004 : durant une saison, je participe avec Bertrand Burgalat à *iMusique*, émission chaperonnée par la journaliste Valentine Desjeunes. Burgalat et moi sommes deux personnages bien distincts : Monsieur Pop et Monsieur Rock. Là encore, nous repoussons les limites, passant l'ensemble de la production à la moulinette de notre sagacité hilare, semaine après semaine. Au bout d'une saison, Bernard Zekri nous annonce qu'il ne renouvellera pas notre contrat.

Encore viré…

C'est ce grand penseur moderne de Frédéric Beigbeder qui va me remonter le moral. Un soir, il passe voir Virginie Despentes. Nous fumons un peu d'herbe ramenée d'Amsterdam et nous évoquons nos carrières étranges, ballotés de chaîne en chaîne, sans famille, chroniqueurs francs-tireurs devant l'Éternel. Et là, Beigbeder résume ma situation comme personne ne l'avait fait : « *En fait, nous les chroniqueurs, nous sommes les poils à gratter de la télévision. Ils nous invitent, on tire des fusées et tout le monde est content, bravo, encore. Et puis à un moment, ils n'ont plus besoin de nous, ils nous virent comme des chiens. C'est comme ça.* » Merci Fred.

Je vais souvent rendre visite à mon vieil ami Alexandro Jodorowsky, que je connais depuis les années *Métal Hurlant*. Jodo est un sage. Il a su trouver un équilibre unique en écrivant des scénarios de BD, des livres, des poésies, il ne renonce jamais à rien et a toujours un projet de long-métrage sur le feu.

Grand maître des tarots de Marseille, il me fait toujours un petit tirage pour voir ce qui va se passer.

En ce jour de 2007, il retourne une carte, le Chariot, et me dit : « *Philippe… la télévision va t'appeler. Bientôt. Est-ce que, s'il te plaît, tu pourrais ne pas les engueuler tout de suite et écouter ce qu'ils ont à te proposer ?* »

Depuis quatre ans, je n'ai aucune nouvelle de la télévision, en noir ou en couleur. Nous rions beaucoup et je promets. Je ne suis donc pas trop surpris quand, exactement trois semaines plus tard, Morgane Production m'appelle.

Morgane produit des émissions pour Arte. Ils vont faire l'île de Wight avec les Stones, Primavera en Espagne, un festival allemand et Rock en Seine. Alors, est-ce que moi, Philippe Manœuvre, je serais intéressé pour faire les festivals rock de l'été ?

« Est-ce que le pape est catholique ? »

Avec Morgane, je découvre la télé moderne. On travaille à l'arrache. Les artistes sont contactés dans les backstages. Chaque interview est négociée au cul du camion. Par contre, on tourne à la dure. Sans loge. On se pose sur des flight cases. On se maquille comme on peut, dans des loges vides, on se change dans les champs. Du coup, l'équipe est concernée. Tous ces gens ont envie de faire du rock et moi aussi. Le rockumentaire sur l'île de Wight va cartonner et les Rolling Stones attirer deux millions de spectateurs sur Arte vers minuit. Tous les records sont battus.

En plein tournage à Primavera, un jour, je suis dans la loge d'Amy Winehouse quand mon téléphone sonne. Amy est mal en point. Inconsciente dans un fauteuil de sa loge à moitié détruite, les genoux écorchés, maigre comme un chat sauvage, elle semble bien incapable de répondre à mes questions. Je décroche. C'est Édouard Duprey, patron de Fremantle. Édouard me demande si j'ai déjà regardé une émission intitulée *À la recherche de la Nouvelle Star*. Je conviens que ça a dû m'arriver une fois ou deux. Édouard m'explique que *La Nouvelle Star* va revenir avec un nouveau jury composé de Lio, André Manoukian et Sinclair. Il me propose d'être le quatrième. Mince alors. Que se passe-t-il ? Me souvenant du conseil de mon ami Jodorowsky, je décide de m'asseoir sans engueuler personne et je dis qu'il faudrait qu'on se rencontre. Il faut encore que je réfléchisse, mais pourquoi pas ?

À l'automne 2007, me voici donc soudain membre d'un groupe ! Exactement comme dans un groupe de rock, le jury de *La Nouvelle Star* est une entité à quatre cerveaux. Tout le monde a son rôle à jouer. Si un candidat chante plutôt jazz, on se tourne vers André. Si un candidat est purement pop, Lio est ultra-concernée. Sinclair est un ami de la soul, un funkateer. Par contre, si un candidat arrive pour nous chanter un extrait de « Tommy » des Who ou un titre blues, tout le monde se tourne vers moi et me demande ce que j'en pense. Nous sommes en pleine époque de retour du rock. Strokes, Libertines, White Stripes : tout est là. The Kooples ouvre ses boutiques, les gamins s'habillent slim et les boots chassent les baskets.

Le problème de *La Nouvelle Star*, c'est qu'il y a trois opérateurs. Fremantle, qui produit l'émission et manage des artistes, M6 qui diffuse et nous, le jury. Clairement, nous n'avons pas le même but. Fremantle nous demande de trouver la nouvelle Amy Winehouse. Problème, chez Fremantle, ils ont eu la vraie et ils lui ont rendu son contrat au bout de six mois. Ingérable. Premier clivage.

M6 prend les choses différemment.

Pour la chaîne, le cœur du problème, ce sont les chansons interprétées par les candidats. Un gamin arrive avec une idée fixe : il veut chanter Marvin Gaye. Bravo s'écrie le jury, super idée ! Voilà, le gamin est content, le jury aussi. L'idée part chez M6 qui nous fait toujours le même retour : « *Marvin qui ? Hors de question, pas assez connu. Pourquoi il chanterait pas plutôt 'Je suis malade' de Serge Lama, votre petit candidat ?* » Le producteur Fred Pedraza menace plus d'une fois par saison de démissionner si on ne laisse pas les candidats assumer leur choix.

Considérant que je suis en train de visiter l'Usine à Pop, j'essaye de n'engueuler personne et réussis assez bien. Par contre, j'entends des choses irréelles.

Une fille de M6 voudrait faire une émission *Nouvelle Star* carrément *totale rock*. J'acquiesce et suggère de faire un spécial Beatles. Il existe des adaptations françaises (« Je veux te graver dans ma vie », « Le sous-marin vert »). Il y a tous les styles, oui, une *Nouvelle Star* spéciale Beatles me semble une bien bonne idée. La réponse revient de M6 : « *Les Beatles, oui, mais ce n'est pas assez gros, pas assez connu.* »

Pardon madame, on n'a rien de plus gros en stock !

Très vite, je constate que chacun essaye de tirer la couverture à soi. Le gagnant de *La Nouvelle Star* va porter l'image de la chaîne. Qui ne veut pas n'importe quel gagnant.

Au départ, le concept était biblique (on présente dix chanteurs à la France, la France va choisir son préféré). Il devient un champ de mines. Un candidat comme Soan, musicien du métro, personnage intéressant, brillant et excellent performer, donne des cauchemars à la direction. En pleine reprise de « Requiem pour un con » de Gainsbourg, Soan a osé allumer une cigarette !

Outrage ! Le CSA serait concerné, une amende possible. La direction de M6 est consternée. Salades de coups bas, compromissions, changements de dernière minute. En dépit de tout, Soan gagne *La Nouvelle Star* 2009, au grand dam de la chaîne.

Pire : le nouveau gagnant refuse de se laisser interviewer par Jean-Marc Morandini le lendemain de sa victoire !

Autre raison de fulminer pour M6 : je refuse de participer à une publicité.

Oui, c'est ainsi : je n'ai pas envie de tourner des publicités.

On me propose énormément d'argent, mais je refuse deux publicités en un été. Une pour une carte bancaire, une pour des jeux vidéo. Le rouge est mis. L'incompréhension totale. Sinclair quitte *La Nouvelle Star*, remplacé par l'excellent Marco Prince, chanteur de FFF.

Édouard Duprey et Fred Pedraza ne sont plus là. Commençant à nous ennuyer, Lio et moi, nous fumons des pétards dans notre loge. Il faut dire qu'au bout de trois saisons, nous savons ce que va dire Dédé Manoukian avant même qu'il n'ouvre la bouche.

Dans les loges, plus personne ne nous parle. Et puis, la machine cahote. Elle fonctionne encore au niveau public (3,9 millions en moyenne 2010), mais la chaîne a décidé d'arrêter l'émission et supprime la tournée d'été qui poursuivait l'aventure en organisant des concerts sur les plages.

Les journalistes aussi fatiguent. Les dernières interviews ne se concentrent que sur une seule chose : « *Combien gagnez-vous ?* » Je trouve ça minable et refuse de répondre. C'est la curée.

L'annonce de la fin de *La Nouvelle Star* nous sera faite par SMS. Je reçois un texto me remerciant pour ma participation à ces trois saisons et me souhaitant bonne chance avec ma vie.

Fin de la visite de l'Usine à Pop.

Octobre 2017 : je range des disques dans mon grenier quand soudain, mon téléphone sonne. Appel inconnu. Je ne décroche pas et passe à la suite de mon rangement. Deux heures plus tard, je m'aperçois que le mystérieux inconnu a laissé un long message de plusieurs minutes. J'écoute et manque tomber de mon fauteuil : « *Bonjour Philippe Manœuvre, l'heure est venue pour vous de rejoindre la grande famille des* Grosses Têtes. »

Cette voix inimitable, c'est celle de Laurent Ruquier. *Les Grosses Têtes*… L'émission de radio dont l'audience fait trembler les télévisions. J'accepte. C'est un nouveau défi. C'est aussi l'occasion de me retrouver à RTL, là où tout avait commencé dans les années 70.

Quarante ans après mes débuts d'assistant chez Léon Zitrone, je retrouve la grande maison. Me voici assis entre les gens les plus drôles de France. Chantal Ladesou, Arielle Dombasle, Caroline Diament, Valérie Mairesse, Michèle Bernier, Baffie, Gad Elmaleh, Jean Benguigui, Steevy Boulay, Titoff, Elie Semoun. Je retrouve avec émotion Bernard Mabille qui, dès 1982, partageait un bureau avec moi chez France Inter. Il écrivait les blagues de Thierry Le Luron. Je préparais l'émission *Je fais du rock.*

Jean-Marie Bigard m'épate. Il est à l'histoire drôle ce que je suis au rock. Il les collectionne. Il les classe, il les étudie. Il les teste parfois sur moi. J'en entends des vertes et des pas mûres.

L'émission est enregistrée le matin, puis remontée et diffusée l'après-midi. À l'heure des vannes, tous les coups sont autorisés. Je dis souvent : « *Si cette émission était en direct, on serait tous en prison !* »

Je suis heureux de me retrouver dans cet incroyable espace de liberté où on peut aborder tous les sujets et rire de tout. Pour moi, cette nouvelle aventure confirme que rock et déconne marchent bien ensemble. C'est finalement avec *Les Grosses Têtes* que je retrouve une immense liberté de ton, comme avec mes premiers amours télé.

Au bout de quelques émissions, Ruquier me donne l'accolade en public et me confirme dans ma nouvelle position : « *Philippe Manœuvre est bel et bien une Grosse Tête.* » Sur Internet, d'anciens assistants le confirment : « *Philippe a toujours eu la grosse tête.* »

À part ça, quoi de neuf ?

MICHAEL, PRINCE et MADONNA

Beat it like a virgin

Une nuit de 1980, 1 heure du matin. Mon téléphone sonne. C'est l'éditeur Philippe Constantin.

« Manœuvre, tu dors ?

— Non, bien sûr... Qu'est-ce que je peux faire pour toi ?

— Regarde par la fenêtre, tu vois quoi ?

— Une grosse limousine blanche...

— Descends et monte dedans ! Tu me remercieras ! »

Quarante minutes plus tard, je me prends une baffe monumentale. De la scène d'un club jaillissent des sons bleus et rouges. Sur le plateau, ils sont quinze. Un spectacle futuriste et tribal : Fela Ransome Kuti et Egypt 80, en pleine surchauffe funk. Fela, c'est l'âme de l'Afrique incarnée. Il y a des batteries, des danseuses frénétiques, des percussions, et ce saxo dément qui s'envole au-dessus de la mêlée.

Constantin m'a réveillé en pleine nuit pour me faire découvrir le funk, cette musique nouvelle dont Michael Jackson va être le grand propagateur.

Quatre ans plus tard, je n'ai pas encore croisé l'extraterrestre. Je n'ai vu que « Billie Jean » sur mon petit écran et je n'ai encore jamais vu un humain bouger d'une telle façon. Et voilà que du 6 juillet au 9 décembre 1984, les frères Jackson lancent leur grande tournée américaine de cinquante-cinq stades, le Victory Tour. Nous y sommes. Je vais enfin découvrir le phénomène à Jacksonville, où je pars pour mon émission *Sex Machine*, accompagnant les heureux gagnants d'un concours *Paris Match* ! Le prix des places est exorbitant, 80 dollars. Mais le spectacle vaut tous les voyages sur la Lune.

Dallas.
Nous sommes logés dans le même hôtel que les Jacksons. Michael s'est réservé un étage pour lui et ses assistants. Il a exigé qu'on change la moquette et le papier peint de sa chambre car sans doute, un jour, des gens avaient dû y fumer. À l'étage en dessous, ses frères font de la moto dans les couloirs de l'hôtel pendant que nous tournons nos présentations au bord de la piscine du cinq étoiles, habillés comme des cow-boys d'opérette. Nous réussissons à montrer aux téléspectateurs « *la fenêtre de la chambre de Michael* ». C'est déjà pas mal, car les nouveaux dieux refusent d'apparaître en télé en dehors de leurs clips. Nous parvenons quand même à interviewer l'un des frères, Randy, le promoteur de la tournée, Chuck Sullivan, Frank Dileo, le manager, et surtout le père de la famille, le vieux Joseph « Joe » Jackson, masque de cuir dont le regard d'acier transperce les interviewers.
« *Monsieur Jackson, quel est votre fils préféré ?*
— *Je n'ai pas de fils préféré. Ce sont mes fils. Tous.* »

Un personnage, Frank Dileo. Cet Italo-Américain râblé et trapu, au cigare omniprésent, est le président de la maison de disques de Jackson. C'est lui qui a triomphé de MTV après un redoutable bras de fer et qui a obtenu que « Billie Jean » passe sur la chaîne musicale. Il manage donc désormais Michael... tant bien que mal.

On discute longuement de son artiste. Dileo est inquiet car le comportement de Michael change chaque jour et porte ses équipes au bord de la crise de nerfs. Il nous révèle que la fameuse photo de Jackson dans son caisson à oxygène a été donnée par Michael lui-même à une agence. Pour créer le buzz et manipuler ces mêmes tabloïds qui le surnommeront vitement Wacko Jacko.

Backstage, nous découvrons les nouvelles règles autour du dieu Jackson. La sécurité s'est professionnalisée et quand les médaillés du Vietnam nous disent qu'on ne passe pas, pas la peine de sortir le baratin habituel.

On nous demande si nous souhaitons boire quelque chose, sachant que chez les Jacksons, il n'y a pas d'alcool.

« Je prendrais volontiers un Coca-Cola... »

Aïe. Grave erreur. La tournée est sponsorisée par Pepsi. On nous demande de ne plus jamais prononcer les mots *Coca* et *Cola* et on nous sert à boire.

L'ensemble du spectacle est construit autour de cette idée forte : *Michael est surhumain.* Et le spectacle va l'être, surhumain. Il ne sortira jamais en DVD. Pourquoi ? Chaque concert fut pourtant filmé, enregistré, archivé.

Le début est foudroyant. Les Jacksons revisitent le mythe d'Excalibur. Chacun des frères essaye de sortir l'épée magique du sol... Le spectacle commence lorsque Randy l'arrache du roc en s'écriant : *« En avant vers la Victoire ! »* Et c'est là que surgit Michael, avec une rage rock incroyable.

Le deuxième soir, à Dallas, j'ose. Sous le coup de l'émotion, j'ose enregistrer l'intégralité du show, avec mon petit magnétophone à cassettes. Par la suite, je l'ai souvent réécouté, ému, revivant dans mon oreille ce show torride, dément et fondateur du spectacle moderne, puisque tous les trucs et les tours du Victory Tour ont depuis été repris à l'infini par tous les aspirants pop stars, de Lady Gaga à Kanye West.

De fait, Michael semble alors le plus grand performer de tous les temps. Un chanteur unique, un danseur digne de Fred Astaire... J'allais bientôt rencontrer le jeune dieu, à ma façon, bien sûr.

Nous sommes en 1988.

Les Enfants du Rock n'existent plus. Michael Jackson s'apprête à démarrer sa première tournée européenne à Rome, le 23 mai, et j'y suis invité, avec tout le gotha de la presse internationale et une armée de happy few. Il est ensuite attendu en France pour deux concerts au Parc des Princes. Mais il y a un problème : si le premier concert affiche complet, le second, lui, ne se vend pas. Une réunion de crise se tient alors chez Epic. J'en suis. Comment faire ? À Paris, la rumeur commence à circuler : il ne viendra pas...

Me vient alors une idée un peu folle : « *Et si on faisait se rencontrer Michael Jackson et notre dieu du stade, Jean-Pierre Rives ? Ça, ce serait du concret, du tangible ! Jean-Pierre, Casque d'or, capitaine de l'équipe de France de rugby, a gagné deux grands chelems, il a battu les Anglais quatre fois à Twickenham, et en plus, je le connais un peu, il adore Jackson ! Et si on organisait une rencontre ?* »

Hurlement de rire général. Folie ! Impossible ! Seule Marie-Laurence Gourou de Epic ne rit pas. Elle note scrupuleusement mon idée et, sans rien me dire, la transmet au management de Jackson.

Deux jours plus tard, elle me rappelle : « *Philippe... tu ne devineras jamais ? ! Michael a accepté l'idée de rencontrer Jean-Pierre Rives ! Vous partez le rencontrer à Bâle, en Suisse, il donne un concert le 16 juin !*

— Hein, mais c'est après-demain ? !
— Je sais, préviens Jean-Pierre Rives peut-être ? »

Nous voilà aussi sec, Jean-Pierre Rives, sa fiancée Jennifer Taylor, un top model américain, et moi, dans un avion pour Bâle. Évidemment, tout le monde pense que nous sommes fous à lier. Pour preuve, la maison de disques n'a délégué strictement personne pour nous accompagner. Heureusement, *Libération*, merci Bayon, s'est engagé à faire sa une avec Jackson et Jean-Pierre Rives si quelqu'un parvient à faire la photo...

À l'arrivée, une grosse limousine vient nous chercher pour nous conduire au stade. Dans les couloirs du barnum, j'ai l'impression de marcher sur l'eau. La sécurité nous saute dessus pour nous avertir que notre entrevue va avoir lieu d'ici dix minutes, dans la loge de Michael Jackson. Quoi, déjà ? Tout de suite ? Vraiment ? Jean-Pierre préférerait après le spectacle...
« Si vous préférez, on annule ?
— Non non, on y va ! ! ! »
Au passage, les têtes se dévissent sur Jennifer Taylor, seulement vêtue d'un Perfecto noir et d'un tutu de même couleur. Au bout de bien des barrages sécuritaires, nous débarquons enfin dans la loge du Dieu vivant. Il est là, immaculé, vaquant à ses occupations, virevoltant... Dans quelques minutes, Michael Jackson va monter en scène et chanter « Wanna Be Startin' Somethin' » pour soixante-quinze mille personnes.

Le président de Sony Suisse est avec nous. Timidement, il remet à Michael un énorme paquet circulaire. Perplexe, Michael tourne autour. Il ne l'ouvre pas lui-même. Michael attend qu'on lui ouvre les portes, qu'on lui presse les boutons d'ascenseur et donc qu'*on lui déballe ses cadeaux*. Il demande donc au président de Sony de déchirer le papier pour lui. Dessous, un jouet des années 40, un manège en bois, avec tous les personnages de Disney sculptés et peints, Mickey, Minnie, Donald, Pluto, etc. Pour montrer son contentement, Michael pousse son petit cri de guerre, « *Ti hi hi* », et il raccompagne le président à la porte, « *Thank you, thank you.* »

Voilà, ça y est.

Nous sommes absolument seuls avec lui.

Seuls avec Michael Jackson. Pas possible. Il me semble que j'ai fumé la moitié de la ganja jamaïcaine et sniffé une tonne de cocaïne. En plus, je me suis habillé en rocker à la Presley...

Maintenant, Michael est quasiment prêt à y aller. Vêtu de son justaucorps de scène, il regarde notre invraisemblable trio avec curiosité. Et là, un truc se passe : il tombe en arrêt devant le costume de Jennifer Taylor...

« *It's a tutu... oh my God ! A tutu ! I like that ! I want it ! Give it to me...* »

Jennifer Taylor n'en revient pas. My God. Elle refuse d'enlever son tutu et le dit à Jean-Pierre qui, à son tour, insiste : « *Écoute, si ça lui fait plaisir, offre-lui ton tutu ! Il va s'amuser avec et le mettre sur ses poupées... Donne-lui ton tutu, ça lui fait plaisir !* »

Jennifer crise un peu : « *Et donc je vais retourner en string dans le stade ? Je ne crois pas, non !* » Jackson redemande encore, discrètement. Un petit garçon qui supplie pour un jouet.

Un photographe nous interrompt. Il s'apprête à immortaliser Jean-Pierre et Michael.

Et moi ? Moi, je suis en eau. Mon article ne prend pas du tout le tour prévu ! J'imaginais les dieux du stade conversant à bâtons rompus, nous révélant des détails sur leur préparation physique de folie ou quelque autre stratagème de star et nous voilà coincés dans la loge du chanteur mythique que tout le monde voudrait voir, luttant pied à pied avec lui pour que Jennifer ne ressorte pas à poil !

Fort heureusement, la musique d'introduction retentit et deux assistants viennent arracher Michael Jackson à ses rêveries.

Une fois rentré à Paris, je n'en reviens toujours pas.

Dans ma tête, c'est le grand trou noir.

Que s'est-il passé dans cette loge du stade de Bâle ?

Qu'avons-nous vécu ?

Qui est cet étrange M. Jackson ?

Jean-Pierre et Jennifer sont les héros de l'article publié dans *Libération* deux jours plus tard, avec la fameuse photo. Jackson arrive ! Jackson a rencontré Jean-Pierre Rives !

Les places du second concert s'envolent. Le promoteur Jean-Claude Camus en personne m'appelle pour me remercier. Qu'est-ce qui me ferait plaisir ? Je lui demande deux places pour mes parents qui vivront le spectacle *Bad* avec nous, dans la tribune présidentielle, pour le triomphal concert du 28 juin 1988.

Le cas Madonna est tout aussi intéressant. Je repère cette nouvelle chanteuse dès son premier album, paru l'été 1983. Très vite, la chanson « Holiday » se détache et Madonna décide de venir faire un peu de promotion en Europe. Elle passe par *Top of the Pops* à Londres, puis débarque à Paris, où elle fera *Sex Machine* et l'émission concurrente de TF1, *Hip Hop*. Nous avons décidé de l'emmener tourner un playback à la Mer de Sable d'Ermenonville. Sa chanson s'appelle « Holiday », ça nous fera un plan vacances.

Madonna se pointe avec deux danseurs et regarde le décor avec dégoût.

« *Voilà, on pense que vous pourriez danser là...*

— *Dans la boue ?* siffle la diva.

— *Pardon ? C'est du sable...*

— *Oui, voilà, c'est ce que je disais, de la boue !* »

Ambiance. On répète une fois la chanson. Madonna fait sa chorégraphie et s'aperçoit qu'elle a perdu une lettre de sa ceinture Boy Toy, tombée pendant qu'elle se déhanchait. Aïe ! Le réalisateur Jean-Louis Cap surgit pour confirmer que tout est bon, qu'on va pouvoir tourner... Sauf que Madonna crise. Si elle ne retrouve pas la lettre d'argent tombée de sa ceinture, elle ne dansera pas. Pas question ! Les assistants passent le sable au crible. Madonna m'interpelle : « *Et toi, tu fais quoi ? Cherche ma lettre !* »

L'équipe de la Société Française de Production trouve que cette inconnue casse les couilles de tout le monde. Un cadreur m'appelle discrètement : « *On n'a jamais vu ça. C'est qui cette meuf ? Elle n'a pas à te parler comme ça. Si tu veux, on se fout tous en grève et on la renvoie à son anonymat !* »

Il ne manquait plus que ça !

Pendant que Jean-Pierre Dionnet, Jean-Louis Cap et les assistants passent le bac à sable au crible, je demande à l'équipe de ne surtout pas broncher. Miracle : la lettre est enfin retrouvée ! Madonna répare sa ceinture fétiche et retrouve son sourire. Nous tournons la fameuse séquence « Holiday ». Trois minutes quarante-sept de bonheur.

Je ne vous raconte pas cette anecdote pour critiquer Madonna. Pour moi, cette petite séquence est une révélation, une initiation au monde merveilleux des chanteuses, ces bêtes de compétition.

Madonna croyait en son destin, même si, à l'époque, elle était bien la seule. Elle avait vendu quatre cents pauvres copies de son disque que, déjà, elle apparaissait comme un mélange de Barbra Streisand et de La Callas. Madonna ne s'excusait pas d'être là. Elle était venue mettre tout le monde au pas. Sa force de conviction était fascinante. On allait tous apprendre à la connaître. Et personne, personne ne se mettrait en travers de sa marche forcée vers le sommet absolu de la pyramide pop.

À la fin du tournage, elle remonte dans sa limousine blanche et s'en va vers le suivant : une émission vacances de TF1, tournée à Essaouira au Maroc. En sortant de l'avion, Madonna voit le sable partout, à perte de vue. Elle pète de nouveau un câble, dit qu'elle en marre de danser *« dans la boue »*, tourne casaque et s'en retourne à New York, sans avoir tourné la séquence.

Son triomphe aura lieu le 29 août 1987, à peine trois ans plus tard. Madonna jouera ce soir-là au parc de Sceaux devant cent trente mille personnes. C'est, à l'époque, pour la France, le plus gros concert payant de tous les temps. J'en suis. Je suis même sur scène : je présente le groupe de première partie, Louis Bertignac et les Visiteurs.

Je m'en sors plutôt bien : *« Salut c'est Philippe Manœuvre et j'ai deux nouvelles pour vous… Une bonne et une très bonne. La bonne c'est que Madonna vient d'arriver, elle est là, juste derrière la scène* (hurlement de bonheur de la foule). *La très bonne c'est qu'elle a demandé à un groupe français de faire sa première partie, voici Louis Bertignac et les Visiteurs !* » Ovation.

Je vis le concert dans les barrières. À mon emplacement préféré, entre le public et la scène, dans l'ombre. Madonna a beaucoup recours au playback, ses musiciens s'en plaignent un peu, mais son show est parfait et emporte l'adhésion totale du public. Seize chansons, seize changements de costume… Entre deux titres, Madonna me fait un clin d'œil avant de repartir à l'assaut du public auquel elle tend ses fesses. Son personnage de petite prostituée au grand cœur remonte à la plus haute Antiquité. Elle a su le repeindre sous une bonne couche novatrice de fille négative made in Manhattan. L'époque est à elle.

Après le concert, Madonna fait une fête au Privilège, la boîte privée du Palace, et l'équipe des Visiteurs est invitée ainsi que ses danseurs, ses musiciens, etc.

Tout à la joie de sa performance triomphale, Madonna danse sur la scène du Privilège. Elle est rejointe par... Michael Jackson qui, durant toute sa tournée européenne, loge chez Euro Disney. Dans mon souvenir, Bertignac danse aussi un peu avec eux.

Cloué sur mon siège, je me pince le bras à m'en faire gicler le sang. Michael et Madonna tentent, ensemble, différentes chorégraphies, ils rient, comme deux grands enfants.

À notre table, un couple de Sud-Américains. Qui sont ces sympathiques personnes ? La conversation s'engage, éclairée par les lasers et les Vari-Lite, le visage de mon interlocuteur vire du bleu profond au rouge grenat. Il boit un whiskey-Coca. Sa femme est au champagne. Ils m'expliquent que leur fils de quatorze ans est un très grand ami de Michael. Michael a rencontré ce garçon par hasard lors d'une dédicace en Amérique du Sud et depuis, c'est bien simple, ils ne se quittent plus. Tapotant sa Rolex flambant neuve, le monsieur nous explique que toute la famille fait le tour du monde et suit la tournée, invitée d'honneur de Jackson. Il me désigne son fils qui danse avec Michael, Madonna et Louis Bertignac sur la petite piste du Privilège. Et ces gens sont très, très heureux de ce conte de fées qu'ils vivent. Invités de Michael, amis de Michael. Il arrive même que Michael leur confie sa carte de crédit pour faire des courses.

Cette étrange rencontre reste gravée dans ma mémoire. Journaliste, je viens de passer à côté de la grande histoire du siècle, sans rien y comprendre.

Ma dernière aventure avec Michael Jackson aura lieu fin 1991. Elle en dit long sur la puissance de l'industrie du disque à cette époque.

Cette année-là, Michael Jackson s'apprête à sortir son huitième album studio *Dangerous*, chez Sony. Le 11 novembre sort le premier single, « Black or White », avec Slash à la guitare. Quelques jours plus tard, je suis convoqué à 8 h 30 du matin au Club Air France, sur les Champs-Élysées. Je me retrouve là avec une soixantaine de collègues journalistes et employés de Sony. Café, croissants, nul ne sait vraiment ce qui va se passer. Soudain, on nous explique que *« les bus sont arrivés, merci de monter à bord ».*

Nous prenons place dans deux bus qui prennent la route vers une mystérieuse destination. En fait, les bus nous emmènent à Roissy directement au pied d'un Concorde, sur le tarmac. Les soixante invités prennent place dans le supersonique avion. Qui décolle direct. On nous remet des casques et là, volant à mach 1, puis 2, nous écoutons l'album *Dangerous* dans la stratosphère. Le Concorde survole l'Europe, puis revient se poser à Roissy où on nous remet un diplôme *« J'ai écouté* Dangerous *de Michael Jackson à mach 2 ».*

Prince ?

Ça remonte à loin.

Je le vois pour la première fois le 3 juin 1981, au Palace. Le président Mitterrand est élu depuis moins d'un mois et Paris est une chaudière en ébullition. De grands changements se préparent, un vent de liberté inconnu souffle sur la ville.

Le passage de Prince a lieu un soir où plein d'autres concerts se déroulent dans la capitale. Je me souviens fort bien être allé voir Dillinger, le DJ jamaïcain, chanter son tube « Cokane in My Brain » sur une scène parisienne (Bobino ?). On me dépose ensuite devant le Palace où Prince doit passer tard. Mes copines refusent de venir avec moi *(« Prince au Palace ? Bonjour les homos ! Amuse-toi bien ! »)*. Après une interminable attente, c'est debout, au troisième rang, que je découvre la nouvelle merveille du funk américain. Et même la foule gay et branchée du Palace est interloquée.

Prince monte sur scène en porte-jarretelles, quasiment nu sous son slip de cuir noir. Il est accompagné par un groupe d'élite, de véritables tueurs. Prince échange des regards énamourés avec son bassiste, André Cymone et son show, rapide, incisif, ultra-funky, ébouriffe l'assistance. La salle est remplie de fans de disco qui n'ont rien à envier aux Village People. C'est ce soir-là que je découvre les poppers, ces capsules d'amyle nitrate que les gays se craquent sous le nez et respirent pour un oui ou pour un non.

Trop de drogue, pas assez ? Qu'il chante le sexe oral ou l'amour avec sa sœur, le show de Prince passe mal, en fin de compte. Le chahut dans la salle indispose la star qui écourte son passage et s'en va assez furieux, me semble-t-il. Le journaliste de *Best*, Gérard Bar-David, reste pour dîner avec Prince qui lui décrochera ces mots : « *Pass the salt please.* » « *Et c'est tout* », me raconte une attachée de presse éberluée.

Dans la tête de quelques critiques rock dont je suis, le funk semble vraiment être devenu la musique du futur. Le hard rock dure depuis la fin des années 60. Les gens aimeront toujours AC/DC, Motörhead et Black Sabbath, mais ils ont envie d'autre chose. D'une musique dansante avec des solos de guitare, si possible... Prince va amener tout cela, avec des albums de plus en plus étonnants.

Alors, bien sûr, au sommaire du premier *Sex Machine*, il y a Prince. Dans un clip érotique lascif. Sur la chanson « Automatic » (extraite de l'album *1999*), Prince se fait attacher, fouetter et quasiment violer par Wendy et Lisa, déguisées en dominatrices punk. Le directeur administratif des *Enfants du Rock*, M. Mancellon, voit la bande avant diffusion et me convoque illico dans son bureau : « *Ce clip relève du peep-show. Nous allons encore avoir un mauvais papier dans* Le Figaro. *Enlevez-le.* » En ces temps pré-CSA, c'est *Le Figaro* qui fait la police des médias.

Je refuse net. C'est Prince, il voit sa musique comme ça, c'est sexy, je suis le producteur, je laisse Prince au programme du premier *Sex Machine*.

Je quitte le bureau de M. Mancellon avisé qu'au moindre papier négatif sur ce premier numéro de *Sex Machine*, Antenne 2 arrêtera l'expérience sur-le-champ. Je me moque pas mal de ces menaces. De fait, le premier passage de Prince dans *Sex Machine* sera occulté par le clip de « Billie Jean », mais les connaisseurs apprécieront et prendront date.

Le problème, c'est que Prince se méfie encore de la France et reporte sans cesse sa venue. Aux États-Unis, dès juillet 1984, alors que Michael Jackson est en plein Victory Tour, *Purple Rain,* le film de Prince, devient la sensation de l'été. Je le vois à New York, Times Square, avec notre assistante Sophie Bramly. Nous sommes scotchés. La salle est comble, tout Harlem est là. Pendant les extraits de concerts, les gens se lèvent et dansent dans les travées du cinéma.

Une photo sort dans la presse, à cette époque. On y voit Michael Jackson en train de lire un article sur Prince. Il a l'air soucieux.

Acte I : je rencontre avec Jean-Pierre Dionnet deux des trois managers de Prince, Robert Cavallo et Joe Ruffalo, pour un sympathique déjeuner parisien au George V. Nous essayons de les convaincre de laisser Prince participer à une émission de TV spéciale sur lui. En vain.

Le trio de managers a décidé que l'artiste doit devenir plus gros en France avant que ne sorte le film *Purple Rain.* Comprenant notre engouement, ils nous offrent tout de même un film de Prince en concert à Syracuse, qui sera, pour beaucoup en France, la toute première rencontre avec l'homme. Diffusion.

Mais aucune interview.

Prince, je l'apprends, me trouve trop de casquettes. Journaliste, échotier, producteur, présentateur, homme de presse, radio et TV, bref, tout ça l'agace. Même si, de tout temps, j'ai chanté ses louanges un peu partout, il se mure dans un silence hautain et refuse de parler.

Dans le même temps, il laisse des messages énamourés de plus de vingt minutes sur le répondeur d'une copine actrice. Les cassettes tournent et font grand bruit dans Paris.

Acte II : le 4 novembre 1984, Canal+ organise une fête mémorable pour son lancement. Je n'en serai pas. Je suis convoqué à Detroit, Michigan, où Prince donne trois concerts de sa tournée Purple Rain au Cobo Hall. Cavallo, Ruffalo et Fargnoli m'ont invité car il semble que sa gracieuse majesté Prince premier du nom accepterait, enfin, l'idée de l'éventualité de la possibilité d'un entretien.

Joe Ruffalo prend les choses en main : « *Je vais te présenter Prince.* » C'est totalement d'accord avec moi.

Au Cobo Hall, Prince répète dès 16 heures, en vase clos. Ruffalo a tous les passes du monde. Nous traversons d'innombrables cordons sécuritaires avant de faire irruption dans la salle grande comme un Bercy.

Lentement, respectueusement, nous nous approchons de la scène. En plein solo de guitare, tordant ses cordes, penché sur sa wah-wah, Prince m'aperçoit, s'arrête de jouer, jette sa Strato sur le sol et disparaît en coulisse.

Une réaction bien normale selon mon mentor.

« *Il aura été surpris…* »

On me suggère de revenir voir le show du soir et de préparer vingt-cinq questions qui seront soumises à l'artiste avant, tout le monde y croit, un entretien en bonne et due forme.

J'assiste, deux jours de suite à deux concerts démentoïdes. Prince improvise, il interpelle Dieu. Il lui parle, s'expose, crucifié, joue avec sa guitare, ses fans, sa musique, son image. Le groupe joue tout *Purple Rain*. L'avenir semble appartenir aux The Revolutions et je quitte Detroit en laissant la liste des vingt-cinq questions dans une enveloppe, que je glisse sous la porte de la chambre de Ruffalo, avant de foncer à l'aéroport.

Acte III : je rentre au bureau des *Enfants du Rock* très fier de moi, persuadé que l'affaire est en bonne voie et que, sous peu, nous interviewerons Prince pour une émission spéciale. Trois jours plus tard, Sophie Bramly m'appelle avec cette étonnante nouvelle : « *Prince est en train de parler sur MTV.* » J'allume ma télévision pour découvrir Prince, questionné par son manager Joseph Ruffalo.

Ruffalo tient ma liste de questions à la main et il les pose, une à une, à Prince. Les vingt-cinq, dans l'ordre. La dernière (« *Croyez-vous en Dieu ?* ») permet à l'artiste un assez joli moment de télévision, même si un tantinet préparé et répété selon moi.

Conclusion : un soir de 1996, je reçois un coup de téléphone de Mlle Ophélie Winter, en train de préparer un grand show TV pour TF1 autour de Prince. Ophélie me demande si j'accepterais de rédiger des questions pour un entretien avec la star. Je décline : « *Il m'a déjà fait le coup.* » Ophélie explose de rire. J'entends quelqu'un se marrer derrière. C'est Prince, bien sûr : « *Tu vois, il s'en souvient, il n'a pas oublié !* »

Ils raccrochent.

Aujourd'hui, la messe est dite. Si on fouine sur le Net, on s'aperçoit que durant toute la grande bataille des années 80 entre ces trois titans, apparus au même moment, c'est Prince qui a vendu le plus de disques. Oui, Michael Jackson a sorti *Thriller* et repoussé tous les records de vente. Mais Prince a miné le terrain. Lui a sorti neuf albums, sous son nom, en une décennie. Producteur aguerri, il a multiplié les coups, les expériences, proposé des groupes satellites (Vanity 6, The Time, Madhouse, The Family) et placé des morceaux à des dizaines d'artistes. Le seul problème de Prince, c'était sa personnalité querelleuse. Complexé par sa taille, Prince a refusé de participer à « We Are the World », erreur monumentale d'appréciation qui sépara le monde du rock en deux camps.

La rumeur a alors commencé à circuler : *« Aurait-on signé Prince dans les années 60 ? »*

Au final, Miles Davis en personne est intervenu pour dire à quel point on avait besoin de Prince, tous. Au final, Prince a énormément perdu en remerciant ses managers et en se brouillant avec sa maison de disques historique. Se considérant comme un esclave de Warner, Prince est devenu un indépendant malheureux, il a changé plusieurs fois de nom et a publié trop d'albums qui manquaient singulièrement de titres forts. Mais ses concerts restaient fabuleux. Accro à la Vicodine, ce médicament opiacé qui fait des ravages en Amérique (Tom Petty…), Prince est mort d'une overdose médicamenteuse dans l'ascenseur de son palace de marbre, laissant derrière lui assez de morceaux pour qu'on puisse en sortir un par semaine jusqu'à l'an 3000.

Pendant toutes les années 90, Jackson a lutté contre lui-même et tenté de se surpasser, perdant en route Quincy Jones, puis changeant ses équipes et essayant de réitérer l'impossible exploit : détrôner *Thriller*. Faire oublier ce moment magique pour le remplacer par un autre monument pop qui se vendrait encore plus. Piraté comme peu d'artistes, Jackson était condamné à l'échec.

Grand amateur de rock, Michael Jackson a invité sur ses

disques les meilleurs guitaristes de l'époque : Eddie Van Halen, Steve Steevens (Billy Idol) et Slash (Guns N'Roses) ont tous posé des solos sur les albums de Michael Jackson. Leurs groupes n'y ont pas résisté.

Devenu le point de chute de nombreuses blagues, Michael Jackson s'est enfermé dans son château de Californie. Sa carrière s'est mise à décliner avec son physique. Chacune de ses trois tournées mondiales (Bad, Dangerous, History) est devenue légèrement moins fascinante que la précédente. Chaque prestation scénique, chaque album a marqué un recul par rapport à ce qui avait été proposé avant, et sur scène le playback a gagné, tandis que dès 1993, Michael s'est retrouvé dans l'actualité pour deux affaires de pédophilie. Il est sorti de procès épuisants totalement blanchi, mais accablé de soupçons.

Lorsque Michael a enfin compris qu'il n'échapperait pas à son destin et annoncé son grand come-back, This Is It, en 2009, personne ne savait s'il pourrait tenir plus de trois soirs...

Portée par le mouvement féministe, devenue la femme vivante la plus connue au monde, Madonna, elle, s'est installée au sommet pour ne plus en redescendre. Il faut admettre qu'elle avait les chansons.

Quand je suis parti sur le tournage de *Mad Max 3* en Australie, j'avais emporté dans mes bagages la cassette du futur album de Madonna, *Like a Virgin*. Coincés au fin fond du désert australien, à Coober Pedy, chez les mineurs d'opale, nous avons fêté l'anniversaire de Tina Turner, le 26 novembre 1984, dans le bush. Mel Gibson a eu beau ironiser lourdement sur le thème « *Mais quel âge a-t-elle ?* », la fête fut formidable. Après le traditionnel gâteau, j'ai passé quelques titres sur la sono. Et là, j'ai envoyé « Like a Virgin », que personne n'avait encore jamais entendu.

La réaction de Tina Turner fut immédiate : sautant sur la piste de danse, la lionne du rhythm and blues nous a improvisé une chorégraphie pleine de fougue.

Madonna avait les chansons, elle avait l'attitude, aussi. Fille de Detroit, Madonna, c'est un peu la Iggy Pop au féminin. Hyper sexe, elle a rejoint la cohorte des gladiateurs de la route et dominé la planète à coups de concepts renouvelés et parfois assez déments. Madonna était une bête de scène. Comme Michael Jackson, comme Prince.

Si on peut considérer que les rockers sont venus pour choquer, épater et casser les vieux codes bourgeois, on conviendra que ces trois-là, Madonna, Prince et Michael Jackson, ont fait leur part du job.

Le point commun de ces trois gamins américains restant leur amour de Paris et de la France. Pour Prince, Paris, c'est *uptown*, le paradis des funkateers.

Michael donne le prénom de Paris à sa fille. Madonna vit aujourd'hui au Portugal, mais elle a débuté en France, derrière la star disco Patrick Hernandez, et tout au long de sa carrière, elle a sans cesse fait appel à des Français pour donner du chic à sa démarche, de Maripol à JP Gaultier, en passant par Mirwais et Mondino.

Leur seul problème, au final, c'était ce succès colossal, démentiel, qui a attiré sur le rock de trop nombreuses personnes venues du marketing, Disney, Coca, etc. Des gens qui se contrefoutaient assez totalement de l'avenir de l'industrie musicale. Des gens qui étaient venus au rock et à la pop parce que c'était là que ça se passait soudain, là qu'il y avait le pognon, la coke, les putes et les stars.

Toutes les bonnes raisons.

Sous leur direction à court terme, la musique allait décliner, perdre la guerre du Net et la guerre des pirates, mais plus grave encore, elle allait perdre de son attrait et peu à peu, se retrouver dépouillée de ses spécificités, jusqu'à devenir une roue du carrosse du spectacle mondial.

Aujourd'hui, la planète pop est dominée par Jay Z et Beyoncé, Rihanna et Lady Gaga, Drake, Justin Bieber et Taylor Swift. Ça et les stars du hip-hop, Nicki Minaj, Eminem, Snoop Dogg, Kanye West. Je regarde leurs vidéos, j'écoute leurs disques, sans aucune envie d'en savoir plus. J'ai vu Jay Z en concert à l'île de Wight. Quand il a commencé à massacrer du Hendrix, je suis parti.

Je suppose que vivre en première ligne l'irruption et l'ascension de Michael Jackson, de Prince et de Madonna m'a rendu difficile.

Et maintenant, comme dirait Patti Smith : « *Il faudrait que les gens de soixante-dix ans arrêtent de dire aux gens de quinze ans ce qu'ils doivent écouter.* »

Les dieux ont foulé notre terre, nous avons eu beaucoup de chance.

LES AVENTURES
DE LA ROCK CRITIC

La fois où ça a failli mal tourner

Si vous mettez un rocker dans un bureau, il y a un risque. Au bout de quelques mois, je sais de quoi je parle, le gars se transformera en bureaucrate.

Heureusement, les dieux du rock ont inventé le voyage de presse. Un bon moyen de sortir notre petit monde de sa routine.

Le voyage de presse est une institution, dans le rock. Durant toute ma carrière, j'en ai effectué des centaines. Le tout premier remonte à 1974. C'était pour aller voir Bad Company à Glasgow.

Plus le rock a gagné en popularité, plus les voyages sont devenus lointains, et parfois glamour. Pour nous, les rock critics, ces voyages ont toujours été le moyen idéal de sillonner la planète entre potes, de découvrir des endroits inconnus, d'assister à des concerts de nouveaux artistes dans d'autres pays et surtout, surtout, de dénicher de nouveaux magasins de disques à dévaliser.

Le voyage dont je vais vous parler est sans aucun doute le pire. C'est néanmoins celui qui m'a permis de rencontrer la nouvelle merveille du country rock américain, Garth Brooks. Un ancien videur sous un stetson, avec des chemises à rayures et des yeux gris clair. L'Amérique s'est instantanément prise de passion pour ce géant dont le troisième album a dégagé le jour de sa sortie les Guns N' Roses de la première place des meilleures ventes en Amérique.

Décembre 1991. Mon copain Hervé Deplasse, qui travaille pour la maison de disques de Garth Brooks, Capitol France, me propose un voyage de presse pour rencontrer le bonhomme. Je suis bien sûr partant pour *R&F*, ainsi que Philippe Blanchet, qui signe à l'époque dans le journal *Backstage*. Comme tous les rock critics, l'Amérique est notre seconde patrie. Chaque voyage au pays est appréciable, surtout trois semaines avant Noël.

Nous décollons donc d'Orly pour rejoindre New York, puis Nashville, où nous attend Garth.

Nashville, c'est Music City. La grand-rue est occupée par des dizaines de boutiques dont chacune est dédiée à un grand nom de la country : Dolly Parton, Willie Nelson, Merle Haggard, George Jones, etc. Dans ces lieux de culte, le fan peut faire l'acquisition de T-shirts, de verres à bourbon, de magnets à frigidaire ou d'autres objets de vénération transie. L'ombre tutélaire du grand Hank Williams, icône de la country, plane sur toute la ville.

Dans un premier temps, notre voyage se déroule comme sur des roulettes. Tout heureux de nous retrouver au cœur de l'Amérique profonde, nous rallions Capitol Nashville pour rencontrer le wonder boy, Garth Brooks en personne.

L'homme débarque dans les bureaux flambant neufs. J'attendais un country man en stetson et veste à franges. Chaussé de Reebok immaculées, Garth porte un sweat-shirt Mickey et aucun chapeau rigolo.

Par contre, le bonhomme est éminemment sympathique. Très étonné de se retrouver interrogé par des Français de France, Garth se dévoile facilement. Il est né à Yukon, Oklahoma, bourgade de 4 800 âmes. À dix-huit ans, il s'en est allé à Nashville, où il a commencé par faire du rodéo. Une mauvaise chute, et le voici barman, puis videur. Chez lui, au lieu de regarder le base-ball à la télé, Garth a alors écrit des chansons, dans un style moderne. Il raconte des trucs tout simples, la vie rurale moderne, des histoires de mari camionneur trompé par une infidèle et du fracas qui s'en est suivi. Ses proches se sont mis à douter de son avenir, et sa mère lui a dit : *« Garth… chanteur, ce n'est pas un vrai métier… Tu veux devenir star de la country ? Autant essayer d'attraper le vent au lasso ! »*

Et c'est pourtant bien ce qui s'est passé.

Dès son premier album, avec des chansons qui font parfois penser à Dylan ou Springsteen, Garth Brooks est devenu une méga star de l'Amérique profonde. Lorsque nous le rencontrons, il a déjà sorti trois disques qui se sont vendus à plus de treize millions d'exemplaires.

Mais la force de Garth, elle est encore ailleurs, sur la scène. Après avoir étudié ce qui se faisait de plus extravagant en rock (Iron Maiden) et en pop (Michael Jackson), notre géant country a élaboré un show explosif. Il me dit : *« L'époque du chanteur country assis sur une chaise avec sa guitare, c'est terminé ! »*

D'ailleurs, demain soir, il joue à Atlanta. *« Mais venez donc ! »*

Là-dessus le nouveau héros des cow-boys nous serre la main avec une force de tractopelle et s'en va.

Après avoir pris congé, nous partons faire quelques courses. Je fonce retourner un magasin de disques avec Philippe Blanchet, je cherche en vain le premier 45 tours de Dolly Parton, le « Mule Skinner Blues », pionnier, dès 1970, de la country féministe. De son côté, Hervé fait l'acquisition d'un magnum de Rebel Yell, le fameux bourbon du sud des États-Unis, introuvable au nord, le whiskey préféré de Keith Richards. Dans ce liquor store de Nashville, Hervé achète aussi plein de trucs idiots, notamment une dizaine de caleçons des équipes de foot locales, tous décorés de logos hauts en couleur. Et alors que l'après-midi est déjà bien avancé, nous reprenons la route dans notre bolide de location, direction Atlanta.

Nous traversons le Tennessee. En plein mois de décembre, la nuit tombe vite. Le spectacle est surnaturel. Nos cousins américains sont des gars hyper sérieux sur les fêtes de Noël. Sur des miles et des miles, nous traversons un pays décoré de millions de guirlandes électriques clignotantes. Chaque petite maison du Tennessee semble rivaliser avec ses voisines. Ça scintille de partout, les guirlandes montent jusque sur les toits où, bien souvent, on a fixé un traîneau, des rennes et un mannequin de Père Noël.

Oh ! oh, oh. C'est Disneyland sur des centaines de kilomètres, c'est l'Amérique profonde et dans notre voiture, nous fonçons vers Atlanta en écoutant une cassette de Mötley Crüe.

Arrivé sur la freeway, Hervé allume une Marlboro. Il ouvre sa fenêtre, faisant s'envoler dans la nuit le dossier qu'il a posé sur le tableau de bord et qui contient toutes nos instructions — nom de l'hôtel, heure du concert, noms des responsables à contacter en cas de problème. Nous sommes sur une autoroute. Il fait noir. Pas question de s'arrêter pour retrouver la paperasse. Nous poursuivons notre route pied au plancher.

Coup de chance, Hervé se souvient du nom de l'hôtel à Atlanta, c'est déjà ça !

Un personnage, ce Hervé. Certains, dans le Métier, l'appellent Gros VV. Pas moi. Hervé fait ce job par vocation rock.

Et aujourd'hui, il n'est pas là par hasard. Travaillant pour BMG, il a vu la montée en puissance américaine de Garth Brooks, devenu selon *Billboard* le « *most popular singer in America* », celui dont les ventes dépassent alors celles de Michael Jackson… Il veut absolument créer un intérêt autour de ce chanteur, pour le faire venir jouer un jour en France.

Sauf qu'en France, la country n'a pas vraiment conquis le grand public. Hervé a donc décidé de lancer Garth Brooks par le biais de la presse rock.

Nous voici arrivés à Atlanta, perle du Sud. Hervé déniche de mémoire notre hôtel, une immense tour où, effectivement, trois chambres ont bien été réservées à nos noms par Capitol Nashville.

C'est là que le jet-lag nous tombe dessus comme un sac de ciment ou un riff de Judas Priest. Nous regagnons nos chambres après un dernier verre au bar.

Hervé a laissé son magnum de Rebel Yell dans le coffre de la voiture. Il a bien l'intention de l'ouvrir une fois en France, pour les fêtes, en s'écoutant les Stones. Pour ma part, je m'endors en rêvant aux douces collines du Tennessee, à moins que ce ne soit les seins de Dolly Parton.

Après un solide petit déjeuner, œufs brouillés, bacon, café et toasts, nous décidons, pour passer le temps, d'aller explorer un centre commercial géant. L'Amérique construit à cette époque des malls immenses où l'on trouve absolument tout.

À peine arrivés là-bas, Hervé et Blanchet foncent au Disney Store. Ils ont des enfants, normal. Compatissant, je me concentre sur une librairie et on se donne rendez-vous un peu plus tard sur la plazza.

Le mall est blindé, les gens font leurs courses de Noël.

À l'heure dite, je retrouve Hervé et Blanchet à un bar. Nous commandons des bières. Hervé me raconte alors une histoire absurde : sa note chez Disney s'élevait à 66 dollars. Il a essayé de payer avec un billet de 100, billet changé la veille à la banque de l'aéroport d'Orly et là… bizarrement, l'employé a étudié le billet sous toutes ses coutures, il a pris un temps fou et il a fini par refuser le billet !

De très mauvaise humeur, Hervé a récupéré son billet en l'arrachant des mains du gus, il laissé ses jouets Disney et c'est bien la première fois qu'…

Bruit et agitation autour de nous. Je relève la tête.

Un shérif escorté de six policiers vient interrompre ce récit palpitant. Ils nous encerclent. Il y a sans doute une erreur ? Le shérif s'adresse à Hervé :

« Sir ? ! Est-ce vous qui avez essayé d'acheter pour 66 dollars d'objets au Disney Store avec un billet de 100 dollars ? »

Hervé acquiesce, ben oui, bingo, c'est bien lui et donc… ?

« You're under arrest. »

Là-dessus, sous les yeux d'une petite foule qui s'est formée, les flics menottent notre copain éberlué et l'emmènent au commissariat. Assis devant ma bière, j'essuie mon front. Blanchet me demande si on reprend notre shopping.

Je suis estomaqué :

« Non ! Absolument pas, pas question ! Notre pote vient de se faire arrêter, c'est une erreur totale, il faut aller le chercher au commissariat !

— Tu veux dire qu'on retourne pas au magasin de disques ? »

Nous localisons le commissariat du mall. Où est notre copain ? What the fuck is going on ? ?

On nous somme de patienter dans un coin.

Pendant ce temps, dans un bureau, notre Hervé subit un interrogatoire poussé. Si les Américains n'aiment pas un truc, c'est bien la fausse monnaie. Tout ce qui touche au dollar relève du fédéral. On voit d'ailleurs les services secrets débarquer, en état d'alerte. Ils sont sûrs qu'Hervé est *un faux français.* Ils trouvent son histoire de Garth Brooks et du voyage de presse abracadabrantesque.

Au bout de deux heures à poireauter dans le commissariat sans nouvelles, nous demandons haut et fort qu'on nous rende notre copain. Nous sommes français, journalistes, nous sommes venus voir Garth Brooks ! À ces mots, un flic lève enfin un sourcil.

« Ah bon, racontez-nous ça... »

Blanchet et moi, nous répétons encore notre histoire, justifions notre présence sur le sol américain et protestons en brandissant nos cartes de presse tricolores, tandis qu'Hervé est mis au secret.

Interrogé par le FBI, le pauvre se voit déjà incarcéré et violé par une bande de serial killers crackés jusqu'aux yeux. Noyeux Joël.

Hervé flippe sa race.

Au final, le fait que Blanchet et moi soyons restés joue en notre faveur. Un Black des services secrets vient nous écouter et note que nous racontons tous la même chose. Il me propose un deal :

« Amenez-nous à votre hôtel et autorisez-nous à fouiller vos chambres. S'il n'y a rien, on arrête là. »

Ces flics n'ont aucune commission rogatoire, rien. Ils n'ont aucun droit sur nous, en vrai. Mais il faut faire quelque chose, sinon Hervé va rester en cabane. Et nous allons rater le concert.

Hervé, les services secrets et nous, nous voilà donc repartis à l'hôtel.

Notre voiture est dûment passée au crible. Et voilà que le magnum de Rebel Yell dans le coffre devient une preuve manifeste de notre culpabilité...

Un flic brandit l'imposante bouteille : *« Ils avaient prévu de faire la fête. »* Donc commis un crime ! CQFD !

Nous montons dans nos chambres. Chacune d'elles est retournée par les services secrets.

En d'autres circonstances, on aurait admiré le boulot. Des pros, les gars. Matelas soulevés, valises retournées, tiroirs passés au crible... Ils n'arrachent pas la moquette, mais tout juste.

Au final, nulle liasse de faux billets, ni drogue ni rien. Nous sommes clean de chez clean.

L'un des inspecteurs s'assied sur le lit et désigne la valise d'Hervé, grande ouverte : « *OK, OK, vous êtes bien des journalistes français... Reste un vrai mystère...* (désignant les caleçons). *Pourquoi vous avez acheté les caleçons de toutes les pires équipes de loosers du championnat ? J'aimerais comprendre ?* »

Les flics repartent en hurlant de rire.

Ils ont bien sûr gardé le faux billet.

Je retrouve le moral et tapote Hervé dans le dos : « *Tu sais quoi ? Il nous reste juste le temps de foncer voir le concert.* »

Une fois sur place, assis à quelques encablures de la scène... comment dire... le spectacle est sans aucun doute emballant mais notre trio n'a plus du tout le cœur à la fête.

Après les rappels, nous allons en coulisse présenter nos respects à l'artiste, en évitant de lui raconter nos mésaventures, puis nous rentrons à l'hôtel. Et repartons dès le lendemain pour la France.

Il y a des voyages maudits.

Philippe Blanchet a juste eu le temps de rendre son papier que son journal s'est arrêté. Le mien est paru dans *Rock&Folk*, numéro 295.

Mais pour Hervé, le pire était encore à venir : au moment de prendre un taxi vers son *home sweet home*, Blanchet a passé à Hervé son magnum de Rebel Yell... et la grosse bouteille lui a échappé des mains. Nous l'avons regardée tomber sur le sol comme au ralenti, image par image, lentement, lentement et kaboom, adieu Rebel Yell, magnifique bourbon du Sud, ramené de Nashville pour les fêtes de fin d'année. Hervé a littéralement changé de couleur. J'ai dit à mon chauffeur de taxi de partir au plus vite.

Nous nous sommes revus deux mois plus tard.

Hervé m'a sorti une lettre tamponnée du gouvernement américain, tout juste arrivée de Washington : après étude poussée au microscope et passage au crible, le billet de 100 dollars avait été finalement considéré par le FBI comme tout à fait légal et renvoyé à Hervé, en recommandé.

Et comme il avait fait un barouf pas possible auprès du bureau de change, on lui avait déjà remboursé le billet. Non content d'échapper à la prison d'Atlanta et au viol collectif de Noël, Hervé, en homme heureux, se trouvait doublement remboursé par le gouvernement américain.

Garth Brooks a continué à vendre des disques. Crise ou pas, il affiche aujourd'hui cent trente millions d'albums certifiés au compteur. Mais à ce jour, il n'est toujours pas venu chanter en France.

POLNAREFF & JOEYSTARR

« Quoi de plus naturel en somme ? »
Michel Polnareff

2002. Viré de Canal Jimmy avec pertes et fracas au bout de douze années de loyaux services, je passe quelques jours à Amsterdam avec Virginie Despentes. Nous avons pris des champignons mexicains et là, d'un seul coup, en pleine redescente, alors que le soleil se lève sur les toits de la Venise du Nord, je reçois un SMS de Michel Polnareff qui s'affiche sur l'écran de mon téléphone : *« Maintenant que tu n'es plus à la télé, auras-tu le temps de t'occuper de mon bouquin ? »*

J'ai rencontré Michel Polnareff en 1996. Il sortait alors un disque en public, enregistré au Roxy de Los Angeles. Un événement. J'étais parti pour Los Angeles avec Éric Dahan et un photographe. Pour les trente ans de *Rock&Folk*, nous avions envie de faire la couverture avec Polnareff, qui avait fait la une du premier numéro du journal en 1966. Mais dans mon histoire personnelle, Polnareff, c'était quelque chose de totalement à part.
En 1968, Polnareff était passé à la maison de la culture André-Malraux, à Reims. Mes parents nous y avaient emmenés, mon frère et moi. Ce concert, c'était mon premier. Un spectacle fou,

213

électrique, à cent mille à l'heure, avec un Polnareff vêtu tout en satin blanc, lunettes miroir. Il défouraillait les hits, « La Maison vide », « Tout pour ma chérie », « Sous quelle étoile ». J'avais quatorze ans. Ce soir-là, j'étais devenu fan pour toujours de Michel Polnareff.

1996, Los Angeles : le chanteur de « Lettre à France » nous apparaît au restaurant le Petit Four tel un chaman pop vêtu d'une combinaison camouflage de réparateur de soucoupe volante. Bottes de biker, crinière blonde, lunettes miroir, toujours, rock star.

Nous commençons par les photos. Michel a une drôle de bague tête de mort au bout d'une chaîne. C'est une bague du club Hell's Angels. Surprenant mon regard intéressé, il décroche la bague et me l'offre spontanément en m'avertissant :

« Si des bikers te voyaient avec cette bague au doigt, ils pourraient te le couper pour la récupérer...

— Bon, donc je ne vais surtout pas la mettre sur ma bite ! »

C'est parti tout seul.

Michel explose de rire et nous avons, à cet instant, l'impression de nous connaître depuis mille ans.

L'entretien se passe très bien (quatre heures d'interview non-stop !) puis, au soleil couchant, Michel nous emmène en studio où il remixe une ultime fois son album live. Là, nous rencontrons sa manageuse, Annie Fargue, un (autre) personnage de roman.

Annie Fargue fut actrice, c'est Gérard Philipe qui lui a trouvé son pseudonyme. Elle a aussi été la maîtresse d'Albert Camus. Productrice de *Hair* et *Oh ! Calcutta !*, elle s'est bagarrée contre l'administration française pour faire du théâtre un peu moderne, elle a amené les comédies musicales en France et depuis 1973, elle supervise la destinée de Michel. Compagne de Polnareff et manageuse à la fois...

On passe la nuit dans les clubs de LA à boire du Cristal Roederer. Michel est suréquipé pour la virée en boîte. Il a des lampes-torches à rayon laser avec lesquelles il appelle les serveuses. Vert, on a besoin de champagne, rouge, ça devient vraiment urgent. Au bout de deux jours, on se sépare à regret, mais de nouveaux interviewers arrivent de Paris et Michel va en recevoir une dizaine.

Rentré à Paris, je décrypte les confessions de Michel et je m'aperçois qu'on a évoqué tous les sujets, sauf Mai 68.

Damned ! Je rappelle la maison de disques : « *Pardon, excusez-moi, il faudrait que je repose une question à Polnareff... Vous me connaissez... pardon encore, je sais que ça ne se fait pas, mais...* »

Le message part vers Los Angeles. Deux jours plus tard, 3 heures du matin, mon téléphone sonne.

« *Allô ?*

— *Allô, c'est Michel... Paraît que tu as oublié une question ?*

— *Pardon encore, Michel, mais on a totalement oublié Mai 68. Alors je pose la question : qu'avez-vous fait en Mai 68, Michel ?*

— *Eh bien, comme tout le monde, je me suis barricadé !* »

Nous rions. Il raccroche.

Le lendemain, Polnareff appelle Annie Fargue et lui dit : « *J'ai vu tous les journalistes français, il n'y en a qu'un qui bosse là-dedans, c'est Manœuvre...* »

Polnareff décide, à cet instant, qu'il va écrire un livre avec moi. Et il me fait savoir qu'il aimerait bien qu'on s'y mette. Mais à cette époque, en 1996, je n'ai absolument pas le temps de m'en occuper, lourdement pris que je suis entre Canal Jimmy et *Rock&Folk*.

Cinq ans plus tard, à Amsterdam, dans un brouillard acide, je contemple longuement son texto quand soudain, je me dis que, oui, très certainement, je vais avoir le temps de l'aider à la faire, sa biographie !

Virginie Despentes trouve l'idée formidable.

Elle contacte aussitôt son éditeur, Grasset, et nous dînons avec Jean-Claude Fasquelle et Olivier Nora. Je leur explique mon projet. Les deux hommes sont dubitatifs. « *Mais Philippe, vous êtes sûr ? Polnareff n'a rien sorti depuis sept ans, il vit comme un ermite dans le désert de Californie, on ne sait même pas où, et vous voulez aller là-bas ?* » Je suis totalement partant. Je sens que Michel a la volonté de le faire. Ça vient de lui, au départ, c'est son idée. Et puis, ce côté challenge me séduit. Jean-Claude Fasquelle sait le pouvoir d'une bonne biographie. Il a sorti celle de Brigitte Bardot, énorme succès. « *Si vous y arrivez, Philippe, ce sera génial. Ce que vous allez essayer est très courageux… *»

Annie Fargue prend le relais, négocie un super contrat, des frais de bouche, des billets d'avion.

Et je m'envole pour une direction mystérieuse, non loin de Palm Springs, ce repaire de Sinatra et de son Rat Pack.

Quand Sinatra et ses boys avaient trop fait la fête à Las Vegas, ils se regroupaient à Palm Springs, leur base arrière. Dans le désert, il fait toujours beau, toujours chaud. Beaucoup de stars retraitées de la télévision américaine vivent là, quelques rockers aussi comme Brian Setzer, Donna Summer, les Queens of the Stone Age. Et dans ce désert archi-sec, dans ce Sahara local, les Américains ont eu le culot d'installer des terrains de golf parmi les plus verdoyants de la planète. Quand l'avion arrive de LA, on voit les taches vertes de ces golfs entretenus à grands coups d'arrosage insensé, en plein désert de sable.

Dans les rues de Palm Springs, des vaporisateurs rafraîchissent les piétons. Dans la montagne, alentour, des villas folles, certaines dessinées par de très grands architectes. La région regorge de collectionneurs de bibelots fifties, de hot rods, de Harley. Et il y a toute cette jeunesse dont les parents travaillent sur les golfs, qui se réunit autour du festival de Coachella.

Bienvenue en Californie du Sud...

C'est là qu'a été inventé le stoner rock lors des generator parties. La nuit, les rockers locaux se posaient au milieu du désert avec des générateurs pour alimenter les amplis. Et ils jouaient en fumant de l'herbe et en buvant de la tequila. Ils ont inventé un rock nouveau, sous les étoiles filantes.

Mais une personne n'aime pas cet endroit, c'est Annie Fargue. Elle m'amène la première fois en limousine, en rouspétant : « *Mais qu'est-ce que Michel peut bien fabriquer dans ce trou, tu m'expliqueras ?* »

Annie Fargue est très claire avec moi, d'emblée.

L'idée de ce livre, elle ne la trouve pas super excitante. Elle y voit une source d'ennuis, de procès. Et surtout, elle a peur que ça ralentisse les progrès de l'album studio nouveau sur lequel Michel travaille depuis sept ans. Mais Michel a insisté, c'est lui qui veut faire le livre et Annie Fargue a accepté parce que je ne bois plus d'alcool depuis trois ans.

Michel aussi est au régime sec et elle a peur qu'il se remette à boire, comme à l'époque du séjour au Royal Monceau, où il est resté deux ans à picoler tout en enregistrant un album. C'est d'ailleurs pour cela qu'elle a refusé un album de Michel avec Étienne Roda-Gil. Par peur de l'alcool. Elle me le martèle : stop la picole, il est hors de question que Michel replonge.

Ça me va très bien.

Six mois durant, je viens passer toutes mes vacances dans le désert. Michel, c'est très important pour lui, veut garder le secret absolu sur notre projet de bouquin. Il me le dit et le répète : « *C'est notre seule chance.* »

Chaque matin, Michel vient me voir à l'hôtel Hyatt (construit par Pierre Cardin en forme de pyramide). Nous faisons une longue séance de travail dans un coin isolé du lobby géant, puis nous allons déjeuner et Michel va faire une sieste avec une copine ou une autre.

Toute ma vie, je m'étais demandé ce que pouvaient bien fabriquer nos amies les pop stars quand elles n'étaient pas en tournée ou en enregistrement. Je le découvre enfin, aux premières loges. Michel déborde d'activités. Il fait du culturisme, passe chaque matin à la salle de sport, pompe des tonnes de métal en regardant les derniers clips sur une télé géante. Incroyablement informé, il surfe sur Internet, gère sa communauté de fans, leur parle en langage codé ou non. Il est l'Amiral. Cette communauté de polnareffiens est bien pratique. Si quelqu'un passe « On ira tous au paradis » sur une radio de Bergerac, il est probable que Michel le sait dans le quart d'heure, via ses moussaillons Internet.

Que fait-il d'autre ? Il enregistre.

Michel a été contacté par de nombreux promoteurs pour organiser un éventuel retour.

La grande productrice Jackie Lombard a longtemps tenu la corde, mais elle pense que si Michel revient en concert, ce doit être pour défendre un nouvel album. Pas d'album, pas de tournée. De mon côté, je pense que si Michel revenait après trente ans d'absence, les gens se moqueraient bien qu'il y ait un nouvel album ou non dans sa besace.

Michel me fait écouter quelques nouveaux titres.

Certains sont vieux de trois ans. Problème : la batterie de ces premiers morceaux a vieilli, elle ne le satisfait plus. Michel décide de refaire les batteries. Il les fait lui-même, directement. Il en a fait installer une dans le studio. Mais du coup, c'est la guitare qui semble vieillotte.

Parfois, nous allons discuter et glander dans le désert, dans des sources d'eau chaude indiennes.

On bronze, on discute, on avance. Michel évoque des souvenirs douloureux. Son papa n'hésitait pas à pratiquer les châtiments corporels pour lui faire apprendre plus vite le piano. Michel a été premier prix de conservatoire à onze ans, sur dispense, mais à quel prix ? Ce gamin a subi le knout. Parfois, des souvenirs épars le traversent. Un matin, nous sommes en taxi et un titre de Jimi Hendrix passe à la radio. Michel se souvient : « *Un jour de 1968, j'étais à Amsterdam, vers les 5 heures de l'après-midi. Je vois arriver un minibus Volkswagen à une vitesse incroyable. Le minibus pile devant moi, Jimi Hendrix au volant. Il baisse la vitre et me demande si je sais où est le Paradisio, le club de la ville...* » Puisque nous enclenchons la séquence souvenirs, je raconte à Michel être venu le voir en concert à Reims, en 1968. Polnareff : « *Ben... tu aurais pu venir me voir en coulisse, pourquoi tu ne l'as pas fait ?* »

Au milieu de mes enregistrements, je fais une infidélité à Michel, je me rends au Japon pour voir les Stooges. Lors d'une soirée, je discute avec Masa, l'un des très grands promoteurs japonais, l'inventeur du Festival du mont Fuji. Je lui révèle que je suis en train de travailler secrètement avec Michel Polnareff. Masa en reste sans voix. Comme tous les Japonais, il a Polnareff au cœur. « *Comment a-t-il fait ? Comment a t-il bien pu tenir depuis 1967, tout seul dans ce métier de dingues ?* »

Les questions de Masa sont les bonnes.

Michel arrive d'une époque reculée, où les artistes faisaient tout ce qu'on leur ordonnait. Photos, interviews, disques, concerts, les artistes sixties étaient taillables et corvéables à merci. Michel a survécu à des choses incroyables. Et notamment aux tournées des années 60, quand les musiciens n'avaient pas de loge ni de catering, quand il fallait se changer dans les champs avant de jouer sous des chapiteaux branlants et repartir au volant de bagnoles défoncées. J'explique à Michel que depuis 1973, date de ses derniers concerts, tout a beaucoup changé. Je lui explique les

Zénith, les Tour Bus, les loges et le confort dans lequel travaillent les groupes actuels.

En plus je vois la bite de Polnareff.

Oui, je sais. C'est une question normale quand on lit un livre de rocker : *« A-t-il vu la bite de Mick Jagger ? »* Jagger, non, Polnareff, oui.

Dans les grands moments, dans son studio privé, Michel aime débouler intégralement à poil pour régler sa console.

Gwen, l'ingénieur du son, m'explique que c'est Michel, c'est comme ça, c'est normal.

Michel est un gentil excentrique. On ne s'ennuie pas avec lui.

Il ressemble beaucoup à Michael Jackson sur un point : n'ayant pas eu d'enfance, il ne résiste jamais à un nouveau jouet.

Il a un perroquet dans son entrée et il collectionne les objets électroniques. Un matin, après une ultime interview, je m'apprête à repartir pour Paris. Zut, ma valise n'a pas de cadenas. Trop heureux, Michel bondit et me prie de choisir un cadenas dans sa collection. Il en a des dizaines, dans une petite valise spéciale, certains à code, d'autres qui s'ouvrent quand on leur siffle la *Marseillaise*, des avec Digicode, d'autres avec empreinte digitale.

Michel est passionné par la technologie.

Quand nous avons bien travaillé, le vendredi soir, nous allons au cinéma voir un film. Mais surtout pas *Le Seigneur des anneaux* ! Ça fait partie des trucs de Michel. Si c'est un film avec des boucliers, *« ah non, ce sera sans moi »*.

Un jour, nous filmons une interview type *Enfants du Rock*. Michel a deux caméras vidéo, il les branche et nous enregistrons un entretien resté inédit, *« pour ses archives »*. Ensuite Michel nous sort deux pétards d'une herbe excellente, qu'un copain à lui fait pousser dans un champ d'avocats. L'herbe en garde un goût très particulier, beurré, exquis. Michel fume trois lattes et me donne le joint. C'est la seule fois en neuf mois où nous fumerons un truc pas en vente au bureau de tabac. Sous l'effet du joint, nous commençons à rêvasser au bord de la piscine. Michel me dit qu'il a envie de demander à Jimmy Page de venir jouer avec lui, sur un concert. Les Led Zeppelin étaient ses grands copains, il imagine un medley « Sous quelle étoile/Stairway to Heaven ». Tout nous semble possible.

Ce soir-là, nous allons boire des coups dans un bar de Palm Springs. L'endroit est tendu de noir, plein de portraits de Old Blue Eyes, Frankie Boy, alias Frank Sinatra.

Assis au bar, nous commandons du cranberry juice que nous noyons de Perrier et de glaçons. C'est extra.

La conversation roule sur Chic et Nile Rodgers. Michel est formel : le nouveau titre sur lequel il travaille pourrait grandement bénéficier d'une guitare à la Chic.

Nous prenons un taxi et nous fonçons au studio. Tout est éteint. Michel rallume. Il sort la bande, la place sur le magnéto, branche une guitare. Je vais faire l'ingénieur du son. Au signal de Michel, j'enclenche l'enregistreur. Le rouge est mis. Il me sort à volonté tous les plans de Nile Rodgers, la fameuse cocotte funky n'a aucun secret pour lui. Voilà, c'est enregistré. Il est 4 heures du matin, on a refait la prise deux fois. Tout réécouté, je rentre à l'hôtel Hyatt. Michel reste à remixer le titre, il émergera vers 10 heures le lendemain. Là, il vient me chercher à l'hôtel. Un taxi nous attend.

Michel me dit que pour être sûr que ça sonne, il faut écouter à bas volume, dans une voiture.

Partant rouler dans le désert, nous écoutons le morceau à bas niveau, puis à très haut niveau.

Je suis au paradis californien.

Enthousiasmé, je fredonne le refrain de « Né dans un ice cream ». Là, Michel m'arrête de suite : « *Le chanteur, c'est moi.* »

De retour à Paris avec tous les entretiens, je m'enferme dans mon bureau de la porte de Champerret. Je retranscris la parole de Michel avec une grande énergie et je termine le bouquin en trois semaines. C'est un monstre, un brûlot, un truc qui fonce à cent mille à l'heure.

Incrédule, Despentes lit le manuscrit et s'avoue bluffée. Je remets le texte aux éditions Grasset.

Après lecture, mon éditeur, M. Manuel Carcassonne, s'avoue un tantinet déçu. Il voudrait plus de ceci, plus de Coluche, plus de cela, plus de Sylvia Kristel, il voudrait qu'on approfondisse certains points de détails.

Nullement découragé, considérant que c'est là une réaction normale, je repars en Californie.

Michel est comme moi sur un point : il n'aime pas refaire les choses terminées. Je trouve des moyens détournés. Pour retrouver plus de détails sur son enfance, je lui dis que la cassette n'a pas enregistré. Michel fait semblant de me croire.

À Paris, on trouve que ça commence à prendre du temps, cette histoire. M. Carcassonne, désireux d'accélérer le processus et de sortir au plus vite le livre, laisse fuiter une information unique : « *Polnareff prépare un livre avec Manœuvre* ».

Instantanément, l'enfer se déclenche.

C'est exactement ce qu'il ne fallait pas faire, ce que Michel craignait par-dessus tout. Soudain, le « *livre éventuel* » de la « *pop star recluse* » devient un grand sujet de débat à la télévision française. Thierry Ardisson, Laurent Ruquier, tout le monde débat, d'émission en émission. « *Polnareff n'a rien foutu depuis 1996,* affirme Ardisson, *il ne reviendra jamais.* »

À Palm Springs, Michel pique une colère terrible.

Ça ne rigole plus du tout. Dans un premier temps, il cherche d'où vient la fuite et, en roi des réseaux, il découvre bien vite que tout part de la maison Grasset. Trahison ! Michel devient anti-Grasset.

Je lui dis que ça tombe mal, c'est notre éditeur.

Je rentre à Paris augmenter le manuscrit de tout ce que m'a raconté à nouveau Michel. Un nouveau manuscrit est remis à l'éditeur.

Le livre pourrait partir à l'imprimerie... quand surgit Annie Fargue. Elle débarque chez moi, à Paris. Avec un message limpide de clarté : « *Mes enfants, je viens de lire votre manuscrit. Mais qu'est-ce que vous nous avez fait là ? En première page ?* »

Effectivement, Michel, s'exprimant avec son humour habituel, a tenu à faire figurer dès l'introduction l'une de ses formules préférées, « *sauf le respect que je vous doigt (dans le cul)* ».

Pour Annie Fargue, ce genre de tournure, c'est niet. Non, non et non encore.

Pendant vingt jours, la terrible manageuse haute d'un mètre cinquante-cinq va venir chez moi à 14 heures. Jusqu'à 21 heures, nous relisons le livre, mot à mot. Pour le corriger. Annie lit une phrase. Elle lève un sourcil : « *Michel n'aurait jamais dit ça.* » Je reprends la transcription :

« *Mais si, Annie, il l'a dit lui-même, de sa propre voix, regardez vous-même.*

— *Et moi, je te dis qu'il n'aurait jamais dit ça. Passe-moi le dictionnaire.* »

Fouinant dans *le Petit Robert*, Annie cherche un synonyme. Voilà, elle met ce mot-là à la place de celui-ci. Nous passons à la phrase suivante. Michel parle de l'un de ses musiciens :

« *Enlève, il va nous faire un procès.*

— *Mais Annie...* »

Même le nombre des gardes du corps de Michel devient un problème. Dans ses souvenirs, Michel se rappelle qu'il en a eu au moins quatre à l'hôtel Raphael. Annie n'est pas d'accord, elle en met deux, « *ça suffira* ». Découvrant cette correction, Michel proteste, des gardes du corps, il en veut au moins trois !

Au bout d'un moment, force est de le constater, Annie Fargue n'a pas tout à fait réécrit le livre, elle a enlevé soixante pour cent des mots, juste pour en mettre d'autres à la place, les siens. En édition, on appelle ça « *passer la herse* ».

Annie Fargue est une personnalité brillante et entre deux corrections, les souvenirs abondent, elle est pétillante, exquise. Mais dès qu'elle se replonge dans le manuscrit, elle redevient une institutrice bougonne. « *Ah stop, dis-moi, quel est ce mot ?* » Je suis effaré. Je suis en train de corriger un livre de Polnareff avec la fiancée d'Albert Camus. Deux siècles s'entrechoquent.

Au bout d'un mois, nous avons une nouvelle version du livre, la version Annie Fargue. C'est bien sûr celle qui sortira en librairie en octobre 2004.

Comme l'avait prévu Michel, nos chances de surprendre le grand public se sont envolées depuis la fuite. Trop attendu par tout le monde, le livre ne peut simplement pas s'élever à la hauteur de l'attente générale.

Nous en vendons tout de même soixante mille exemplaires en un mois. Évidemment, blessé par la campagne débile orchestrée par Carcassonne, Michel tient sa vengeance lorsqu'il annonce à Olivier Nora, président de Grasset, qu'il adore le livre, mais ne fera aucune promotion.

Sans en faire un plat, je retourne voir Michel deux fois. Il y a du changement.

En Californie, Michel a rencontré une jeune fille venue de France, Danyellah. C'est une parenthèse amoureuse bienvenue.

224

Michel n'est plus seul. Danyellah est belle, douce, gentille. Michel et Danyellah, Danyellah et Michel, on parle d'un couple fusionnel. Pour fêter ça, Michel déménage pour aller s'installer avec la belle... dans la colonie nudiste de Palm Springs.

L'endroit est situé en centre-ville, mais gardé derrière des murs protecteurs surélevés et garnis de pointes acérées. On entre dans la place après le passage de deux portes ultra-blindées avec Digicodes. Michel adore ce luxe sécuritaire qui le rassure.

À l'intérieur de la colonie, tout le monde vit nu. Une grande piscine centrale voit tous les nudistes s'ébattre. Michel adore, mais il interdit à Danyellah de se baigner sans maillot de bain. Les voisins s'en plaignent un peu.

En pleine époque french touch, je lui amène des nouveautés, Daft Punk, Air, Burgalat, Sébastien Tellier... Polnareff écoute tout, se nourrit de tout.

Et soudain, il me confie cette grande nouvelle : il va revenir tourner en France dès 2007, sans même un nouvel album. Car Polnareff est resté à l'écoute de la France, son pays qu'il aime tant. Et qui lui manque. Le retour sera triomphal, avec sept Bercy remplis, suivis de cinquante Zénith complets. Jacques Dutronc, que je rencontre alors, me dit : « *C'est plus une tournée, c'est un hold-up !* »

Le jour de la première, le 2 mars, les rumeurs les plus folles circulent. Un journaliste de *VSD* se balade partout dans la salle de presse en affirmant que Polnareff demande 120 000 euros pour donner une interview. La somme est folle, les journalistes sont écœurés par cette rumeur. Qui à force de discussions, devient une quasi-réalité. Le concert va commencer. Tout le monde se précipite dans la salle. Puis on se retrouve dans la salle de presse et la rumeur repart. « *Tout de même... 120 000 euros, c'est une somme, à part Paris Match...* » Et soudain, la porte s'ouvre et Michel fait sa grande entrée, nu sous son peignoir immaculé. « *Salut mes amis !* *Il semblerait que vous voulez me parler ?* » La rumeur se dégonfle comme une baudruche à mesure que Michel, convivial et disert, se confie au *Monde*, à *Match*, à tous les autres.

Michel a magnifiquement joué ce coup.

Je l'admire et l'aimerai toujours.

On sera toujours copains et c'est ainsi.

Annie Fargue vivait dans une grande villa de LA dans laquelle étaient empilés des centaines de cactus. Elle est morte le 4 mars 2011. On l'a enterrée au Père-Lachaise. Je suis allé jusqu'aux portes du cimetière, le matin de la crémation. En descendant du taxi, je me suis dit que la dame à laquelle je venais rendre hommage m'avait vraiment fatigué comme peu de gens au monde. J'ai fumé une cigarette à sa mémoire sur la tombe de Jim Morrison et je suis rentré au bureau sans passer par le crématorium…

Salut madame, bon séjour ailleurs.

Pendant la fin de mes aventures en Californie, ma fille Manon a commencé à se prendre la tête avec sa mère, une actrice anglaise qui vivait là-bas. Manon a fait deux ou trois bêtises d'ado. Au lycée d'Ojai Valley, un matin, elle a menacé de se suicider. En Californie, on ne blague pas avec ça.

Très vite, elle s'est retrouvée enfermée dans une maison de haute sécurité, un lycée pour ados difficiles, en Utah. Je l'ai fait évader de là et je l'ai rapatriée en France. Elle a raconté tous ces événements dans son livre, *Petite agitée*.

Manon revenue, Despentes s'en est allée.

Moi le rocker, j'ai commencé à élever seul à Paris une jeune fille de quatorze ans qui ne jurait que par le hip-hop, NTM, Tupac, Snoop Dogg, Fifty Cents, Dr Dre.

Nous sommes allés voir tout ce qui passait à Bercy dans le genre. Mais toute l'admiration de ma fille fondait comme neige au soleil à mesure que je devenais son papa. Le rôle est difficile. Les rockers n'aiment pas interdire. Par contre, quand ma fille partait au lycée en minijupe et hauts talons, je lui demandais de passer un sweat-shirt, un jean et de mettre des baskets.

Élever seul une adolescente...

C'est alors que je me suis dit que je pourrais écrire un livre de mémoires de JoeyStarr et récupérer un peu d'admiration auprès de ma progéniture adorée.

Je connaissais NTM de longue date, depuis le clip « Libérez James Brown », en 1988.

En 1997, ils étaient venus faire la première partie du Wu-Tang Clan, au Parc des Princes. Tout le monde attendait le Wu-Tang et ses neuf rappers d'élite. Sauf que JoeyStarr et Kool Shen avaient décidé de relever le défi. Arrivant en plein cagnard, à 15 heures, les NTM avaient retourné le Parc des Princes (*ici c'est chez nous !*) et donné un concert sauvage, ultra-dynamique, surgonflé et fabuleux. C'était l'époque du « Seine Saint-Denis Style », avec de monstrueuses infra-basses. Du coup, les Wu-Tang avaient eu peur de passer après NTM et donné un show calamiteux.

Mais en 2005, NTM n'existe plus, c'est un groupe dissous depuis des années et personne n'a jamais su pourquoi. Je contacte Sébastien Farran, alors manager de JoeyStarr, pour lui proposer mon idée de livre. Il tombe de son fauteuil : « *Plein de gens nous ont déjà proposé ça. JoeyStarr a toujours dit 'Si Philippe Manœuvre appelle, on le fera, si ce n'est pas lui, je n'y vais pas'.* » Mince alors !

Seb organise un dîner avec JoeyStarr. Il arrive pile à l'heure, s'assied, commande un rhum et commence à me raconter son enfance...

Je bois ses paroles. JoeyStarr me révèle qu'il a été élevé par son père, un père seul qui ne débordait pas de tendresse, mais une fois par mois, les deux hommes regardaient *Sex Machine* sur la télé du salon et pour JoeyStarr, c'est inoubliable. Ce sont les seuls moments de communion avec son père, autour de James Brown et du funk !

Depuis, JoeyStarr a toujours dit : « *Philippe Manœuvre appellera un jour.* » C'est ce jour. Le Jaguar est content. Il aime bien cette histoire de bouquin. Bien sûr, plein de gens me déconseillent d'entreprendre ce livre.

« Tu fais un bouquin avec JoeyStarr ? Tu vas te retrouver à fumer du crack à Stalingrad ! »

Polnareff avait un perroquet chez lui. JoeyStarr, c'est toute une ménagerie. Serpents en aquarium, mygales, araignées et le truc indispensable : un vrai caméléon, sur son arbre perché. Parfois, une mygale s'échappe de son bocal et c'est au secours, urgence dans l'appartement.

Au boulot, JoeyStarr, c'est Napoléon. Le rapper marche en dictant l'histoire. Il la revit. Il l'interprète. Il mouille le maillot. Il bosse, bosse, puis il s'écroule et là, un soir, il me dit : « *Et si on allait fumer à Stalingrad ?* »

Nous voilà partis chez un pote à lui qui habite le quartier des toxicos, 19e arrondissement de Paris. Un type adorable, cultivé, collectionneur de disques. Il fabrique son crack dans la cuisine. Deux grammes de cocaïne dans un bouillon de bicarbonate de soude qui brûle toutes les impuretés. Reste un petit caillou gris dans le fond de la casserole. C'est le roc du crack. JoeyStarr me tend sa pipe. J'allume. Et là, c'est le blast.

Pétrifié, je ne peux plus bouger.

Le temps passe, mais je suis comme en dehors du temps. Stoned.

Statufié. J'ai essayé, mais ce n'est pas trop mon truc. En même temps, je rigole : *Bon, voilà, il est 3 heures du matin, je suis en train de fumer du crack avec JoeyStarr dans une cuisine à Stalingrad... quoi de plus naturel, en somme ?*

Pensant à ma petite Manon, qui dort à la maison, à mes journalistes avec qui j'ai réunion demain, je rentre chez moi en taxi.

Soudain, nos rendez-vous s'espacent. Je sais, c'est difficile. Se remémorer son histoire est un moment pas simple. On revit des émotions, on reparle de personnages défunts, ou disparus, on comprend enfin certaines choses difficiles... ça fait mal rien que d'y repenser, même pour le Jaguar. Alors parfois, JoeyStarr m'appelle : « *Papa, tu m'excuses...* ». Si ça commence comme ça, c'est que le rendez-vous ne se fera pas. Heureusement, nous avons signé chez Flammarion, qui nous fout une paix royale.

Pour le reste, je constate que nous sommes en train de cautériser de vieilles plaies béantes. Ce JoeyStarr est un client sérieux. Graffiti artiste, danseur, il a imaginé un mouvement musical nouveau, le hip-hop. Sur un coup de gueule, il a monté un groupe avec son pote Bruno Lopes, alias Kool Shen.

En 1988, il y avait trois groupes rap en France. En 2018, le rap tient 30 % du marché de la musique. JoeyStarr est à la base de tout ça. Il en a rêvé, c'est arrivé. Mais le grand mystère de l'affaire reste la séparation de NTM.

Que s'est-il putain de passé ? Pourquoi ? Comment ? JoeyStarr n'a jamais parlé de ça à personne.

Ni à sa mère, ni à ses femmes, ni à son manager. Lorsque nous évoquons enfin ce moment, après bien des atermoiements, JoeyStarr s'écroule. Il pleure. Je ne trahis pas un secret d'État. JoeyStarr miaule. De rage, de douleur, de tristesse, de tout.

Il s'en étonne lui-même. Ravale ses larmes à la hâte, boit un coup. Moi, je fais chirurgien-psy sans diplôme. Je regarde les blessures, je nettoie la plaie, j'essaye de voir s'il y a pas des petits bouts de verre coincés dedans, je lave, je pose des points de suture mentaux. Ça va aller, mec, t'en fais pas, la balle est ressortie de l'autre côté. Déjà, on arrive à parler de tout ça. Ce n'est pas si mal.

Ce soir-là, après avoir évoqué la fin de NTM, nous avons la sensation qu'une sorte d'espèce de guérison peut commencer. Voilà. JoeyStarr a mis les mots sur la douleur. Il sait. Il apprécie sa peine, comme un bonhomme, il va cicatriser.

En plus, il attend un petit bébé, un garçon, son premier. Que des bonnes nouvelles.

Je fonce passer le week-end à Amsterdam.

Je ramène des plaques de chocolat aux champignons psyché-déliques. Ce sont des barres de quatre carrés. Il faut manger deux carrés et c'est parti pour un trip très gai, amusant, lumineux, qui dure quelques heures.

Pour remercier JoeyStarr de son crack, je lui offre deux barres de chocolat aux champignons. Je lui conseille de prendre un carré, deux maxi. Vers une 1 du matin, je suis chez moi, septième étage, quand j'entends un barouf hip-hop pas possible sur la place en bas.

Sortant sur le balcon, je découvre… JoeyStarr et son 4x4 qui fait un boucan terrible avec sa sono monumentale. Je descends le chercher en toute hâte.

Dialogue dans l'ascenseur :

« *Tu as pris les champignons ?*

— *Oui, j'ai avalé les deux plaques !*

— *Mais tu es fou, je t'avais dit deux carrés maxi !*

— *Oui, ben, j'ai tout avalé…* »

Sortant une bouteille de rhum, je passe à JoeyStarr un disque d'Isaac Hayes, super soul veloutée. JoeyStarr est tout heureux. Il danse à travers la pièce. Réveillée par le bruit, ma fille se lève et surgit en pyjama dans le salon : « *Papa j'ai rêvé de NTM…* »

À ce moment elle voit notre visiteur du soir et hurle :
« *AAAAAhhhh JoeyStarr !* »

JoeyStarr, sous champignons : « *Oh ! un petit lutin !* »

Deux minutes plus tard, Manon et JoeyStarr sont les meilleurs amis du monde. Ils se chambrent, rigolent, s'esclaffent, se gondolent. Au bout d'une heure, je parviens enfin à renvoyer Manon à son lit, et JoeyStarr entame une redescente paisible, posé dans un fauteuil, buvant du rhum et regardant un film de concert de Johnny Guitar Watson.

Au calme, JoeyStarr me raconte sa soirée champis.

Il a tout avalé, quatre fois la dose, le truc est monté en puissance très vite et JoeyStarr s'est garé un peu n'importe comment devant chez lui, place Sainte-Opportune. Il était dans un tel délire qu'il a balancé ses clés de voiture dans la cheminée en rentrant chez lui. Vers 23 heures, la police est passée, lui demandant de bouger son véhicule qui barrait un peu la rue. JoeyStarr a cherché ses clés dans les cendres de la cheminée. Il s'est mis de la cendre partout. Lorsqu'il est descendu bouger sa voiture, les flics ont pris peur en le voyant, torse poil, couvert de cendres. « *Merci messieurs, au revoir !* » Et c'est là qu'il a passé un T-shirt et décidé de venir me rendre visite.

J'ai pris un immense plaisir à travailler avec JoeyStarr parce que, comme moi, il pense que la langue française n'est pas morte. Il l'aime profondément et il essaye de la faire évoluer. Il bricole de son côté un étrange mélange d'Audiard et de hip-hop. Et grâce aux deux livres que nous avons faits ensemble, j'ai eu le plaisir de constater que l'image de JoeyStarr avait changé. Qu'elle s'était bonifiée, transformée. Après la sortie de *Mauvaise Réputation*, JoeyStarr est devenu l'un des chouchous du cinéma français. Il a participé à plus de dix longs métrages, remporté des prix, cassé la baraque dans *Polisse*.

Aujourd'hui, en ce moment, quelque part, Michel Polnareff et JoeyStarr sont en plein travail.

L'un sur son disque, l'autre sur la tournée NTM reformé. J'espère juste les avoir aidés à la hauteur de leur talent, immense. J'espère les avoir aidés à redresser leur image. Le monde moderne va vite. Il aime réduire les gens à ce qu'ils ont fait de plus simple.

Polnareff ? — *Il a montré ses fesses.*

JoeyStarr ? — *Il a giflé une hôtesse.*

Comme disait Francis Scott Fitzgerald : « *Ainsi luttons-nous, barque fragile, contre un courant qui sans cesse nous ramène à notre passé.* »

Oui, avec l'aide de la littérature.

MEXIQUE — ÉGYPTE

« La vérité est dans l'ombre derrière la pyramide. »
Rocky Erickson

En 1995, le groupe AC/DC sort un album intitulé *Ballbreaker* que le groupe va détester et renier par la suite. Mais, sur le moment, le disque est plébiscité par la rock critic et se vend très bien, car produit par le génial Rick Rubin, moderne maître du son.

Et donc, début 1996 si mes souvenirs sont exacts, la maison de disque Warner me contacte pour me proposer un voyage au Mexique. L'attachée de presse s'appelle Marie-Eugénie Barbey d'Aurevilly. C'est la descendante directe du Connétable des lettres et auteur des *Diaboliques*. Elle m'apprend que le disque d'AC/DC s'est hyper bien vendu et que le groupe va jouer à Mexico. Est-ce qu'on ne profiterait pas de l'occasion pour aller voir le concert et remettre aux AC/DC le disque de platine français ?
« Marie-E, est-ce que le pape est catholique ? »

L'Amérique du Sud est en train de s'ouvrir au rock. Dans les vingt années qui suivront, j'irai voir des concerts au Brésil, en Argentine, au Mexique. Partout, on ouvre les stades au rock, partout, des foules démesurées pour applaudir les Stones, Iron Maiden ou les White Stripes, là où, hier, seuls le pape et Maradona faisaient salle comble.

Dans l'avion pour Mexico, je retrouve mon vieux pote Francis Zégut et toute la maison de disques Warner. Sur place, nous sommes logés dans un hôtel six étoiles, le même que le groupe. Un monumental édifice avec, dans le lobby, des plantes tropicales et une sculpture de glace de dix mètres de haut (un cygne ? !).

La maison de disques nous donne plein d'instructions relatives à… la tequila. Souvent, après un concert, le rock critic s'en va laper des litres de tequila dans des bars. Or, nous apprenons qu'au Mexique, ce passe-temps peut s'avérer dangereux. Vite inconscient, le rock critic peut se retrouver dépouillé de tout et se réveiller en caleçon dans un fossé du marché aux voleurs. On nous conseille donc fermement de picoler à l'hôtel.

Le concert au Palacio de los Deportes est mirobolant.

AC/DC se présente derrière un mur, qu'une boule géante fracasse. Le groupe joue un roboratif mélange d'anciens et de nouveaux titres. La version de « For Those About to Rock » me fait chialer de bonheur. Le soir, nous buvons des coups avec les rockers du groupe, au bar de l'hôtel, assis en cercle dans des fauteuils capitonnés. Les AC/DC ont leur look habituel de SDF. Contraste : Zégut et moi carburons à la tequila, nous en descendons trois, pendant que les AC/DC, prudents, dégustent une petite mousse et hésitent longuement sur la probabilité d'une seconde bière. Effectivement, la tequila locale a un effet paralysant et il faudra nous ramener à nos chambres, pétrifiés par l'alcool, idiots, heureux.

Le lendemain, on laisse le groupe à l'hôtel, ils ont un concert le soir même. Pour faire patienter les journalistes, Warner décide alors de nous emmener visiter les pyramides de Teotihuacan, la Cité des Dieux. Un site remarquable, à une quarantaine de kilomètres au nord-est de Mexico City.

Autour d'une immense avenue, l'Allée des Morts, se dressent les constructions mayas. Quand on se promène ici, on a l'impression d'être sur un tarmac, au milieu d'un astroport du futur. Les structures sont cyclopéennes. Deux pyramides à degrés balisent le site : la pyramide de la Lune/femmes et celle (colossale) du Soleil/hommes. Nullement gênés par la lancinante gueule de bois, nous escaladons la grande pyramide en vingt minutes d'ascension. Une fois en haut, il est difficile de ne pas sentir une puissance énergétique énorme.

Il se passe un truc, mais quoi ?

Certains érudits new age prétendent que cette pyramide a été construite là, à cet endroit précis, pour fermer une source énergétique, mais comment le savoir ?

Les Mayas ne sont plus là pour nous expliquer leur mystérieuse cité de Teotihuacan. Ils ont disparu un jour, nul ne sait où ils sont partis, laissant là leur capitale abandonnée, intacte. Enthousiasmés, Zégut et moi, nous retournons au concert le soir même pour remettre triomphalement le disque de platine à Angus et Brian. Et nous rentrons à Paris.

Dans l'avion, j'écoute Hendrix et son *Band of Gypsys*. Je sens que ce voyage marque une étape importante dans ma vie. J'ai quarante-deux ans, je suis rédacteur en chef du journal *Rock&Folk* dont je rêvais au lycée et j'ai envie d'aller voir de plus près les pyramides d'Égypte.

Quelques années plus tard, en novembre 2002, l'occasion se présente. Un groupe de jazz-dub lyonnais, les Meï Teï Shô, va faire une résidence de dix jours au Caire, pour jouer avec des musiciens de Port-Saïd. Je les suis.

Dès que je pose le pied en Égypte, j'ai le sentiment étrange de rentrer au pays.

Tout, ici, m'envoûte : la chaleur de four, les autochtones au sourire communicatif, la musique chaâbi, le mélange des cultures, la folie furieuse des taxis, les hurlements des scooters, nous sommes dans une ville pop par excellence. Mais le choc, le vrai, c'est la grande pyramide de Gizeh.

Le rocker, on l'aura compris, à force, aime le gigantisme. Là, pour le compte, me voilà servi.

Quel monument énorme ! À quoi pouvait-il bien servir ? Qui a construit ça et comment ?

Pour quoi faire ? Si c'est une tombe, pourquoi n'est-elle pas décorée comme toutes les autres tombes ?

Si ce n'est pas une tombe, à quoi servait la chambre du roi au sein de la pyramide ?

L'énigme m'explose le cerveau.

Faute de réponse, j'y passe des heures. Dès que j'ai cinq minutes, je saute dans un taxi et emmenez-moi à Gizeh. Je rêve d'escalader cette pyramide, mais c'est formellement interdit.

Mon enthousiasme pour la Grande Pyramide déborde. Très vite, les copains de l'expédition me surnomment Le Pyramidiot. J'adore ce surnom.

Un beau jour, Benoît, le photographe, se joint à moi. Nous passons un après-midi entier dans la chambre du roi, insoucieux des allées et venues des touristes, nous faisons plein de photos à l'infrarouge, je me couche dans le cercueil de la chambre pour méditer et je sors un jeu de tarots pour faire un tirage. Une touriste italienne insiste pour que je lui lise les cartes. Elle est au bord des larmes. J'accepte, sans être très sûr du résultat. Je n'ai jamais tiré les cartes pour personne ! Bizarrement, hyper concentré au cœur de la Grande Pyramide, les cartes me parlent et je réussis à expliquer à l'Italienne que son copain va revenir. Elle en pleure de joie.

Bientôt, la fin d'après-midi est là. Le photographe et moi, nous sommes seuls et très silencieux dans la chambre du roi. Je regarde ma montre : 17 h 59. Il va falloir partir.

C'est à ce moment que la lumière s'éteint.

Vous avez bien lu.

Nous voilà tous les deux dans le noir le plus total, Benoît et moi, enfermés dans la grande pyramide de Gizeh.

Comme un abruti, je tente de rassurer mon pote : « *T'inquiète j'ai un briquet...* » Mon calme olympien me surprend. Mon ami photographe ne se voit pas du tout passant la nuit dans le noir quasi absolu dans la grande pyramide de Gizeh.

Il hurle.

On nous a entendus ! Les lumières se rallument.

Un guide nous hurle de redescendre immédiatement.

Nous ressortons sans encombre, les jambes un peu molles. Trompés par notre silence, les guides avaient cru la pyramide déserte et s'apprêtaient à s'en aller après avoir tout éteint.

Ce soir-là, nous assistons à une grande cérémonie de pendaison de crémaillère dans la villa toute neuve où sont logés les musiciens. Une sorcière magicienne venue de la ville des morts (le cimetière du Caire) procède à une purification de la maison. La sorcière est malicieuse. Imposante, elle danse avec une ceinture de clochettes et de coquillages censée repousser les djinns. Les Égyptiens modernes craignent toujours ces esprits malicieux du désert qui, si on les laissait faire, produiraient des couacs et des fausses notes dans tous les instruments. On brûle de l'encens, la sorcière psalmodie et secoue sa ceinture tintinnabulante, des hommes enturbannés frappent sur des tambourins en cadence, on boit du thé rouge, les musiciens sont ravis.

Les jams entre les groupes de musiciens locaux et les Meï Teï Shô se passent bien. Ils sont dans un round d'observation, chacun écoute l'autre, une musique envoûtante sort peu à peu de ces expériences.

Entre deux sessions musicales, nous allons visiter le souk du Caire, Khân al-Khalili, un immense bazar où on trouve absolument de tout. Curieux de nature, je m'approche d'un herboriste.

« *Bonjour… Auriez-vous du khat ?* »

Le khat est une plante venue d'Éthiopie qu'on mâchonne et qui produirait un effet speed. Selon mon copain Dordor, spécialiste de l'Afrique aux *Inrocks*, tous les chauffeurs de poids lourds éthiopiens roulent avec un buisson de khat sur le siège passager.

Ma question provoque l'hilarité du marchand : « *Non, hélas, je n'ai pas de khat aujourd'hui, mais je peux vous trouver du haschich exceptionnel, mes amis, connaissez-vous le double zéro ?* »

On s'assoit, on boit un thé, on parlote en grignotant un gâteau.

Le double zéro arrive.

J'achète un gros morceau de haschich que nous fumerons dans une chicha, sur la terrasse de notre hôtel, avec vue sur les pyramides, et nos potes musiciens, ravis.

Sur King Fayçal Avenue, nous découvrons l'Alexandra Café, également appelé le Café des Musiciens. Tous les musiciens professionnels du Caire se donnent rendez-vous à cet endroit. Assis à des tables, ils boivent du carcadet, le thé à l'hibiscus, fument, jouent aux dominos, aux cartes. Régulièrement, une camionnette s'arrête. Un type descend : « *J'ai un mariage, il me faut trois musiciens, accordéon, oud, tablas…* » Arrêtant net leur partie, les musiciens empoignent leurs instruments et grimpent dans le véhicule qui s'éloigne dans un concert de klaxons.

Je reviens régulièrement en Égypte. La civilisation égyptienne me passionne. Je bouquine des dizaines de livres sur le sujet. Un de mes objectifs du demi-siècle à venir : apprendre à lire les hiéroglyphes. En général, je passe deux semaines à Louxor à explorer les temples et crapahuter dans la Vallée des Rois, mais c'est vraiment le Caire qui me fascine. Souvent, à la télé de l'hôtel, je vois des clips de chansons qui captivent l'Égypte. Le sujet du disque numéro un, en 2002 : une fille de seize ans veut aller à la surprise-partie de sa copine, ses parents ne veulent pas... Tout ça, sur un bidouillage techno, synthés à gogo. Ici aussi, la pop fait lentement bouger les lignes. Dans les rues cacophoniques du Caire, il n'est pas rare de voir des gamins montés à trois sur une moto. Un qui conduit debout, un derrière sur le porte-bagages et, au milieu, un troisième qui porte une boom box braillant des chansons pop. Comme les Jamaïcains, ils sont prêts à mourir, le transistor à la main.

Une image forte de l'Égypte moderne.

Nous voici en 2004.

Nicole Schluss, manageuse de M, me téléphone :

« *Tu sais que la grand-mère de Matthieu était égyptienne... Mais oui, on parle bien d'Andrée Chedid... Pour la fête de la musique, M va aller donner un concert gratuit au Caire. Tu viendrais ?*

— Nicole, est-ce que le pape est catholique ? »

Je me retrouve donc au Caire le jour de mes cinquante ans, le 19 juin 2004. Pour cet événement, j'ai obtenu l'autorisation d'emmener ma fille Manon et mon fils adoptif Théophile. Avec M, je découvre encore une autre Égypte. On nous emmène visiter la vieille ville du Caire, nous passons un moment unique à la Maison des joueurs de oud.

M joue sur une île du Nil, alors qu'une lune parfaite se lève sur le fleuve. Sa musique funk à souhait emporte immédiatement l'adhésion de la petite foule. Encore un moment de grâce, de rock aussi. Après le concert, nous nous retrouvons tous sur le toit de l'ambassade de France, le Caire à nos pieds. Le Caire est une ville étrange, fabuleuse, une mégalopole de science-fiction, à la *Blade Runner.*

Nicole m'empoigne le bras : « *Philippe, tu te rends compte ? On vient de faire un concert de rock en Égypte !* »

Puis, mes aventures mexicaines recommencent. Je pars tourner avec un groupe nommé Tito & Tarantula. Repérés par Quentin Tarantino et Robert Rodriguez, ils jouaient le groupe rock zombie dans le film *Une nuit en enfer.*

Tito va faire une tournée au Mexique et il propose à *Rock&Folk* de l'accompagner. Une expérience totalement différente de ce que nous avions vécu avec AC/DC. Tito & Tarantula est un modeste groupe en devenir. Ils jouent un rock stonien, tournant à cinq avec une petite camionnette Espace. L'après-midi, on visite la maison de Frida Khalo. Le soir, ils jouent dans le plus gros club punk de Mexico City, une salle avec des murs fluo, un vert, un orange, un minium, barbouillés de slogans destroy. Le groupe se déchaîne. La foule est hystérique. Avec Tito, nous découvrons le vrai Mexique. Nous dînons à sept dans un restaurant. Le patron amène l'addition totale : 9 euros.

Bien sûr, Tito connaît Teotihuacan. Alors, entre deux concerts, nous retournons voir les pyramides. En redescendant du monument, arrivant à la camionnette, je me retourne et je vois la pyramide en pleine cérémonie, couverte de guerriers mayas badigeonnés de plumes, psalmodiant et dansant sur tous les niveaux. Je n'ai rien fumé, rien bu, rien de rien. Éberlué, je regarde autour de moi. Notre chauffeur sort une bouteille d'eau et me demande : « *Vous aussi, vous les avez vus ?* »

Sachant que je ne me remets pas du départ de ma fiancée numéro 187, Jodorowsky m'a conseillé d'aller voir l'un de ses amis, don Armando, un sorcier mexicain qui exerce au cœur de

Mexico. Je m'y rends plein de curiosité. Le sorcier pratique dans une grande pièce claire, immaculée. Un tableau représentant le Christ en croix occupe tout le mur du fond. Assis sur des chaises, plein de gens attendent leur tour en regardant le sorcier faire ses manipulations. Don Armando opère en public. Avant moi, il y a une dame avec son bébé malade, un policier, un employé de bureau. Quand mon tour arrive, je m'approche. J'explique qu'il me semble bien que je n'arrive pas à surmonter la rupture avec mon ex. Le sorcier se saisit de trois œufs, d'une seule main. Il les passe sur mon dos et se recule, surpris.

Il m'explique que je suis gravement atteint.

Je veux bien le croire. Mon ex-copine m'obsède. Je parle d'elle à tout le monde toute la journée et je rêve d'elle la nuit. Le brujo est formel : « *Envoûtement* ». Il va falloir employer les grands moyens.

On m'enveloppe dans un suaire gris de drap rugueux. On m'assoit sur une espèce de trône en hauteur. Puis, le sorcier prend des herbes qu'il mélange et jette dans une grande poêle avec de l'encens. La poêle est placée sous mon siège, sur un petit brasero. Deux heures durant, je reste là dans mon coin, ligoté dans mon suaire, à respirer l'étrange fumigation, tandis qu'à côté de moi, le sorcier guérit une prostituée souffrante et résout un problème d'impuissance. Enfin, don Armando me sort de mon suaire et me frotte le front avec un onguent.

« *Et voilà !*

— *Je dois quelque chose ?*

— *Rien. Tu donnes ce que tu veux, dépose dans la corbeille en partant.* »

C'est un tantinet hagard que je sors de chez don Armando.

Dans la rue, je retrouve Mexico, ses klaxons, son brouillard de pollution.

Mais il y a du changement dans ma tête. Je me sens totalement délivré, optimiste, heureux. Voilà, c'est fini ! Je ne pense plus du tout à la dame qui, deux heures plus tôt, m'obsédait littéralement. Posant le pied sur le sol, je sens la terre vibrer de plaisir, à l'unisson de ma félicité cool. Je m'assois sur un banc sous des magnolias. J'inspire. Mexico me semble en cet instant la plus belle ville de l'Univers et je suis une partie infime de cette merveille. Je ne suis pas drogué. Je suis juste nettoyé. Comme un sou neuf. Je fonce retrouver le groupe pour notre ultime concert au Mexique.

Si vous en êtes arrivé là, merci de me lire encore, car ce n'est pas fini.

En 2001, deux ou trois samedis par mois, je fais une émission sur France Musique avec mon ami Éric Dahan. L'émission commence à 1 heure du matin et se termine à 7 heures, au petit jour. C'était une très bonne idée de Pierre Bouteiller, cet espace ouvert au rock nous a permis d'étudier en profondeur les grands mythes du XXe siècle. Nuit Zappa, nuit Pink Floyd, nuit Rolling Stones, nous avons le plus grand plaisir à faire ces émissions. Nous amenons d'énormes sacs bourrés de CD et, juste après l'indicatif « Aux cyclades électroniques » de Bertrand Burgalat, nous passons nos nuits à diffuser du rock. En plus, France Musique est écoutable partout en France. De nombreux rockers nous racontent avoir longtemps roulé entre deux villes en nous écoutant, après un concert.

Que demander de plus ?

Le samedi 1er décembre 2001, Éric Dahan part en taxi du 18e arrondissement vers minuit. Il est censé me prendre au passage porte de Champerret. Comme nous avons une nuit de travail devant nous, je suis sobre comme un chameau. Seule drogue autorisée : la caféine.

Minuit dix. Éric n'est toujours pas là… Je sors sur le balcon pour voir si un taxi est à l'approche. Rien, personne. À ce moment-là, je relève la tête et titube de stupéfaction sur mon balcon. Là, entre la porte Maillot et la Défense… je vois un truc qui vole dans le ciel… un engin qui ne correspond à rien de connu ou d'inconnu. Un machin lumineux, un engin volant tellement étrange que son origine ne peut vraiment pas être humaine. C'est tellement fou et inattendu que ma première réaction est de m'écrier tout fort : « *Ah non, pas moi !* »

Me souvenant que j'ai été rédacteur en chef de *Métal Hurlant*, je sais à quel point cette expérience va déclencher hilarité et dérision. Moi, Philippe Manœuvre, je vois un ovni passer dans le ciel.

J'ai vu tous les films de SF du monde.

J'ai publié nombre de BD sur le sujet.

Et soudain, les voilà, ils sont là, je les vois !

Seule certitude : ce ne sont pas des humains qui ont conçu cet engin. Saisissant un carnet, je dessine très schématiquement ce que j'ai vu. Puis, je note la date et l'heure.

Entre-temps, Dahan est enfin arrivé. Je descends le retrouver dans le taxi.

« *Ça va ? Tu fais une drôle de tête…*

— *Éric, je viens de voir un ovni…*

— *Tu as pris des champignons ?* »

Nous faisons notre émission sur David Bowie.

Lui aussi était fasciné par le cosmos et les aliens.

À l'aube, encore tourneboulé, je rentre chez moi pour quelques heures de sommeil et dès mon réveil, fébrile, j'appelle la rédaction du *Parisien* pour tenter d'en savoir plus. Quelqu'un d'autre aurait-il déclaré avoir vu un objet volant étrange dans le ciel, la nuit dernière ? Eux doivent savoir…

Problème : le standard me met en relation avec une journaliste pas tombée de la dernière pluie d'étoiles filantes, une dame revêche et sentencieuse qui me fait subir un interrogatoire policier.

243

Suspicieuse, la dame refuse de répondre à toutes mes questions et me demande si je suis adepte de l'ecstasy.

Comprenant qu'une destinée à la Paco Rabanne m'attend si j'insiste, je raccroche. Non sans avoir convenu avec mon interlocutrice que j'ai dû voir un hélicoptère dans le lointain. Par contre, cette personne était aussi journaliste que je suis flic.

Quinze jours plus tard, je déjeune avec les deux musiciens de Air, Nicolas et Jean-Benoît. Eux qui composent une musique digne des univers SF sont fascinés par les extraterrestres. Ils profitent de leurs tournées pour rencontrer des voyants. Quand je les vois, ils reviennent du Japon où ils ont consulté un sorcier réputé pour lui demander si, un jour, ils verraient des extraterrestres.

Réponse du sorcier : « *Vous, non, mais un de vos amis va les voir.* »
Les Air sont éberlués. Tout coïncide !

À force de lire les tarots, d'escalader des pyramides et de me faire nettoyer l'aura par des sorciers mexicains, je me retrouve à plonger de plus en plus dans l'univers occulte. Bientôt, je vais lire des dizaines de bouquins sur le sujet. Ma bibliothèque en est archi-pleine.

J'avais probablement un terrain fertile : on ne travaille pas impunément avec les maîtres de la SF et du fantastique. Mœbius fréquentait des sectes, Jodorowsky pratique les tarots comme personne, Druillet nous a ouvert les portes des étoiles.

Comme dit Iggy Pop : « *S'il n'y a pas un peu d'occulte là-dedans, à quoi ça sert ?* »

JEAN-LUC

« Putain de chauffe-eau »

Mon histoire avec Jean-Luc commence un 20 décembre. Je m'en souviens comme si c'était hier.

Décembre 2000, sans doute : le chef de Clichy Courses, boîte des coursiers de *Rock&Folk*, passe au bureau pour souhaiter un joyeux Noël à toute l'équipe. Le bonhomme s'appelle Jean-Luc et il nous amène, cadeau cadeau, un petit pochon rempli de cocaïne, deux grammes de neige pour fêter la Nativité.

Jean-Luc est un personnage imposant, le sosie de Jerry Garcia du Grateful Dead. Cent cinquante kilos, barbu, petites lunettes et regard vif.

Nous sommes en plein bouclage. Nous remercions donc rapidement Jean-Luc pour son présent bienvenu et nous reprenons le boulot.

Personne ne touche au paquet de coke. On bosse, bordel. La fête, ce sera plus tard, un autre jour.

Heureusement.

Moins d'une heure plus tard, Jean-Luc repasse par la rédaction, affolé. Ce qu'il vient de nous offrir, ce n'est pas du tout la cocaïne annoncée, mais un truc néfaste, un opiacé mexicain à tomber raide mort.

Quelques mois plus tard, la boîte des coursiers ferme, vaincue par Internet.

Je retrouve mon Jean-Luc, devenu chauffeur de taxi à la G7. Serviable, il m'aide à déménager une télévision pesant des tonnes. Nous allons boire un café. Jean-Luc est fou de rock. Jean-Luc m'explique qu'il est aussi guitariste à ses heures. Je lui passe donc quelques CD de blues. Et je l'emmène voir un concert de David Gilmour au Grand Rex.

Petit à petit, Jean-Luc devient mon chauffeur.

Car de mes années alcooliques, j'ai retenu une leçon : boire ou conduire, il fallait choisir. Ayant dans un premier temps de ma vie choisi l'alcool, à cinquante ans passés, je ne conduis toujours pas. Fidèle au conseil de Andrew Loog Oldham, le premier manager des Stones, je me déplace en taxi.

Alors à chaque fois que j'ai besoin d'une course, je prends l'habitude d'appeler mon nouveau pote à la compote.

Jean-Luc est souvent disponible, sinon il fait au mieux.

Je m'assois à côté de lui, sur le siège du mort. Une fois en route, Jean-Luc devient chauffeur conteur, il a plein d'histoires de taxi, qui est monté dans sa voiture, qui a dit quoi, la dernière rumeur des chauffeurs, etc.

Nous déjeunons régulièrement ensemble. Plusieurs infos se dégagent : Jean-Luc lutte contre le surpoids, Jean-Luc dévore ses steaks quasi crus, Jean-Luc fume beaucoup de Gitanes, Jean-Luc écoute du rock non-stop dans son taxi, Hendrix est son chouchou et, toute la nuit, Jean-Luc se balade sur des forums Internet, il évangélise les foules en leur parlant de Kiss ou de Lynyrd Skynyrd.

En 2007, je reçois une étrange demande d'une prison française, la centrale de Poissy. Chaque année, pour la fête de la musique, les détenus votent pour un visiteur appelé à passer l'après-midi du 21 juin avec eux. Un animateur m'appelle. Toute la prison a voté pour une conférence rock de Philippe Manœuvre.

Je suis un peu éberlué. D'accord, je reviens d'une grande tournée des Fnac pour mon livre *La Discothèque idéale*. Compris, les détenus ont envie de me voir.

Fan de la série *Prison Break* et très curieux de cette expérience inédite, j'accepte.

Le 21 juin, donc, je demande à Jean-Luc de me conduire à la centrale de Poissy. Nous arrivons pile à l'heure prévue. Comme souvent, je propose à Jean-Luc de m'accompagner à l'intérieur. Il refuse net, ce qui ne lui ressemble pas, lui toujours curieux de tout.

Passant nombre de contrôles, j'entre dans la prison et donne une conférence, suivie de nombreuses questions. Certains détenus me frappent par leur gentillesse, leur calme. Un surveillant m'explique que ce sont les plus dangereux, des longues peines.

Je visite la cour de promenade, dédicace plein de bouts de carton qu'on me donne et je ressors au bout de deux heures, assez remué par l'expérience.

Jean-Luc est là, sur le parking, fumant sa Gitane au volant de sa Skoda. Rassurant comme un panda crapoteur.

Nous rentrons sur Paris.

Je comprends que mon pote a envie de parler.

En fait, m'explique-t-il, la prison, il connaît.

Il connaît même bien, de l'intérieur.

Lui qui me parle, il en a fait, de la prison. Cinq piges. Ah bon ? Première nouvelle...

« Cinq piges ? Tu avais fait quelque chose de grave ?

— J'avais enlevé un juge. »

Enlever un juge ? Quelle drôle d'idée ! Mais pourquoi ? Je

découvre en cette journée de fête de la Musique que Jean-Luc, mon chauffeur et mon copain, était le lieutenant de Jacques Mesrine.

Sur la route de Paris, Jean-Luc va me raconter l'histoire de sa rencontre avec l'ennemi public numéro un.

Au départ, déjà, Jean-Luc était le produit d'une famille bizarre. N'ayant jamais connu son père, il a été élevé par sa mère et surtout sa grand-mère.

Peu après Mai 68, fuyant le lycée Chaptal, très influencé par les bouquins de Jack Kerouak et de Jerry Rubin, il a saisi une guitare et il est parti faire la route.

Antimilitariste, grand lecteur de *Charlie Hebdo*, il participe aux campagnes du Larzac aux côtés de Aguigui Mouna, le clochard libertaire et philosophe, devient saisonnier.

« À l'époque, il y avait du boulot. L'été je cueille des fruits à Sernhac, du côté de Nîmes, l'hiver, on se balade. »

Et puis, Jean-Luc essaye de rallier les grands festivals.

« Je ne sais pas combien de fois j'ai vu Ange. Ou Magma, ils tournaient beaucoup. On devait suivre le même itinéraire qu'eux. J'ai vu Gong en Suisse, Daevid Allen à Sion. J'aimais beaucoup Magma, c'était un groupe qui m'a marqué, ils habitaient rue Ordener, donc on les connaissait un peu, on les voyait. Ils ne crevaient pas la faim, mais c'était tout juste. »

Jean-Luc dort parfois dehors.

Il a faim, il a froid, il fait la manche.

Mais il est libre. Ivre de cette sensation unique, il zone du côté de Montmartre, grattant sa guitare, passant le chapeau. Sa mère le retrouve dans la rue ? Il refuse de rentrer à la maison. Avec son chat Pupuce, il continue de courir les concerts gratuits, réussit à rentrer sans payer dans un cinéma pour voir le concert de Pink Floyd à Pompéi.

L'époque découvre tout en même temps, amour libre, stéréophonie, *Hara-Kiri* et shit marocain.

Des plaisirs tout neufs. Jean-Luc s'éclate. Il regagne Montpellier pour la cueillette : « *Quand on avait fini les fruits, on descendait sur Palavas-les-Flots foutre la zone, mais gentil, toujours.* »

Désormais, Jean-Luc, qui a découvert l'acide, trippe régulièrement. « *On allait chercher l'acide en Angleterre, les monstres verts, là-bas, ce n'était vraiment pas cher.* » Avec son copain Cassetout, Jean-Luc prend son dernier acide du côté d'Aix-les-Bains. Il grimpe une nuit, complètement défoncé, sur le mont Revard, au-dessus d'Aix.

« *On s'est allongés et dans le ciel, il y avait toutes les étoiles. Quand on regarde une carte du ciel, il y a toutes les lignes pour montrer les constellations. Moi, je les ai vues. J'étais arrivé au bout du truc, j'ai dit, c'est le dernier et je n'ai jamais repris d'acide. Celui-là est resté un immense souvenir.* »

Pendant ce trip, son copain Cassetout met une version de « I Am the Walrus » par Spooky Tooth.

« *On a écouté ça avec un truc à piles en haut de la montagne, sur une pente abrupte et lui dansait avec son chien. Ce sont des images qui m'ont marqué à vie. C'est dur à raconter. En fait, Cassetout était redevenu un homme préhistorique avec son chien, tellement il est rentré dans cette musique. Il n'écoutait que Spooky Tooth. Moi, c'était* Rock Bottom *de Robert Wyatt que j'écoute toujours, trente ans plus tard.* »

Jean-Luc potasse *Rock&Folk* et *Best* pour repérer d'autres festivals rock. Il rentre gratuitement partout, festival de Reading en Angleterre, Germersheim en Allemagne. Il se déplace en auto-stop.

« *Beaucoup d'Américains venaient faire le tour d'Europe. Ils arrivaient souvent par la Hollande, ils y achetaient un bus Volkswagen et ils nous prenaient en stop. Ça marchait bien, le stop. Un jour, je suis tombé sur le fils d'un astronaute... J'ai fait des milliers de kilomètres comme ça. »*

D'Amsterdam, Jean-Luc file vers Montpellier, Nîmes, Palavas-les-Flots, rencontrant des gens étranges, comme ce marin qui buvait cinquante pastis par jour.

À la guitare, Jean-Luc a désormais tout un répertoire, de François Béranger à Bob Dylan. Des années après, il constatera modestement : « *C'est vrai qu'une guitare, c'est un aspirateur à nanas.* »

Et du côté de Montpellier, ce qui devait arriver arrive. Jean-Luc rencontre Manitas de Plata.

« *On l'a rencontré dans une boîte de nuit. Il était gentil, vachement ouvert aux beatnicks. La communauté gitane de Palavas-les-Flots nous a donné à bouffer, invité chez elle. On était guitaristes, ils nous empruntaient quelquefois nos guitares et on flippait parce qu'ils tapaient dessus comme des malades pour le flamenco. Ils ont toujours été très sympas, surtout Manitas. Lui arrivait en Rolls Royce, il nous emmenait dedans et on allait dans une boîte, le Bocaccio.* »

Ensuite, Jean-Luc essaye de travailler dans un cirque. Mais il a un accident avec un cheval, alors il quitte le cirque et se console en allant au festival d'Orange avec son chat et sa guitare. Nous sommes en 1975. À Orange, on se croise dans la foule, sans doute. Nous sommes toute une génération au rendez-vous pour voir Doctor Feelgood, John Cale, Procol Harum, Bad Company, le Mahavishnu Orchestra, Tangerine Dream.

De retour à Paris, Jean-Luc fait le coursier. Avec sa mob bleue, la fameuse Motobécane, il fait mille métiers pour autant de misères, comme il dit. Découvrant la mouvance anarchiste, Jean-Luc lit aussi Bakounine, fréquente les autonomes qui vivent dans des squats et ont envie de tout foutre en l'air.

« *J'ai rencontré un groupe anarchiste à Coulommiers, en particulier, qui était dur de dur. On faisait des attaques de contremaître dans les usines. Si un mec venait se plaindre, nous, on montait une opération punitive. C'est-à-dire qu'une nana assez jolie allait parler au contremaître pendant qu'un grand mec arrivait par-derrière avec un pot de minium et le retournait sur la gueule du type.* »

Jean-Luc rencontre enfin une fille, nommée Odile, étudiante et future assistante sociale. Comme elle vit dans un foyer de jeunes filles, il la courtise hardiment. Tentant de se stabiliser, il quitte un hôtel pourri pour prendre deux petites chambres de bonne rue de Rome. Il emmène Odile voir *La Guerre des étoiles*, à la Huchette.

Bref, tout va très bien jusqu'à ce matin de mai où Jean-Luc découvre qu'on lui a volé sa mobylette. Fini, l'épisode coursier.

Jean-Luc n'a plus aucun moyen de payer son loyer.

Un copain nommé Alain lui prête un appartement passage Charles-Albert, dans le quartier de la porte de Saint-Ouen. Jean-Luc peut coucher là, à condition de faire des travaux de plomberie dans l'appartement.

Jean-Luc s'attaque donc à la salle de bains.

28 mai 1978 : Jean-Luc habite passage Charles-Albert depuis quinze jours. Il vit au rez-de-chaussée, dans son petit appartement pimpant où il a rassemblé toutes ses possessions, quelques livres, des photos, une paire de santiags, un blouson à franges, une guitare. Les immeubles font deux étages seulement, tout le monde se parle, dans la rue aussi, on se salue respectueusement.

Ce matin-là, il fait très beau. En train de faire la salle de bains, Jean-Luc a laissé la porte ouverte, comme tout le monde, quand, à un moment, un type en bleu de chauffe passe la tête à la porte pour lui demander s'il s'y connaît en plomberie.

« On a un problème de chauffe-eau, on n'arrive pas à l'allumer. »

Jean-Luc passe chez le type, la porte à côté, rallume le chauffe-eau qu'il fallait juste purger. Il n'est même pas intrigué par ces ouvriers (ils sont deux) qui ne savent pas démarrer un chauffe-eau. Ils habitent le studio à côté du sien.

« Comme j'ai réparé leur chauffe-eau, les deux gars me remercient et me proposent de venir dîner avec eux le soir. Ça se passait comme ça, dans le quartier. »

Le soir venu, après son boulot, Jean-Luc va dîner chez ses voisins. Ils sont toujours en bleu de chauffe avec des logos CBR, Compagnie Belge de Réparation, comme ils l'expliquent à Jean-Luc. Un Jean-Luc qui ne pose toujours pas de questions.

OK, il a affaire à des ouvriers belges qui ne savent pas purger un chauffe-eau. OK, ces ouvriers restent là toute la journée, dans leur studio, mais l'histoire reste plausible.

Pendant huit jours, Jean-Luc prend l'habitude de voir réguliè-rement ses nouveaux voisins. Presque tous les soirs, il dîne avec eux. La conversation roule sur tout et rien. On cause boulot. Plan de cueillette. Comme Jean-Luc a sa guitare, il prend l'habitude de venir avec son instrument. L'un des deux ouvriers a une chanson préférée : « Les Portes du pénitencier ». Chaque soir, il demande à Jean-Luc de lui chanter « Les Portes du pénitencier ». Et chaque soir, Jean-Luc chante la chanson dans une version proche de celle de Johnny Hallyday.

Parfois, l'autre se joint à lui pour chanter le refrain.

Dix jours se passent.

Les gars vivotent.

Mais un soir, grosse affaire : éternelle groupie, Jean-Luc a découvert que le batteur d'Éric Charden vit dans le passage et se propose d'aller lui rendre visite quand ses deux voisins, qui viennent de s'acheter une télévision, lui proposent de passer regarder un film avec Lino Ventura.

Le film, c'est *Classe tous risques*, de Claude Sautet, qui raconte la carrière du gangster Abel Davos, dit Le Mammouth, tueur à gages et gangster de l'après-guerre.

Jean-Luc, qui ne connaît rien ni aux armes, ni à la violence, ni au milieu, est surexcité par le spectacle.

Il n'arrête pas de commenter l'action, essayant de montrer à ses deux compères qu'il s'y connaît, en calibres. L'un des deux ouvriers semble très énervé. À la fin du film, il se lève brusquement et se dirige vers une malle dans un coin de la pièce.

« *Tu t'intéresses aux armes ? Alors regarde bien !* »

Ouvrant la malle, il révèle un petit arsenal à un Jean-Luc éberlué. « *Des armes ? ! Tu en veux ? En voilà ! Tiens, un Glock. Et un 357… Tiens… Au fait, moi, je suis Jacques Mesrine. Et mon pote, là, c'est François Besse.* »

Pour le coup, Jean-Luc n'y croit pas. Dans sa tête, c'est comme s'il venait de rencontrer Jimi Hendrix.

« *C'est vrai ? Je peux te toucher ?* »

Et il touche Mesrine du doigt.

« *Oui c'est vrai, c'est moi.* »

Aucune agressivité.

En fait les deux hommes se sont évadés du quartier de haute sécurité de la Santé, le 8 mai 1978, après cinq ans de détention. Les armes qui sont dans la malle proviennent du pillage d'une armurerie, effectué dans la foulée de l'évasion, juste avant d'aller braquer le casino de Deauville.

Jean-Luc s'est tout de suite attaché à ce bonhomme charismatique, grand, costaud, une éternelle casquette vissée sur la tête. Mesrine a un petit cheveu sur la langue quand il parle. Mesrine aime bien rigoler. Il est très bavard. François Besse, par contraste, est plus renfermé. Après la révélation de leur identité, les deux hommes laissent repartir Jean-Luc dans son petit appartement.

Comme si de rien n'était.

Jean-Luc va devenir un intime de Mesrine.

Qui, dès le lendemain, décide d'aller acheter des gâteaux pour fêter cette rencontre. Lui qui a manqué de tout en prison ne se prive plus de rien.

En confiance, Mesrine lui raconte peu à peu son incroyable carrière d'ennemi public, sa dangereuse trajectoire sous le signe de l'instinct de mort. Jean-Luc est marqué par ces confidences. Pour lui, c'est durant la guerre d'Algérie que l'homme a basculé. Il y a eu une cassure à ce moment, un truc terrible, dont Mesrine ne parle jamais.

De retour de la guerre d'Algérie, il a voulu monter une entreprise, mais la banque lui a refusé un prêt. Du coup, il est devenu braqueur.

Sinon, de quoi parle Jean-Luc avec l'ennemi public numéro un ?

« On parlait de bouffe, pas de foot, ce n'était pas la mode. On parlait un peu de politique, mais pas trop non plus. Les gens racontent qu'il connaissait tous les secrets du gouvernement de l'époque, ce n'est pas vrai, il n'avait pas une grande conscience politique. François Besse en avait peut-être plus, mais il ne disait jamais rien. Mesrine parlait de choses et d'autres, de tout ce qui lui avait manqué, de gonzesses, parce que dans la rue où on habitait, il a dragué à plusieurs reprises et ça a marché à chaque fois.

On parlait de la vie, car il avait une grosse envie de vivre. On parlait de musique, de Coluche, il adorait Coluche. Coluche avait fait tout un sketch le jour de l'évasion de Mesrine, il avait appelé la Santé, demandé si la chambre était libre. Dans le panthéon de Mesrine, il

y avait Balavoine, Johnny Hallyday, Édith Piaf, il était resté très
vieille France sur les trucs musicaux. »

Mesrine rebaptise Jean-Luc, qui devient Nounours. Apprenant que Jean-Luc traficote du shit, Mesrine lui dit d'arrêter de bricoler et lui finance l'achat d'un kilo (juste pour la revente, lui ne fume pas). Puis Mesrine va employer Nounours à diverses opérations de récupération. Au cours de sa carrière de braqueur, il a enterré de l'argent et des armes à droite et à gauche, dans diverses planques. Jean-Luc est envoyé en mission jusqu'en Irlande pour siphonner les caches et en ramener le mystérieux contenu à l'ennemi public.

Sympa, drôle, recherché par toutes les polices de France, Mesrine décide un beau jour de se mettre à la moto. Il apprend à en faire en un temps record et se met à sillonner Paris plein gaz, passant régulièrement du côté de Pigalle, au nez et à la barbe de tous les flics à ses trousses.
Mais les choses vont se gâter.

Une fois de plus, Mesrine braque une Société Générale au Raincy. Narguant plus que jamais les autorités, il donne, dans la foulée, une interview à *Paris Match* qui fait grand bruit et énerve le commissaire Broussard. Pour couronner le tout, il décide d'enlever le juge Petit, qui l'avait condamné à vingt ans de réclusion en 1977. Jean-Luc/Nounours fait partie de cette malheureuse expédition vengeresse qui tourne court.
Le juge n'est pas chez lui. Mesrine et Jean-Luc prennent sa famille en otage. Alertée par la fille du juge, la police arrive. Mesrine a la baraka. Déguisé, il réussit à s'échapper au nez et à la barbe des flics.
Jean-Luc n'a pas cette chance.

Arrêté, puis transféré devant un juge d'instruction, Jean-Luc décide de minimiser son rôle. Lui, le zonard, il a juste fait une mauvaise rencontre, il a été légèrement influencé par Mesrine qu'il connaît mal... Jean-Luc est formel : il s'est laissé entraîner, ce sont là des broutilles adolescentes.

Patiemment, le juge d'instruction écoute ces pitoyables explications. Alors, ouvrant un tiroir de son bureau, le juge en extrait une photo où Jean-Luc et Mesrine posent rigolards, des armes automatiques à la main.

« Et ça, monsieur Coupé, c'est quoi ? »

Jean-Luc apprend, à la dure, que certaines choses ne se font pas. Notamment : on n'enlève pas un juge, on ne prend pas sa famille en otage.

La sentence tombe : huit ans.

Jean-Luc fera quatre ans et il sortira après la remise de peine.

Il apprend la mort de Mesrine en prison, à Saint-Maur.

À sa sortie, il retrouve Odile, à qui il fera deux beaux garçons.

Jean-Luc Coupé était sans aucun doute l'un des très proches de Mesrine. Et personne ne connaît son histoire. Alors qu'en cette année 2008, j'apprends que deux films sur Mesrine se préparent, je décide que mon ami doit raconter sa drôle de destinée dans un livre. Le premier éditeur contacté tombe de son fauteuil et me répond banco.

Nous allons nous mettre discrètement au travail et enregistrer un premier chapitre. Jean-Luc me quitte assez bouleversé par cette visite sur les routes du passé.

Qu'importe. L'exercice lui a fait du bien.

Jean-Luc a envie de continuer.

Il ne pourra pas.

Le samedi 22 mars 2008, la veille de Pâques, Jean-Luc fait un malaise chez lui, dans le 15ᵉ arrondissement parisien.

Odile l'emmène aux urgences.

Il y meurt d'un arrêt cardiaque.

Je perds un chauffeur, un ami et un confident.

Nous emmènerons Jean-Luc au Père-Lachaise pour un ultime voyage, la crémation, en écoutant son disque préféré, *Rock Bottom* de Robert Wyatt, un disque qui raconte à quel point ça peut être magnifique, la vie.

En terminant ce chapitre, je m'aperçois que dans ma tête, Jean-Luc est toujours présent, bien vivant, jamais loin depuis tout ce temps.

Ce matin, il est monté à Roissy.

Il a pris dans son taxi un couple d'Américains.

Il leur a joué l'album live des Allman Brothers.

Les Ricains ont drôlement apprécié.

Jean-Luc a eu un beau pourboire.

Il est reparti pour une petite course et on se retrouvera juste après.

À bientôt mon pote.

MES APPARTEMENTS

Home sweet home

Voilà, c'est fini. On ne va pas faire de ma vie un triple album, non plus. Et l'éditeur pousse de grands cris. Il est question de délais, de fin d'année. Allons bon.

Personnellement, j'aimerais que ce travail d'écriture ne s'arrête jamais.

Ce que je vous propose, pour finir, c'est la visite des endroits où j'ai passé du temps dans ma vie, depuis mon arrivée à Paris, en 1972. Parce que c'est là que tout s'est passé. Rassurez-vous, il y en a peu. À cela une raison : la chose que le collectionneur redoute, voire déteste, juste un petit peu moins qu'un incendie ou une inondation, c'est le déménagement.

Emballer plusieurs tonnes de disques, garder l'idée du classement alphabétique, tout bouger, au risque de tout perdre… Vous imaginez ? Aucun collectionneur n'aime déménager.

17, RUE DES ÉPINETTES, 75017

1972 : J'arrive à Paris mon bac en poche. Je suis inscrit à l'EFAP (section Journalisme) et à la fac de Tolbiac (Économie politique). Je vis dans un deux-pièces du 17ᵉ arrondissement, non loin de la porte de Clichy. J'habite là avec Jocelyne, une copine de

259

Châlons. L'appartement est minuscule. Mes parents me donnent une allocation mensuelle pour manger.

Je la dépense en disques imports et je survis en mangeant des biscuits qu'on achète quelques francs en sacs de dix kilos. Pour améliorer l'ordinaire, je dérobe des plaquettes de chocolat à la bodega du coin. Sympathique petit taudis meublé à l'ancienne, l'appartement est chauffé au gaz. Au bout d'un hiver, nous retrouvons tous nos vêtements moisis dans le placard. Il faut bouger.

Ce qui sera fait un mois après le concert de Roxy Music au Bataclan, en 1973. Un souvenir inoubliable : transporté par cette musique du futur, je rentre rue des Épinettes avec une bande de potes. Nous faisons une fête très alcoolisée, je tombe par la fenêtre. Heureusement, l'appartement est au premier étage.

9, RUE JEAN-BEAUSIRE, 75004

1974 : Juste au coin de la célèbre brasserie Bofinger, rue Jean-Beausire, dans le très rock quartier Bastille. J'ai un studio au septième étage, Jocelyne s'est installée au huitième. Il n'y a pas d'ascenseur. L'immeuble est sans doute un vieil hôtel de passe reconverti en HLM de fortune pour étudiants.

Quelques personnalités me visiteront là : les Dogs mais aussi Little Bob Story au complet, Starshooter, Extraballe, Andrew Loog Oldham, le premier manager des Stones… Un soir de concert, j'accueille Lütz, guitariste du groupe allemand Agitation Free. Il dort par terre, sur un sac de couchage, et va nous chercher des croissants pour le petit déjeuner.

Problème : mon voisin, un garçon sympathique, tombe dans la poudre. Sans cesse à la recherche de dope, il fréquente des junkies.

Un soir, rentrant d'un concert de AC/DC, je découvre que j'ai été cambriolé.

Le voleur est passé par la fenêtre ouverte. Venu de chez le voisin junkie, au risque de sa vie, il a franchi un espace de trois mètres monté sur une échelle posée entre nos deux fenêtres.

À son retour, il a laissé tomber la platine vinyle, une Thorens, que je retrouve fracassée dans la cour, sept étages plus bas. Encore plus ennuyeux : le voleur s'est emparé de deux bijoux appartenant à ma copine Barbara.

Surnommée Barbie par mes copains, c'est une étudiante en lettres, petite, brune et de famille explosée. Barbie est une tête. Sans doute un peu toxicote, elle aussi, elle adore le disque de Genesis *The Lamb Lies Down on Broadway*.

Elle a fait latin et grec, elle pratique un français impeccable et notre relation est souvent houleuse : mes premiers papiers l'énervent. Elle les relit une fois publiés en poussant de grands cris de désapprobation. Dans les moments de désaccord sur l'emploi du point-virgule, elle me donne du « *monsieur Manœuvre* », comme dans la phrase « *sachez donc, monsieur Manœuvre, que l'imparfait du subjonctif...* » Qu'importe.

Je nous revois comme deux sympathiques petits chiots dans la grande ville.

On me dit que Barbie est toujours vivante.

Un copain l'a retrouvée sur Internet : elle vit désormais au Caire.

46, RUE ALBERT-THOMAS, 75010

1977 : Salarié aux Humanoïdes Associés, j'ai désormais les moyens de m'offrir un deux-pièces où j'emménage seul, rue Albert-Thomas. Diverses copines vont y séjourner avec moi. Cet appartement est idéal pour l'époque : à cinq minutes à pied du Gibus Club, je peux aller écouter les groupes punk et rentrer chez moi tard dans la nuit, parfois avec une rockeuse de rencontre.

C'est dans cet appartement que l'équipe des Sex Pistols viendra passer une fameuse soirée hyper alcoolisée. C'est surtout là que je passe des heures et des heures courbé sur ma vieille machine

Remington, tapant sans fin des articles pour *Rock&Folk* et *Métal Hurlant*. Résolument célibataire, polémiste, c'est dans cet appartement que je ferai des fêtes un peu folles avec plein de groupes de rock français. Claude Pupin, de *Rock&Folk*, m'apprend là à faire du café au Jack Daniels : tu prépares ton café, tu mets du Jack à la place de l'eau. Ça se tente, mais mieux vaut prévoir un hamac pour digérer à plat le redoutable breuvage.

C'est également là que toute l'équipe de *Métal* passe boire un coup quand nous fermons le bureau de la rue de Lancry, toute proche.

Rarement citée dans les emplacements rock de Paris, je remarque que la rue Albert-Thomas était tout récemment encore l'adresse des fameuses guitares Gibson.

17, RUE MONGE, 75005

Patrice Blanc-Francard m'offre un job de chroniqueur dans son émission radio sur France Inter, *Loup-garou*. Je suis un chroniqueur rock et mon collègue le chroniqueur moto est un passionné de gros cubes nommé Nicolas Hulot. La rubrique du futur écolo en chef s'intitule « La Poignée dans le Coin ». Nicolas Hulot fait écouter aux auditeurs d'Inter un bruit de moto démarrant. Les auditeurs téléphonent, ils doivent deviner de quelle moto il s'agit. Je raconte ces souvenirs car le ministre d'État mentionne rarement cette anecdote dans sa biographie.

Suite à une rupture, Blanc-Francard pense déménager. Il propose de me laisser son appartement de la rue Monge, où j'emménage dès 1980. Me voici au cœur du 5e arrondissement, dans le fief de la famille Tiberi.

Ce quartier étudiant me plaît énormément.

Mon appartement est parfait. 100 mètres carrés, une immense cuisine où j'installe un juke-box Wurlitzer, plus trois pièces où j'entasse disques vinyle, cassettes, VHS, livres, albums de BD. Je suis au troisième étage, mon balcon donne sur le square de l'École polytechnique. Au cinquième étage vit un voisin prestigieux : Jean-Claude Mézières, génial dessinateur de bande dessinée et créateur de Valérian.

Faisant mes courses dans le quartier, je découvre vite que la chanteuse du groupe Eurythmics, Annie Lennox, habite en face de chez moi, rue des Écoles. Nous nous croisons régulièrement chez le marchand de vins : elle achète sa bouteille de gin, moi ma bouteille de scotch.

Je vis rue Monge avec une série de copines dont une Américaine, Miss Pamela, mannequin et cycliste fanatique du Tour de France, qui fera d'innombrables clips avec Mick Jagger, UB40 et d'autres. Toujours en mouvement, Pam repart un beau jour aux États-Unis.

Je me console en faisant la rencontre de Carey More, top model et actrice (*Le Jumeau* avec Pierre Richard). Notre aventure d'un soir se termine bizarrement. Visionnaire, je lui dis que j'adorerais faire un enfant avec elle, et qu'il sera très beau. Effarée, la belle prend la fuite mais rappelle six mois plus tard. Elle a réfléchi, elle est d'accord.

Nous nous marions et une superbe petite fille, Manon, couronne notre étrange union un an plus tard.

Impossible de conclure sans mentionner que cet appartement de la rue Monge a été le théâtre de nombre de fêtes des *Enfants du Rock*, réveillons, anniversaires. Le clou : une fête *Enfants du Rock* où Gainsbourg débarque avec Bambou et une autre fille, Isabelle. Très préoccupé par les visiteurs en grand nombre, les cocktails à mixer, la musique à passer, j'indique un canapé au trio et repars à la cuisine chercher des glaçons et des verres. C'est là que l'un des danseurs de l'équipe, Clément, vient me chercher : « *Philippe, je flippe, il y a Isabelle Adjani dans ton salon !* »

Quoi ? Plaît-il ? Nom de Zeus... Serge m'avait bien eu, une

fois encore. Je n'ai jamais recroisé Adjani, comment se souviendrait-elle d'une anecdote aussi pourrie ?

GRAMERCY PARK HOTEL, NEW YORK CITY

Un mot sur l'hôtel Gramercy. Une nuit de 1981, je me retrouve au bar de ce fief de la rock critic où les maisons de disques ont pris l'habitude de nous loger à chaque voyage à New York. Je repense à cette vision du bar de l'hôtel : côte à côte, alignés au bar, divers Clash, AC/DC, Téléphone lèvent le coude. À une table, Willy DeVille et Valli de Chagrin d'Amour. Cette nuit-là, je fais la connaissance d'Herman Brood, le rocker hollandais, copain de Nina Hagen. Il doit absolument aller acheter de la drogue à Union Square. Il a rendez-vous mais il est complètement déchiré. Il tremble, il flippe. OK, je l'accompagne et le regarde négocier son paquet de poudre, mâchoires serrées, secoué de frissons.

L'hôtel Gramercy a ses hauts et ses bas. Un beau jour, la police de New York va découvrir 500 kilos d'herbe entreposés dans une suite par des dealers entrepreneurs. Mais tel quel, avant l'obligatoire rénovation *lounge*, le Gramercy fut la place où il faisait bon vivre le rock dans Manhattan.

Bohème, peuplé d'étudiants, le quartier de Gramercy Park de l'époque m'évoquait le 5e arrondissement parisien. Et il y avait sur la 21e Rue un excellent disquaire, Barry's Stereo, où j'ai trouvé nombre de pièces de collection dans les bacs 99 cents. Par ici, les Funkadelic ! Le prix des chambres aussi était bon marché. Je séjourne là un mois entier en 1981, envoyant chaque jour à *Libération* les Chroniques de l'été de Gramercy Park, des notes sur les personnages amusants de ce quartier. Aujourd'hui, depuis que le Gramercy a été rénové, je n'y mets plus les pieds.

103, RUE LA FAYETTE, 75010

1989 : L'appartement de la rue Monge est devenu trop petit ! Les peluches de Manon remplissent une pièce à elles seules. Nous sommes obligés de déménager pour un appartement beaucoup plus grand, rue La Fayette. Drôle d'endroit. Notre appartement est génial, très grand et haut de plafond, avec vue sur un jardin trois étages plus bas. C'est toujours sympa de voir quelques arbres pousser dans la capitale. L'appartement au loyer très modéré est situé dans un quartier hyper animé le jour, déserté le soir et les week-ends.

Je suis resté copain avec Billy Idol. Lorsqu'il donne son concert au Zénith, Billy fait arrêter le Tour Bus 103, rue La Fayette. Il descend, tout en cuir noir, son bébé, Wilhelm Wolfe, dans ses bras. Il le confie à la baby-sitter de Manon. Nous prenons place dans le bus, direction le Zénith. Après le show, nous allons dîner au Pied de Cochon, puis le Tour Bus repasse rue La Fayette, où nos bébés dorment tranquilles, loin de la fureur punk.

Je fais l'acquisition de la chaîne stéréo de mes rêves quand la maman de Manon m'annonce, un beau matin, qu'elle n'aime vraiment pas le climat local et qu'elle préfère retourner vivre en Californie.

Je trouve que c'est une excellente idée quand mon épouse m'arrête : « *Tu n'as pas compris… je veux rentrer en Californie, mais sans toi.* » Premier divorce.

Mon bébé, où est mon bébé ? À onze mille kilomètres. Tout seul dans un appartement de 150 mètres carrés, je tue le temps en éclusant des litres de Jack Daniels. J'ai le blues, le vrai.

1995 : j'héberge rue LaFayette une infographiste avec qui je préparais une émission sur le blues, *Crossroads*. Seule dans la vie, Annick est atteinte de leucémie et elle est à la rue. Au bout de quelques mois de chimio, elle s'en sort par une greffe. Miracle. Elle dormait dans la chambre de Manon. Je l'ai tenue à bout de bras pendant toutes ces semaines, en lui passant le disque de Page & Plant *Unledded*. Je suis sûr que cette sublime musique a aidé à la guérison.

Je tombe ensuite amoureux d'une fille qui ne m'aime pas et va beaucoup me faire souffrir.

L'expérience se termine vite. Repartie vivre ailleurs, la fille resurgit un soir à l'improviste armée d'une batte de base-ball et menace de tout casser dans l'appartement. Mauvais trip. À qui ai-je ouvert ma porte ?

Il faut bouger, quitter cet endroit atypique que j'aimais tant.

Le lendemain, je déniche dans *Le Figaro* un appartement situé porte de Champerret. Il me reste trois mois pour empaqueter ma vie.

Lors de ces préparatifs, ultime visite d'un grand rocker à l'appartement : Wayne Kramer du MC5 débarque avec mon copain Zermati. Dîner chinois, scotch, cigare pour Wayne, disques. La super bonne soirée. Brother Wayne est l'un de mes héros d'adolescence et c'est toujours l'un de mes guitaristes préférés.

Onze heures et demie du soir. Le téléphone sonne. C'est le bureau des Rolling Stones. Quelle surprise ! Le groupe prépare un live unplugged. Dans chaque pays, ils demandent à des journalistes férus d'histoire stonienne quels titres nous aimerions que le groupe joue en acoustique.

Zermati lance « Don't Play with Fire », j'ose « Wild Horses » et « Sittin' on a Fence ». Le bureau des Stones raccroche. Wayne Kramer est sur le cul : *« Putain les mecs, je rêve ? »*

Ainsi allait la vie rue La Fayette.

8, PLACE DE LA PORTE DE CHAMPERRET, 75017

J'adore l'idée d'habiter là : les conventions du disque de Paris ont lieu là, à l'espace Champerret, trois fois par an.

Je m'installe donc porte de Champerret dès 1996, après un

déménagement pénible de vingt-trois énormes caisses remplies de CD. Chance : cet appartement tout blanc dispose d'un grand dressing que je convertis immédiatement en pièce de rangement pour mes CD. Ma fille Manon a sa chambre et j'adore travailler dans le grand salon.

C'est là que je ne vais pas vraiment vivre jusqu'en 1999. Car durant trois ans, j'ai une liaison avec Sylvie de la Rochefoucauld, de Canal Jimmy. Le père de ses enfants, Jean-Dominique Bauby, l'a quittée avant de tomber très gravement malade. Victime d'un AVC, il est sorti du coma affecté du *syndrome d'enfermement*. De sa chambre de l'hôpital de Berck, Jean-Do dictera *Le Scaphandre et le Papillon* à une orthophoniste, en clignant de la paupière, lettre à lettre. Sylvie a deux jeunes enfants de dix et douze ans. J'endosse le rôle de chevalier servant et deviens un second papa pour Céleste et Théophile.

Mon appartement de Champerret est devenu celui du dimanche soir, où j'entrepose une collection de disques en expansion constante. En effet, dès cette époque, je constate que mes vinyles, revendus entre la rue Monge et la rue La Fayette, me manquent terriblement. J'entreprends donc de racheter mes vinyles chéris, un à un.

Une horde de rockers passera par cet appartement. Doctor John, le maire occulte de La Nouvelle-Orléans le premier. Mais aussi John Sinclair, mentor du MC5. Je lui passe *Paris sous les bombes* de NTM, il adore.

Je travaille énormément à Champerret, y écris tous mes textes et articles. Le journaliste et musicien Jérôme Soligny nous aide beaucoup à *Rock&Folk*. Comme il vit au Havre, je lui prête durant un an une chambre, et Jérôme retrouve sa famille chaque week-end. Un soir, tard, alors que nous sommes en train de discuter de l'avenir du rock, le téléphone sonne.

« Hello, is Jérôme around ?
— Who's calling please ?

— *David Bowie.* »
Cette voix me disait quelque chose.

En 1999, Sylvie et moi reprenons des routes différentes. Je reste hyper proche de Théo à ce jour. C'est mon premier grand fils.

Je rencontre, cet été-là, Virginie Despentes. Coup de foudre. Madame *Baise-moi* et monsieur *Sex Machine* emménagent ensemble. Virginie abandonne à regret son 18e arrondissement bien-aimé pour s'installer porte de Champerret.

« *Si le mouvement punk redémarrait du côté de République ou Bastille, il est probable qu'on n'en saurait jamais rien dans le 17e* », rigole souvent la Despentes.

Dans un sursaut de pragmatisme, nous avons décidé d'essayer de vivre ensemble mais sans alcool et sans cocaïne non plus. Le 31 décembre 1999, je bois donc mon dernier verre d'alcool. La désintoxication me prend trois mois. J'en sors amaigri de dix kilos, rajeuni, revenu chez les vivants. Il me faudra des mois pour effacer les effets désastreux de l'alcool, et des années pour m'excuser auprès de tous ceux que j'ai insultés ivre mort, un soir de beuverie. Après vingt-cinq années de délire éthylique assumé, je ne regretterai pas l'alcool mais je ne recommencerai pas à boire non plus. Sans remords ni regrets, comme dit toujours Keith Richards.

À ce jour, j'ai eu la volonté de ne jamais repiquer au truc, de prouver à mes enfants que c'était possible et j'en suis fier.

Clair, ensoleillé, avec cette vue fabuleuse sur le sud et l'ouest parisiens, l'appartement nous inspire. C'est là que je rédige deux volumes de *La Discothèque idéale*, mon livre sur James Brown, les livres de Polnareff et de JoeyStarr, d'innombrables préfaces. Virginie traduit là les mémoires de Dee Dee Ramone. Porte de Champerret, elle écrira surtout *Teen Spirit*, *Trois étoiles* et *Bye Bye Blondie*. Les éditions étrangères de *Baise-moi* arrivent de tous les pays. Compréhensif, le concierge, M. Renard, nous prête une chambre de bonne où nous entreposons des caisses de *Baise-moi*, éditions croate, néerlandaise, japonaise. Est-ce bien traduit ? Nous ne le saurons jamais.

Manon revient vivre avec moi en 2004 et Virginie repart quelques mois plus tard s'installer dans le Marais.

C'est le 24 avril 2008, à un concert de BB Brunes, à la Cigale, que je retrouve Candice, de vingt-quatre années ma cadette. Candice est désormais directrice de promotion chez Warner. Le rédacteur en chef et l'attachée de presse qui convolent ? Pardon pour ce cliché.

Candice et moi, nous avons vraiment fait connaissance lors d'un concert des Rolling Stones à Boston, en 2004.

J'y amenais ma fille, Candice était venue invitée par son père, un fou des Stones, lui aussi.

En 2008, nous officialisons. Candice est une femme parfaite et exceptionnelle de gentillesse. On la surnomme Wonder, à cause de sa ressemblance avec Wonder Woman. Elle supporte mes coups de grisou de Gémeaux/Balance avec humour et tendresse. Quelque chose prend forme. Dans sa Mini Cooper décapotable, nous fonçons d'un concert à une soirée. Elle m'annonce qu'elle est enceinte en juin 2011. Je suis à la Hellfest. Ulysse arrive le 24 décembre de cette année-là. C'est pour moi un moment extraordinaire que la naissance de ce fils qui vient changer ma vie pour le mieux. Je n'avais pas élevé Manon, partie à deux ans et revenue à quatorze. C'était une blessure profonde. M'occuper d'Ulysse au quotidien met du baume sur une vieille plaie. Chaque matin, je fais le biberon d'Ulysse. Selon mes calculs, j'en ai réalisé 1 460 lorsque Ulysse fête ses quatre ans.

Parenthèse radio : trois ans durant, je transforme mon bureau en studio. Grâce à Oui FM, j'émets quotidiennement, durant une heure. C'est *L'Excessive vinyl session*. Je passe mes vinyles en direct de la porte de Champerret. Jonathan Hume et Hugo Paillard sont mes fidèles compagnons durant toute cette excitante aventure.

Février 2017 : Candice donne le jour à une magnifique petite fille, Lily Rock. L'arrivée de ma Lily correspond à mon départ en retraite de *Rock&Folk*. Voilà, c'est fini. Je ne suis plus un chef du rock. Se souviendront-ils de moi ? Est-ce la fin de mon adolescence ? Sans doute aussi. Je commence avec entrain à préparer les biberons de Lily.

TROUSSECOTTE

Nous sommes expulsés de la porte de Champerret par la mairie de Paris. Que faire de mes trois tonnes de disques ? Nous trouvons asile aux frontières du Vexin, dans une vieille ferme que nous retapons.

Le 30 mars 2017, les camions de déménagement quittent la porte de Champerret avec tous mes vinyles, CD, livres rock, journaux rock, souvenirs rock. Tout cela quitte Paris, sans doute définitivement.

Merci encore Anne Hidalgo ! Grâce à l'action de vos services, ma petite famille et moi, nous découvrons les bienfaits de la Picardie.

J'adore la campagne française, ses églises romanes posées au milieu des champs de blé.

Enfin tranquille, loin de la ville, de ses bruits et de ses tentations, je peux tranquillement me consacrer à l'écriture. Ranger mes disques. Classer mes livres. Sortir mes posters. Écrire. Lire. Écouter du rock très fort. Aménager mon grenier. Faire du vélo dans la campagne. Discuter avec les voisins. Visiter la cathédrale de Beauvais. Découvrir aussi que le rock est désormais partout. Nombre de groupes prolifèrent en Picardie. Beaucoup sont excellents. Certains jouent du blues, non loin de chez moi. D'autres chantent, jouent du saxo. La province française est musicienne, et c'est un très grand changement survenu lors des cinquante dernières années.

Bien sûr, nous avons gardé un petit pied-à-terre à Paris, mais clairement, nous ne sommes plus vraiment parisiens.

Sur ma platine tourne un disque de Bob Marley, *Exodus*. Et moi, j'attends énormément des cinquante prochaines années.

-FIN-

POST-SCRIPTUM

LE TOUJOURS DIFFICILE ART DE L'INTERVIEW

Que dirait Neil Young ?

Si la moitié du métier de rock critic consistait à faire des voyages à la poursuite des rockers, une fois ces jeunes gens assis face à nous, encore fallait-il les interviewer.

Un truc pas facile.

En préambule, cette anecdote rapportée par Patti Smith. Jeune rock critic, Patti était très énervée par les interviews d'Eric Clapton qu'elle lisait un peu partout dans la presse rock de l'époque. On dirait que tout ce que ces types avaient réussi à demander à Clapton c'est « *Vous utilisez quelles cordes pour votre guitare ?* »

Situation assommante à laquelle Patti se promettait de remédier à la première occasion. Et justement...

Dans une soirée new-yorkaise, Patti rencontre enfin Eric Clapton, Slowhand en personne. En présence du dieu, très émue, elle ne pourra que balbutier un timide : « *Heu... vous utilisez quelles cordes pour votre guitare ?* »

À l'heure du bilan, je voudrais avant tout remercier Nick Kent, le grand critique anglais, qui me décomplexa d'emblée en me confiant sa vision très personnelle de l'art de l'interview.

Autre maître, Philippe Paringaux, mon premier rédacteur en chef, à *Rock&Folk*. Lui disait trois choses, je me souviens de la première : « *Pars avec trente-deux questions écrites. Si tu n'as pas tes trente-deux questions, n'y va même pas.* »
Merci Nick Kent, merci Philippe Paringaux.

Voici donc une liste des gens que j'ai interviewés pour Rock&Folk ou Métal Hurlant, de 1973 à 1984 :

Je commence ma carrière en 1973, par une longue rencontre avec les Blue Öyster Cult, pour le journal *Rock&Folk*.
Très vite, dans la foulée, Patti Smith.
Rentré à Paris, j'interviewe Johnny Winter, Humble Pie, Lynyrd Skynyrd, Bad Company, Status Quo, Robin Trower, Lou Reed, Deep Purple, Rod Stewart et Britt Ekland, Alice Cooper, Doctor Feelgood, Todd Rundgren, Leo Sayer, Jo Leb (ex-Variations), les Who, Ted Nugent (soutien indéfectible de Donald Trump), le Boogaloo Band, Nils Lofgren, Ringo Starr, Doctors of Madness, Daryl Hall et John Oates, Procol Harum, Black Sabbath, Eddie and the Hot Rods, Kiss, les Sex Pistols, Elliott Murphy, les Motors, Johnny Thunders, Richard Hell, Shakin' Street, les Dictators, Bob Geldof des Boomtown Rats, Roger Dean (peintre des pochettes de Yes), Ray Bradbury, (auteur des *Chroniques martiennes*, il me dit : « *Philippe, il faut sauver les baleines* » dès 1976), Robert Gordon et Link Wray, Nick Lowe, les Jam, Starshooter, Elvis Costello, Van Halen, Mink DeVille, AC/DC, Sugar Blue (musicien du métro parisien qui joue de l'harmonica sur un titre des Rolling Stones, « Miss You »), Little Bob, Rory Gallagher, Bijou, Ian Dury, les Stranglers, Motörhead, Peter Wolf du J. Geils Band, Devo, Bryan Ferry, Emmanuel Booz, David Byrne de Talking Heads, Bob Marley, Kid Creole & the Coconuts, Chic, John Lydon (ex-Rotten), Metal Urbain,

Generation X, Nina Hagen, Téléphone, Diana Ross, Cheap Trick, Bruce Springsteen, les Clash, Bette Midler, les Stray Cats, Alain Bashung, Ozzy Osbourne, Catherine Deneuve, Chrissie Hynde des Pretenders, Bob Ezrin (producteur de Pink Floyd, Lou Reed, Téléphone et Alice Cooper), Debbie *Blondie* Harry, Stevie Wonder, les Deadbeats, les Pogues, Scorpions, James Brown, Alan Douglas (gestionnaire à l'époque de l'héritage Jimi Hendrix), Serge Gainsbourg et Jane Birkin, David Lee Roth, Great White, Slash des Guns N' Roses, Iron Maiden, Étienne Daho, John Lee Hooker, Johnny Hallyday, Garth Brooks, ZZ Top, Yoko Ono, Keith Richards, Brian May de Queen, les Black Crowes, les Stairs, Joan Jett, Mick Jagger, Madonna, Robert Plant, Jimmy Page, David Coverdale, Donald Fagen de Steely Dan, Iggy Pop, Pearl Jam, Khaled, MC Solaar, Malcolm McLaren, Billy Ze Kick, Tom Petty, Wayne Kramer du MC5, Eric Clapton, Ray Manzarek et Robby Krieger et John Densmore des Doors, Bérurier Noir, Rage Against the Machine, Michel Polnareff, Courtney Love, Bono, Radiohead, Oasis, Janet Jackson, Michael Jackson, Ahmet Ertegün, les Smashing Pumpkins, Buddy Guy, Doctor John, Sean Lennon, Tanger, Bob Sinclar, REM, Neil Young, BB King, Buddy Guy, Albert Collins, Jeff Beck, Parabellum, Tricky, les Stooges, Screamin' Jay Hawkins, Rita Mitsouko, L7, Nile Rodgers, Alex Gopher, Michel Houellebecq, Marilyn Manson, Fatboy Slim, Blur, JoeyStarr, Air, Noir Désir, les White Stripes, Dick Rivers, Paul McCartney, Jon Spencer, David Bowie, les Prodigy, Seven Hate, Jane's Addiction, Kim Fowley, M, George Clinton, Manu Chao, Charlie Watts, Pete Doherty, AS Dragon, Killing Joke, les Wampas, Rat Scabies, Marc Tobaly, Ramon Pipin, Jack White, les Plastiscines, Vanessa Paradis, Kevin Ayers, FFF, Ron Wood, les Specials, les Last Shadow Puppets, Trust, Keziah Jones, Christian Vander de Magma, Lenny Kravitz, Nikki Sixx de Mötley Crüe, Jacques

Dutronc, Geoff Emerick (l'ingénieur du son des Beatles), Bertrand Burgalat, Yarol Poupaud, Françoise Hardy, BB Brunes, Wicked Lady, Shaka Ponk, Skip the Use, Daft Punk, Jean-Louis Aubert, Brian Wilson, les Dogs.

À partir de 1990, après sept ans de télévision, je reviens travailler à *Rock&Folk*. Très excité par ce retour à la presse rock, j'invente le concept *Mes Disques à Moi*, visite de la discothèque de quelqu'un qui aime le rock. Ou le jazz. Ou l'électro. Voici une liste des gens alors rencontrés par moi pendant vingt ans :

Alain Chabat, Antoine de Caunes, Air, Alan McGee (patron de Creation, signataire d'Oasis), Albert Goldman, Alister, Amanda Lear, Ann Scott, Arno, Asia Argento, le groupe Bazooka, Ben Barbaud (fondateur de la Hellfest), Bertrand Burgalat, Jackie Berroyer, Bobby Gillespie de Primal Scream, Bret Easton Ellis, les Brigitte, Bruno Bayon, CharlElie Couture, Chris Isaak, Christophe Gans, Chuck Klosterman, Dan Aykroyd, Joe Cocker, Daniel Cohn-Bendit, Daniel Darc, Denis Sire, Dick Rivers, Didier Wampas, Jango Edwards, Don Was, Eddy Mitchell, Emmanuelle Seigner, Éric Serra, Étienne Daho, Francis Cabrel, Francis Zegut, Gaspar Noé, Georges Lang, Chilly Gonzales, Greg Boust, les Nuls, Guillaume Depardieu, Guillaume Dustan, Guillermo del Toro, Guy Peellaert, Hugh Laurie, Izzy Stradlin, Jack Douglas, Jan Kounen, Jean-Baptiste Mondino, Jean-Charles de Castelbajac, Jean-François Bizot, Jean-Marie Périer, Jean-Pierre Galland, Jean-Pierre Kalfon, John Carpenter, John Waters, Johnny Hallyday, Keith Richards, Philippe Katerine, Kim Gordon, Kool Shen, Larry Sloman, Laurent Chalumeau, Laurent Garnier, Laurent Voulzy, Lenny Kaye, Lou Doillon, Louis Bertignac, Lucas Trouble, Manu Katché, Martin Meissonnier, Mathilda May, Melvil Poupaud, Michaël Youn, Michel Gondry, Moustic,

Mr Oizo, Nick Hornby, Nick Kent, Nicolas Bedos, Nina Roberts, Olivier Assayas, Olivier Besancenot, Pascal Comelade, Paul McCartney, Paul Personne, Paul Simonon, Philippe Garnier, Philippe Vuillemin, Philippe Druillet, Pierre Lescure, Robert Combas, Robert Crumb, Sébastien Tellier, Salman Rushdie, Silvain Vanot, Simon Reynolds, Soan, les Cult, Valérie Lemercier, Vincent Cassel, Vincent Ravalec, Coralie Trinh Thi et Virginie Despentes, William Sheller, Philippe Starck...

Drôle d'inventaire.

Avant trois petits souvenirs personnels d'interviews marquantes, petite notice : et Dylan ?

Quid du barde ? Il est où, l'aède ?

En vingt-deux ans de loyaux services à la rédaction en chef de *Rock&Folk*, Bob Dylan a demandé une fois à rencontrer un journaliste de chez nous, au moment de la sortie de son album *Love and Theft*, en septembre 2001.

J'avais alors dans mon équipe un jeune, très jeune, et brillant journaliste, Nikola Acin. Fanatique féru de Dylan, ami de Joan Baez, Acin, comme dans la chanson des Yardbirds me semblait carrément *meilleur que moi* sur ce coup. Fougueux, Acin est parti seul rencontrer le barde, en Italie. La maison de disques avait demandé une seule chose : pas de dédicace ! Aucune dédicace de rien, par pitié, foutez-lui la paix !

Acin est revenu transfiguré de joie.

Bob Dylan et lui avaient échangé pendant quarante-cinq minutes et Dylan lui-même avait proposé de dédicacer sept albums parmi la pile amenée dans un gros sac !

Nikola Acin était heureux comme jamais.

Il nous a quittés en 2010, il est, comme on dit pudiquement, *mort dans son sommeil*. Je le pleure toujours, comme un fils perdu.

Souvenir numéro 1 : Daft Punk

En 2013, les Daft sortent l'album, *Random Access Memories*. Ils veulent faire la promo *comme en 1975*, comme à l'époque de l'âge d'or. Leur promo se fera donc avec des posters géants et des entretiens avec la presse musicale. Je fais l'interview à l'hôtel Meurice. Les Daft sont civils et en civil.

Suite à un désistement de *GQ USA*, dont le rédacteur en chef refuse de mettre des robots en couverture, *Rock&Folk* se retrouve le tout premier média au monde à publier une interview du duo, un mois avant la sortie du disque tant attendu. C'est un délire mondial unique auquel j'assiste alors ! L'article de *Rock&Folk* se retrouve traduit en quarante-neuf langues, posté de blog en blog, discuté dans le *New York Times*. Je ne vois pas trop quel autre groupe au monde provoquerait pareil flamboiement ?

Souvenir numéro 2 : Yoko Ono

En 1995, j'interviewe Yoko Ono pour l'émission *Top Bab* sur Canal Jimmy. J'ai deux caméras. Cela, je m'en souviens parfaitement. Yoko est d'un contact facile, plutôt agréable. Elle répond à toutes les questions. Je me sens en confiance. À un moment je m'enhardis et lui demande si Lennon a été abattu par une agence gouvernementale américaine.

Elle se lève et va éteindre elle-même les deux caméras. Ensuite elle décrète de mémoire : « *Oui, sans aucun doute. Mais j'ai un fils et je ferme ma bouche. Je ne veux pas que la même chose lui arrive.* »

Et elle quitte la pièce. Je suis estomaqué. L'équipe est estomaquée. Nous rangeons le matériel en silence et je pars errer sans but dans Londres, comme si j'avais pris un coup de marteau sur la gueule.

Souvenir numéro 3 : David Bowie

Je me souviendrai toujours de ce jour de 1987 où je suis allé interviewer David Bowie pour le journal *Libération*.

Petite précision : quelle que soit l'occasion, disque, film, tournée, nous les rock critics, on avait toujours un petit peu la tremblote à l'idée de croiser le fer avec Bowie, personnage complexe, caméléon d'une intelligence rare. Il pouvait nous déborder à chaque instant, en balançant des références fulgurantes, réalisateur japonais, écrivain russe, styliste batave, rien ne lui était étranger.

Si on réussissait à rebondir sur une des pistes proposées par Bowie au fil de la conversation, l'entretien pouvait dépasser les limites strictes du cadre prévu et se poursuivre longtemps.

Le nouvel album de Bowie (*Never Let Me Down*) qui provoque notre entretien est de ses moins ambitieux, je le lui dis. Sans s'énerver, Bowie va s'évertuer à m'expliquer que les temps, ils ont changé. Je rappelle la date, elle a son importance : mai 1987.

Et Bowie me dit ceci : « *Mais, jeune chien fou, tout cela n'a plus grande importance... Tu ne sembles pas t'en rendre compte, tant pis, mais pour moi David Bowie, le rock n'est plus le fer de lance des mouvements de jeunesse.* »

Cette phrase, il va me la répéter par trois fois au cours de l'entretien. Il est vêtu d'un costume de soie vermillon. Il est blond, coiffé en rocker techno blond platine. Il rit beaucoup.

Je prends la rédaction en chef de *Rock&Folk* six ans plus tard et, vingt ans durant, je repenserai à cette étrange conversation.

Bowie avait raison.

Bowie avait toujours raison.

Ah, une dernière chose : très souvent, dans la rue, les transports en commun, les aéroports, devant la cathédrale de Reims récemment, n'importe où en vrai, même aux chutes du Niagara une fois, des gens m'abordent pour me dire toujours la même phrase : *« Ah oui, Philippe Manœuvre, Les Inrockuptibles. »*

Au début, il a dû m'arriver d'essayer de rectifier. Mais là, puisqu'on est sur le sujet, sache, ô fidèle lecteur, que *Les Inrocks* est un des rares magazines français où je n'ai jamais, jamais, jamais, publié la moindre petite ligne. Par contre, de 1973 à 1983 et de 1990 à 2017, j'ai travaillé pour *Rock&Folk*. Voilà, c'est dit.

Ce fut une balade de plaisir. Trente ans de pur bonheur, avec une énergie non feinte. Avec mon équipe, les fidèles Yasmine Aoudi et Matthieu Vatin, Vincent Palmer, Tannières et Basile Farkas, nous avons essayé d'aider le rock. Bien sûr, nous avions tout prévu. Reformation inopinée, rock critic batave, nouveau style de blues, réédition d'incunable, rien ne fera dévier notre route durant vingt ans.

Et puis soudain, il nous est arrivé un truc hors norme, un truc horrible, affreux, abominable.

Je parle de l'attentat du Bataclan.

Le 13 novembre 2015.

Retenez bien cette date : pour la France, c'est celle de la fin de l'âge d'or du rock. Durant ce concert, quatre-vingt-dix fans ont perdu la vie. Des dizaines de rockers, entrés bien portants dans la salle sont ressortis blessés, parfois gravement.

Quatre-vingt-dix morts au Bataclan !

La photographe du journal, Marion Ruszniewski était là, bien sûr. Elle suivait les Eagles of Death Metal depuis leurs débuts. Marion s'est pris une balle dans le dos. Elle fut sans doute sauvée par son sac photo, traversé lui aussi de part en part par le projectile.

Un mois après le Bataclan, le journal sortait. Comme chaque mois depuis 1966. Ils ont essayé de tuer le rock, mais y sont-ils parvenus ?

Nous avons le cuir dur.

Je décide de rester encore un an à *Rock&Folk* et de prendre ma retraite.

Ce que je fais.

Peu après avoir repris ma liberté, une dame m'a abordé dans la rue pour me dire : « *Vous savez*, Les Inrocks, *depuis votre départ en retraite, je ne l'achète plus.* »

Je me suis bien gardé de la détromper.

Remerciements

L'auteur tient à remercier les bonnes fées qui se sont penchées sur ce projet :
— Stéphanie Lamome, qui a mené les premiers entretiens.
— Delphine Saubaber, qui a mis un tigre dans le moteur.
— Candice Martinon de la Richardière, qui a relu le tout avec amour.
— Emmanuelle Bucco-Cancès, merci encore.
Et Marc Legendre, pour la doc.
Ainsi que Paul Rambali, Benjamin Locoge et Bertrand Burgalat, merci de votre soutien indéfectible.

TABLE

Composé et édité par HarperCollins France.

Achevé d'imprimer en septembre 2018.

à Mesnil-sur-l'Estrée (Eure)

Dépôt légal : octobre 2018.

Pour limiter l'empreinte environnementale de ses livres,
HarperCollins France s'engage à n'utiliser que du papier
fabriqué à partir de bois provenant de forêts gérées durablement
et de manière responsable.

Imprimé en France